MISSIONS THEOLOGIE

Eine Einführung
von Karl Müller
Mit Beiträgen von Hans-Werner Gensichen
und Horst Rzepkowski

DIETRICH REIMER VERLAG

CIP-Kurztitelaufnahme der Deutschen Bibliothek

Müller, Karl:
Missionstheologie : e. Einf. / von Karl Müller. Mit
Beitr. von Hans-Werner Gensichen u. Horst
Rzepkowski. – Berlin : Reimer, 1985.
  ISBN 3-496-00822-9

Umschlag Thomas Rode / Werner Ost
Frankfurt am Main

© 1985 Dietrich Reimer Verlag
Dr. Friedrich Kaufmann
Unter den Eichen 57
1000 Berlin 45

INHALTSVERZEICHNIS

VI

VORWORT

Dieses Buch will eine Hilfe sein. So vieles ist in den letzten zwanzig Jahren über missionstheologische Fragen geschrieben worden, Positives und Kritisches, Konstruktives und Destruktives, Wegweisendes und Verwirrendes. Vorkonziliare Gesamtdarstellungen sind heute kaum noch brauchbar, nachkonziliare sind nicht vorhanden. Für den Fachmissiologen mit entsprechender Fachliteratur ist es immer noch leicht, sich in der Vielfalt der Meinungen zurechtzufinden, schwieriger ist dies für alle anderen Interessenten und die Studenten. Gerade für letztere ist diese "Einführung" gedacht.

Mehr als auf anderen Gebieten ist auf dem missionarischen Sektor ökumenische Zusammenarbeit möglich. Ein Vergleich der katholischen und protestantischen, neuerdings auch der orthodoxen Literatur zeigt, daß das Missionsanliegen überall brennend gespürt wird, aber auch, daß die Probleme und Lösungsversuche in allen Kirchen die gleichen sind. Es ist eine Bereicherung, "ökumenisch" zu arbeiten. Bei der Entstehung dieses Buches wurde bewußt auf diesen Aspekt geachtet. Aus diesem Grunde bin ich vor allem Herrn Professor Gensichen dankbar, daß er das erste und sechste Kapitel geschrieben hat. Darüber hinaus hat mir sein Werk "Glaube für die Welt" reiche Anregung geboten. So hoffe ich, daß dieses Buch auch ein Beitrag zur Ökumene ist.

St. Augustin, am 31. Mai 1985

Karl Müller

ABKÜRZUNGEN

AAS   = Acta Apostolicae Sedis, Rom 1909ff.

AG   = Ad Gentes: Dekret über die Missionstätigkeit der Kirche (II Vatikanum)

AMZ   = Allgemeine Missionszeitschrift, Gütersloh 1874ff.

EM   = Die evangelischen Missionen, Gütersloh 1895ff.

EMM   = Evangelisches Missionsmagazin, Basel 1857ff.

EMZ   = Evangelische Missionszeitschrift, Stuttgart 1940ff.

EN   = Evangelii Nuntiandi: Apostolisches Schreiben Papst Pauls VI, Rom 1975

GS   = Gaudium et Spes: Die pastorale Konstitution über die Kirche in der Welt von heute (II Vatikanum)

IRM   = International Review of Missions, Edinburgh 1912ff.

KM   = Die katholischen Missionen, Freiburg i. Br. 1873ff.

LG   = Lumen Gentium: Die dogmatische Konstitution über die Kirche (II Vatikanum)

LThK   = Lexikon für Theologie und Kirche, Freiburg 1957—1968

MAT   = Missionswissenschaftliche Abhandlungen und Texte: Veröffentlichungen des Internationalen Instituts für missionswissenschaftliche Forschungen, Münster 1917ff.

NAMZ   = Neue Allgemeine Missionszeitschrift, Gütersloh 1924ff.

NZM   = Neue Zeitschrift für Missionswissenschaft, Schöneck-Beckenried 1945ff.

QD   = Questiones Disputatae, Freiburg/Basel/Wien 1958ff.

StIM   = Studia Instituti Missiologici SVD, St. Augustin 1962ff.

ThB   = Theologische Bücherei, München 1953ff.

ThWNT   = Theologisches Wörterbuch zum Neuen Testament, Stuttgart 1924ff.

ZMiss   = Zeitschrift für Mission (in Fortführung von EMM und EMZ), Basel/Stuttgart 1975ff.

ZMR   = Zeitschrift für Missions- und Religionswissenschaft (zunächst: Zeitschrift für Missionswissenschaft = ZM), Münster 1911ff.

Erstes Kapitel

MISSIONSWISSENSCHAFT ALS THEOLOGISCHE DISZIPLIN

Literatur:

P. *Althaus*, Um die Reinheit der Mission. In: F. *Wiebe* (Hrsg.), Mission und
Theologie (Göttingen 1953) 48—60

D.J. *Bosch*, Theological Education in Missionary Perspective. Missiology 10
(1982) 13—34

K. *Cracknell*, Theological Education in Missionary Perspective: A Response
from Britain to David J. Bosch. Missiology 10 (1982) 229—243

J. *Dürr*, Die Reinigung der Missionsmotive. EMM 95 (1951) 2—10

A. *Exeler*, Vergleichende Theologie statt Missionswissenschaft? Provozierende
Anfrage eines Nichtfachmanns. In: H. *Waldenfels* (Hrsg.), " ... denn Ich
bin bei Euch" (Mt 28,20): Perspektiven im christlichen Missionsbewußt-
sein heute (Festschrift J. Glazik, B. Willeke) (Zürich — Einsiedeln — Köln
1978) 199—211

A.F. *Glasser*, Missiology — What's It All About? Missiology 6 (1978) 1—10

J. *Glazik*, Aufgaben und Ort der Missionswissenschaft heute. EMZ 25 (1966)
125—133

W. *Hering*, Das Missionsverständnis in der ökumenisch-evangelikalen Auseinandersetzung — ein innerprotestantisches Problem. StIM 25 (St. Augustin
1980)

L.A. *Hoedemaker*, Hoekendijk's American Years. OBMR 1 (1977) Nr. 2,
7—10.

J.C. *Hoekendijk*, Kirche und Volk in der deutschen Missionswissenschaft
(München 1967)

— Die Zukunft der Kirche und die Kirche der Zukunft (Stuttgart/Berlin 1964)

— Feier der Befreiung: Was ist Mission? Kontexte Bd 4 (Stuttgart/Berlin
1967) 124—131

W. *Holsten*, Das Kerygma und der Mensch: Einführung in die Religions- und
Missionswissenschaft (München 1953)

E. *Käsemann*, Der Ruf zur Freiheit. QD 93 (Tübingen 1972[5])

K. *Kertelge* (Hrsg.), Mission im Neuen Testament (Freiburg u. a. 1982)

K. *Koyama*, What Makes a Missionary? Toward Crucified Mind, not Crusading
Mind. In: G.H. *Anderson* u. a. (Hrsg.), Mission Trends No. 1 (New York
u. a. 1974) 117—132

T. *Kramm*, Was ist von einer "Vergleichenden Theologie" zu erwarten? ZMR
68 (1984) 69—73

M. *Linz*, Missionswissenschaft und Ökumenik. In: R. *Bohren* (Hrsg.), Einführung in das Studium der evangelischen Theologie (München 1964) 34—
54

J. *Moltmann*, Theologie der Hoffnung (München 1965[4])

O.G. *Myklebust*, The Study of Missions in Theological Education (Oslo 1955—
1957) 2 Bde

R. *Pesch*, Voraussetzungen und Anfänge der urchristlichen Mission. In: K. *Kertelge* aaO 11—70

K. Rahner, Grundprinzipien zur heutigen Mission der Kirche. In: *F.X. Arnold* u. a. (Hrsg.), Handbuch der Pastoraltheologie II/2 (Freiburg 1966) 46–80

G. Rosenkranz, Missionswissenschaft – Erbe und Auftrag. EMZ 25 (1968) 185–200

L. Rütti, Zur Theologie der Mission: Kritische Analysen und neue Orientierungen (Mainz – München 1972)

P. Schütz, Zwischen Nil und Kaukasus (München 1930)

B. Sundkler, Bedeutung, Ort und Aufgabe der Missiologie in der Gegenwart. EMZ 25 (1968) 113–124

G. Warneck, Evangelische Missionslehre: Ein missionstheoretischer Versuch (Gotha 1892–1905) 5 Bde

D. Zeller, Theologie der Mission bei Paulus. In: *K. Kertelge* aaO 164–189

1. ZWISCHEN DEN FRONTEN

Die Anfänge

Die Missionswissenschaft ist im Kreise der theologischen Disziplinen eine verhältnismäßig späte Erscheinung. Erst 1832 wurde der Begriff von dem Jenaer Kirchenhistoriker J.T.L. Danz erstmals erwähnt und als "Apostolik" umschrieben.[1] Wissenschaftliche Beschäftigung mit der Mission hat es zwar, in unterschiedlicher Gestalt, mindestens seit dem großen franziskanischen Gelehrten, Dichter, Philosophen und Missionar Ramon Llull († 1315) gegeben, im protestantischen Bereich seit den Theoretikern der holländischen Kolonialmission des frühen 17. Jahrhunderts. Bereits 1800 wurde in Tübingen von J.Fr. Flatt eine Vorlesung über Mission gehalten. Aber dies Experiment blieb im Verborgenen und fand zunächst keine Nachahmer. 1836 folgte das presbyterianische Princeton Theological Seminary (USA) mit einer Professur für "Pastoraltheologie und missionarische Unterweisung", die von Charles Breckenridge versehen wurde, nach seinem Ausscheiden 1839 aber schon wieder verschwand. Der Lutheraner Karl Graul, der im Begriff war, als Dozent für "Missionsgeschichte, Missionsstatistik, Theorie der Mission, Geschichte des Heidentums" in Erlangen seine Vorstellungen von einer auch wissenschaftlich verantworteten Konzeption der Mission zu vertreten, starb 1864, ohne die Lehrtätigkeit aufnehmen zu können. Drei Jahre später erhielt *Alexander Duff*, drei Jahrzehnte lang Missionar der Kirche von Schottland in Indien, den Ruf an einen neu geschaffenen Lehrstuhl für "Evangelistische Theologie" am New College in Edinburgh

---

1 Encyclopädie und Methodologie der theologischen Wissenschaften (Weimar 1832) 362–366 (*Myklebust*, Study of Missions I, 76 Anm. 17, gegen *J.C. Hoekendijk*, Kirche und Volk 34f.)

und wurde damit der "erste Professor für Mission in der gesamten Christenheit".[2]

Problematik

Schon die Ernennung von Duff war allerdings umstritten — nicht weil man seine Qualifikation bezweifelte, sondern weil man sich fragte, ob später für ein so "abnormes" Fach kompetente Nachfolger gefunden werden könnten. Tatsächlich wurde Duffs Lehrstuhl, nach Umwandlung in einen Lehrauftrag, 1909 gänzlich abgeschafft. Mittlerweile hat die Missionswissenschaft ihren "experimentellen" Charakter, mit dem Duff sich noch herumzuschlagen hatte, abgelegt und in zahlreichen theologischen Fakultäten und Hochschulen ihren festen Platz gefunden. Aber man darf sich nicht darüber täuschen, daß die Problematik dieser Disziplin fortbesteht und heute wie einst kritische und selbstkritische Besinnung erforderlich macht. Zwei Tendenzen lassen sich unterscheiden: Erstens kann die Missionswissenschaft die "Sendungsveranstaltungen" der christlichen Kirche als solche zu ihrem Gegenstand machen, unter Umständen bis zu dem Extrem, daß sie sich als "Wissenschaft des Missionars und für den Missionar" versteht. Sie kann sich dann mit Missionsgeschichte, Missionsgeographie und -statistik, Morphologie und Phänomenologie der Mission und gewiß auch mit der Erforschung und Weiterentwicklung der Missionsmethode befassen. Sie kann damit vielleicht, wie es Karl Graul vor fast eineinhalb Jahrhunderten ins Auge faßte, "aus dem Halbdunkel sentimentaler Gläubigkeit zur Mittagshelle gläubiger Wissenschaft erhoben werden".[3] Ob sie aber über die Theorie einer bestimmten etablierten Praxis hinauskäme, die für die anderen theologischen Disziplinen nicht notwendig von Interesse zu sein brauchte, wäre zum mindesten zweifelhaft.

Die Rolle und Aufgabe der Missionswissenschaft ist daher, zweitens, auch immer wieder in einem anderen, weiteren Sinn interpretiert worden. Programmatisch ist dies in neuerer Zeit vor allem dort geschehen, wo die Mission von der Bindung an ihre Trägerinstitutionen, vor allem auch an die Kirche und ihre konkrete Gestalt weitgehend gelöst wurde, damit ihr im Zusammenhang eines allgemeinen, radikalen christlichen Weltbezugs ein neuer Ort angewiesen werden könnte — ein Versuch, der im protestantischen Bereich zunächst mit Namen und Werk des hollän-

---

2   *Myklebust*, The Study of Missions in Theological Education I, 187. Dies große Werk ist bis heute unübertroffen, sollte allerdings über den Stand von 1957 hinaus fortgeführt werden.

3   Zitiert bei *Myklebust* aaO 94f.

dischen Missionswissenschaftlers *J.C. Hoekendijk* († 1975),[4] in der katholischen Missiologie mit *Ludwig Rütti* und dessen Lehrer Johann Baptist Metz in Verbindung zu bringen ist.[5] Die Akzente können dabei unterschiedlich gesetzt werden; Intention und Durchführung des Programms stimmen aber auf weite Strecken überein. Missionswissenschaft soll und kann es nicht mit missionarischer Tätigkeit im Sinne einer Werbung für die Kirchengliedschaft, überhaupt nicht mit institutionell gebundener Glaubensvermittlung zu tun haben. Ihr Gegenstand ist vielmehr eine Praxis der Sendung, bei der die Tagesordnung von der Welt diktiert wird, die christliche Botschaft also primär als eine welt-, geschichts- und gesellschaftsbezogene Verheißungsbotschaft verstanden wird, die keiner Vermittlung durch Tradition und Hierarchie mehr bedarf. Inhaltlich kann diese Praxis, genau genommen, ohne spezifisch christliche Bestimmung auskommen. Sie orientiert sich am Schalom, an der "Einberufung zum Frieden" im weitesten Sinne, die dieser Begriff meint, und durch die alle Aspekte des menschlichen Lebens in ihrer verheißenen Fülle zugeeignet werden. Rütti, der diesen Entwurf konsequenter ausgearbeitet hat als Hoekendijk, setzt der traditionellen Missionspraxis und ihren theologischen Implikationen denn auch eine "politische Hermeneutik" entgegen, die sich in gesellschaftlich-politischer Aktion zu verwirklichen habe. Das weithin ablehnende Echo, das dies Konzept bei der institutionellen Mission und ihren Trägern gefunden hat, macht die Polarisierung vollends deutlich.

"Vergleichende Theologie"

Es kann in dieser Situation kaum überraschen, daß mittlerweile der Versuch gemacht worden ist, den gordischen Knoten sozusagen mit einem Gewaltstreich zu durchhauen. Beispielhaft dafür ist ein Vorschlag des katholischen Pastoraltheologen *Adolf Exeler,* der um seiner Radikalität und zugleich um seiner wissenschaftstheoretischen Schlüssigkeit willen auch nach dem frühen Tod des Autors (1983) nicht der Vergessenheit anheimfallen sollte.[6] Wie andere Zeitgenossen meinte auch Exeler zu sehen, daß gerade die Erfolge der neueren Mission sowohl diese Mission selbst als auch die Missionswissenschaft in eine "Existenzkrise" trieben; denn die Voraussetzungen, unter denen beide einmal angetreten seien, hätten sich von Grund auf geändert. Paternalismus, Bevor-

---

4 Vgl. vor allem: Zukunft der Kirche; Feier der Befreiung; Kirche und Volk, Anhang 297ff.
5 Vgl. Theologie der Mission, passim
6 Vergleichende Theologie statt Missionswissenschaft? Dazu: *Kramm,* Was ist von einer "Vergleichenden Theologie" zu erwarten?

4

mundung, "Betreuungs- und Objektdenken", abendländischer Universalitätsanspruch — alle diese Begleiterscheinungen einer kolonialistisch infizierten Mission seien durch das Entstehen selbständiger "Missionskirchen" hinfällig geworden, und dadurch sei auch der traditionellen Missionswissenschaft sozusagen die Geschäftsgrundlage entzogen worden. Die Folgerungen liegen, nach Exeler, auf der Hand: Auch die sogenannten jungen Kirchen begreifen sich nicht als Objekte, sondern als Subjekte ihrer Existenz als gesendete Gemeinde; warum sollten sie sich noch von einer abendländischen Missionswissenschaft sagen lassen, wie bei ihnen missionarische Kirche zu realisieren wäre? Und selbst wenn die Missionswissenschaft darauf verzichtete und vom Gesendetsein jener Kirchen nur noch deskriptiv reden wollte, wäre sie gegen die Gefahr nicht immun, nach wie vor überholte Absolutheitsansprüche geltend zu machen.

Offenbar bleibt nur die Konsequenz übrig, die Missionswissenschaft alten Stils vollends zu liquidieren und sie durch etwas Neues zu ersetzen. Exeler empfiehlt dafür das, was er als "vergleichende Theologie" bezeichnet. Er ordnet dieser Disziplin folgende Aufgaben zu: Vermittlung von Verständnis für kulturelle Bedingtheiten des Glaubens und seiner Ausdrucksformen; interkultureller und internationaler theologischer Dialog (wobei immerhin auch die nordatlantische Theologie noch ein Mitspracherecht haben soll, wie Exeler, im Unterschied zu Rütti, eigens hervorhebt); interdisziplinäre Arbeitsweise, auch über die Grenzen der Theologie hinaus.

Ob das Ganze, wie man gemeint hat, wirklich auf jene "Integration der Missionstheologie in die verschiedenen theologischen Fächer" hinauslaufe,[7] die in der Missionswissenschaft alten Stils nicht geleistet wurde, mag von anderen Beobachtern zurückhaltender beurteilt werden, ebenso die Relevanz einer Orientierung am vergleichenden Verfahren in anderen Wissenschaftsbereichen. Rückhaltlose Anerkennung verdient Exelers Absicht, die europazentrische Gefangenschaft der Theologie überhaupt zu überwinden, Paternalismus durch Partnerschaft abzulösen und dem interkulturellen theologischen Dialog, der ja längst im Gang ist, auch den wissenschaftstheoretischen Ort zu geben, der dieser Praxis gerecht wird. Daß mit der von Exeler vorgeschlagenen Substitution die Probleme der Missionswissenschaft als einer theologischen Disziplin zu lösen wären, ist allerdings mindestens aus zwei Gründen zu bezweifeln:

Die "vergleichende Theologie", so unentbehrlich sie als solche auch sein mag, müßte unweigerlich eine fachtheologische Engführung der in diesem Sinne umfunktionierten Missionswissenschaft als ganzer im Ge-

---

7 *Kramm* aaO 72

folge haben, die dem umfassenden, integralen Charakter der Weltsendung des christlichen Glaubens nicht gerecht würde. Die Sendung, die ihren Grund in der missio Dei hat, kann schlechterdings nicht nur im spezifisch theologischen Bereich in Erscheinung treten, sondern umfaßt auch Gottesdienst, Gebet, Verkündigung, Kommunikation des Glaubens in allen ihren Gestalten. Sie alle bedürfen zwar der theologischen Durchdringung, zumal im interkulturellen Kontext, dürfen aber darauf nicht reduziert werden. Exelers Theorie wirkt außerdem insofern paradox, als sie mit der einen Hand zu nehmen scheint, was sie mit der anderen gibt — im Klartext: sie ist in der Gefahr, die soeben aus der westlichen Bevormundung befreite Mission wieder der Botmäßigkeit einer Theologie zu überantworten, in der, allen guten gegenteiligen Absichten zum Trotz, die abendländische Dominanz sich doch wieder durchsetzen würde.

Eine zweite, nicht minder paradoxe und von Exeler sicher nicht gewollte Konsequenz dürfte darin bestehen, daß die westlichen Kirchen im Zuge dieser Reduktion der Missionswissenschaft gerade nicht dem ganzen Ernst einer Partnerschaft in der Sendung ausgesetzt würden, mit allen Folgen auch für ihre missionarische Praxis im eigenen Bereich, sondern daß sie sich entlastet fühlen könnten durch die wenigen theologischen Experten, an die in der Praxis das komplizierte Geschäft der "vergleichenden Theologie" nur zu leicht delegiert werden würde. Hätten wir es mit Kirchen zu tun, die sich eher zu viel als zu wenig in der christlichen Sendung engagierten, könnte die "vergleichende Theologie" so etwas wie eine "Reinigung der Missionsmotive" bewirken, wie man sie früher immer wieder erhoffte und versuchte.[8] Faktisch kommt es heute aber primär darauf an, die Kirchen überhaupt erst einmal aus provinzialistischer Selbstgenügsamkeit herauszurufen zu einem Verständnis ihres Gesendetseins, das ihre ganze Existenz erneuern sollte. Es wäre vermessen, der Missionswissenschaft allein diese Aufgabe zuzuweisen. Es wäre aber auch gefährlich, ein Leitkonzept der Missionswissenschaft zu entwerfen, das nicht vornehmlich an dieser Aufgabe orientiert wäre — im Blick auf die Dringlichkeit des missionarischen Ernstfalls, wie sie schon vor zwei Generationen einen der schärfsten Kritiker des konventionellen Missionsbetriebs bewegte: "Die Mission der Kirche ist Teilnahme an Gottes Existieren in der Welt."[9]

Blickt man unter diesem Aspekt nochmals auf die herkömmliche Polarisierung in der Missionswissenschaft zurück, so lassen sich auch hier Für und Wider der unterschiedlichen Positionen feststellen. Die

8 Vgl. *Dürr*, Reinigung der Missionsmotive; *Althaus*, Um die Reinigung der Mission
9 *Schütz*, Zwischen Nil und Kaukasus 245

6

konventionelle Auffassung einer "Missiologie" als einer Wissenschaft vom missionarischen "Selbstvollzug der Kirche" (Karl Rahner)[10] ist nicht, mit Rütti, schlechterdings als ein überholtes "ekklesiologisch-ex--pansives" Modell zu verwerfen. Sie bewahrt immerhin den für die Missionswissenschaft unentbehrlichen Bezug auf konkrete Praxis der Sendung und ihrer Modalitäten. Daß dieser Bezug ein kritischer sein muß, ergibt sich dabei nicht erst aus der "Tagesordnung der Welt", sondern aus der recht verstandenen Funktion des Zeugnisses "aus Glauben auf Glauben hin", wie es seit den Anfängen der Kirche für die Weltsendung der Kirche konstitutiv gewesen ist. Dies Erbe gilt es jedenfalls zu bewahren, auch wenn es je und dann gegen die Versuchung der Verabsolutierung und Institutionalisierung zu schützen ist — eine Aufgabe, die in der Missionswissenschaft gar nicht ernst genug genommen werden kann und für deren Wahrnehmung auch Stimmen wie denen von Hoekendijk und Rütti richtungweisende Bedeutung zukommt.

Zu Ludwig Rütti

Kritische Umsicht ist allerdings auch nötig gegenüber der Einseitigkeit, mit der vor allem Rütti seine Position begründet und für eine neue Theologie der Mission verbindlich zu machen versucht. Daß die Aufgabe der Mission nur im Sinne einer Verantwortung und Vermittlung des Glaubens im "Welthorizont" zu bestimmen ist, wußten auch schon die Apostel. Sie wären aber schwerlich damit einverstanden gewesen, daß die Mission sich als "Weltsache", d. h. nach Maßgabe der jeweiligen Tagesordnung der Welt, verselbständigt, ja schließlich nur noch als "exzentrische Programmatik" einer welthaften Gottesherrschaft legitimiert und ihrem Inhalt nach auf "Zwischenmenschlichkeit" als den entscheidenden weltkonformen Bezug reduziert wird. Von einer Missionswissenschaft, die "von biblischen und dogmatischen Befunden her Wesen und Notwendigkeit der Mission entwickelt", kann dann, nach Rüttis eigener Absichtserklärung, in der Tat keine Rede mehr sein. Vielmehr wird die Missionswissenschaft pauschal auf eine "experimentelle Theologie" verpflichtet, die die je neue geschichtliche Situation rezipiert und eben damit, freilich um den Preis "bewußter und kritischer Allgemeinheit", der gesamten Theologie den Weg der vorbehaltlosen Hinwendung zur Welt weisen soll.[11] Es ist dann nur konsequent, daß die Kirche als das in die

---

10 Grundprinzipien zur heutigen Mission der Kirche 49ff.
11 Theologie der Mission 12. — Mit anderer Begründung hat übrigens auch schon Hoekendijk die Missionstheologie als "experimentelle Theologie" bezeichnet (*Hoedemaker*, Hoekendijk's American Years 9).

Geschichte eingehüllte Mysterium des Leibes Christi, der Hütte Gottes bei den Menschen, in der Konfrontation mit dem radikalen Exodus in die Welt und in den kommenden Schalom fast völlig verdrängt wird.

Man braucht keine allzu große Vorstellungskraft, um die Reaktionen der anderen theologischen Disziplinen gegenüber einer Missionswissenschaft zu verstehen, die mit einem solchen Anspruch auftritt. Es ist e i n e Sache, daß die Missionswissenschaft es mit der "Sammlung und Sendung der Kirche" als einem "Gegenstand a l l e r Theologie" zu tun hat; es ist eine ganz andere, es der Missionswissenschaft von da aus zum Recht und zur Pflicht zu machen, daß sie in die Arbeit der anderen theologischen Fächer fortgesetzt "hineinrede".[12] Realistischer werden jedenfalls die Möglichkeiten der Missionswissenschaft dort eingeschätzt, wo man sich fragt, ob sie überhaupt noch die "institutionelle Geschlossenheit und Kraft" besitze, um sich ihres Standorts und damit zugleich auch ihrer Aufgabe in der Gemeinschaft der theologischen Disziplinen von neuem zu vergewissern.[13] In die gleiche Richtung hat einer ihrer profilierten gegenwärtigen Vertreter gewiesen, wenn er ihre Aufgabe als notwendig "kontrovers, kontextuell und konfrontationsträchtig" bezeichnete und damit der Missionswissenschaft jedenfalls das bescheinigen wollte, daß es einen Rückzug aus der Stellung zwischen den Fronten in beschauliche Selbstgefälligkeit nicht mehr geben könne.[14]

Evangelikal und ökumenisch

Dies gilt schließlich auch im Hinblick auf die Dauerkontroverse von "evangelikalem" und "ökumenischem" (im angelsächsischen Sprachgebrauch: "conciliar") Missionsverständnis, die im protestantischen Bereich seit langem akut ist und eine Verständigung über Sinn und Aufgabe der Missionswissenschaft empfindlich behindert. Viele Faktoren wirken dabei zusammen: Unterschiede der historischen Entwicklung und der Traditionen, kirchenpolitische und missionsmethodische Differenzen und manches andere, das hier nicht ausführlich analysiert werden kann. Griffige Formeln und Kompromißvorschläge, mit deren Hilfe man die Kontraste hat überbrücken wollen, haben sich in der Regel als ebenso unzulänglich erwiesen wie simplifizierende Beschreibungen der kontroversen Positionen. Wem ist z. B. damit gedient, wenn in einer der wenigen einschlägigen Arbeiten, die es bisher zur Sache gibt, die Polarisierung von "biblisch orientierten" und "mehr im sozialen Bereich

12 So *Linz*, Missionswissenschaft und Ökumenik 35
13 *Kramm* aaO 69
14 *J. Aagaard*, zitiert in Missiology 10 (1982) 133

engagierten" Missionen als die Grunddifferenz herausgestellt wird?[15] Was soll es andererseits heißen, wenn evangelikale Missionen für sich in Anspruch nehmen, daß sie allein auf den "Schrei der Verlorenen" hören, während die ökumenische Seite "nur" den "Schrei der Unterdrückten" vernehme? Diese und andere Fragen lassen sich nicht im Rahmen vordergründiger missionstaktischer Erwägungen beantworten. Sie können aber dazu anleiten, die weitere Diskussion auf dem Niveau zu führen, das der Sache angemessen ist — in der gemeinsamen Suche nach der Wahrheit der Sache, die größer ist als differierende Standpunkte und die allein eine "Verwandlung ins Gemeinsame hin" (H.-G. Gadamer) bewirken kann, über bloße Selbstprofilierung oder Anpassung hinaus, wenn auch vielleicht mit dem Risiko, daß die Beteiligten dabei nicht bleiben, was sie waren.

Im November 1966 kam in Hamburg eine kleine internationale Gruppe von Missionswissenschaftlern zusammen, um die Möglichkeiten eines Zusammenschlusses zu erkunden. Nach einer Reihe von Lageberichten meldete sich der schwedische Bischof und Professor Bengt Sundkler zu Wort und fragte mit charakteristischer Ungeduld: "Sind wir hier zusammengekommen, um Lehrstühle zu zählen?" Damit gab er das Signal zu einer Grundsatzdiskussion, die zwei Jahre später zur Gründung der "Internationalen Gesellschaft für Missionswissenschaft" (IAMS) führte. Auch das war nur ein Anfang; aber er hat dazu geholfen, daß die Missionswissenschaft als "zwar neue, aber weit in die Geschichte zurückreichende Disziplin"[16] sich sowohl ihre Probleme als auch ihre bleibende Aufgabe immer gewissenhafter bewußt zu machen vermochte.

2. NEUE PERSPEKTIVEN

2.1 Hermeneutik der Sendung

Die erste und wichtigste Frage, die bei einer neuen Reflexion auf die theologische Verantwortung der Missionswissenschaft zur Sprache kommen muß, ist die nach der Hermeneutik der Sendung; denn sie bildet gleichsam den Schnittpunkt der divergierenden Linien und Fronten, die heute das Erscheinungsbild der Missionswissenschaft kennzeichnen. Wie sollen z. B. die von Hoekendijk und Rütti beklagten Schwächen eines "ekklesiozentrischen" Ansatzes behoben werden, wenn nicht dadurch, daß dieser Ansatz auf die von ihm beanspruchte biblische Legiti-

15 *Hering*, Missionsverständnis 15, 137
16 *Glasser*, Missiology 10

mation hin geprüft wird? Wie können, andererseits, Möglichkeiten und Grenzen des von Rütti postulierten Modells einer radikal welthaften Sendung bestimmt werden, ohne daß die Dialektik von Wort und Situation untersucht wird, mit der jenes Modell steht und fällt? Wie kann schließlich das Gespräch mit der biblizistischen Missionsbegründung auf evangelikaler Seite sinnvoll geführt werden, wenn nicht in gemeinsamer kritischer Bemühung um den biblisch-eschatologischen Impuls, um die "Mission im Blick aufs Ende", wie sie von Walter Freytag und seinen Gesinnungsgenossen in den ersten Nachkriegsjahren konzipiert wurde und heute noch in der evangelikalen Missionstheologie ein besonders kräftiges Echo hat?

Die Tatsache, daß das hermeneutische Problem in früheren missionswissenschaftlichen Abhandlungen noch gar nicht oder doch nur selten explizit thematisiert wurde, spricht nicht gegen seine heutige Relevanz. Hermeneutische Entscheidungen von z. T. weittragender Bedeutung sind in der Missionswissenschaft auch schon früher gefallen; man denke nur an den berühmt-berüchtigten Satz von Gustav Warneck, dem eigentlichen Vater der evangelischen, in gewisser Weise auch der katholischen Missionswissenschaft: "Die Thatsachen der Geschichte sind auch eine Exegese der Bibel, und zuletzt reden sie das entscheidende Wort, wenn die theologische Auslegung streitig bleibt."[17] Man würde Warneck und vielen seiner Freunde Unrecht tun, wenn man mit ihnen aus heutiger Sicht ins Gericht gehen wollte, weil sie Gott und sein Handeln aus der Geschichte zu rechtfertigen suchten. Was bei ihnen tatsächlich geschah, reflektiert lediglich den hermeneutischen Notstand, der für die gesamte Theologie jener Epoche charakteristisch ist — ein Erbe, das seine Ambivalenz erst dann offenbart, wenn es unbesehen in eine Epoche übernommen wird, die es besser wissen müßte. Denselben Sachverhalt kann man im übrigen noch weiter in die Geschichte zurückverfolgen: Die Kirchen der Reformation taten sich viel darauf zugute, Kirchen des reinen geoffenbarten Schriftwortes zu sein. Dies hinderte sie freilich nicht, die klaren biblischen Zeugnisse von einer Weltsendung der Kirche, gegründet in der missio Dei, mit Hilfe der längst als fragwürdig erwiesenen Theorie von der schon geschehenen Evangelisierung der Welt durch die Apostel zu verdrängen — und dies sogar gegen Luthers eigene bessere Erkenntnis. Hier hat das Hören auf die (vorgebliche) Stimme der Geschichte sogar den Vorwand dafür geliefert, daß man das Zeugnis der Schrift nicht nur abwertete, sondern in aller Form diskreditierte. Die spätere Missionsgeschichte läßt die Folgen dieser hermeneutischen Fehlleistung nur zu deutlich erkennen: Die Mission der evangelischen Kirchen setzt nur zö-

17 Missionslehre III/1, 258; vgl. *Hoekendijk*, Kirche und Volk 91f.

gernd ein, bedient sich dabei fragwürdiger sekundärer Motivationen kolonialpolitischen oder kulturpropagandistischen Charakters und findet den eigentlichen Grund der Sendung allenfalls in einem Imperativ des auferstandenen Herrn, einem Missionsbefehl, dessen primäre Herkunft aus Gottes eigenem umfassenden Heilswillen und Heilsangebot für alle Welt lange Zeit nur unzulänglich verstanden wird. Somit stellen allerdings schon die "Thatsachen der Geschichte" selbst die hermeneutische Frage — eine Frage, die freilich aus der Geschichte nicht zu beantworten ist, obwohl sie uns Heutigen von der Geschichte vor die Füße gelegt wird. Für die missionswissenschaftliche Analyse entfaltet sich die Problematik in drei Aspekten: Schrift und Sendung; Situation und Sendung; Zeuge und Zeugnis.

2.2 Schrift und Sendung

"Maßstab der Beurteilung bleibt für uns allein die 'Exegese des Schriftzeugnisses' mit ihrer dialektischen Spannung zwischen wissenschaftlicher Erkenntnis und der 'Erkenntnis der Klarheit Gottes in dem Angesichte Jesu Christi'." Dieser Satz von Gerhard Rosenkranz, [18] der in etwa einen Consensus der heutigen Missionswissenschaft wiedergibt, darf nicht vergessen lassen, daß das Verhältnis von Schrift und Sendung auch durchaus undialektisch bestimmt werden konnte und nicht selten heute noch so bestimmt wird. Die erste, *strikt biblizistische Möglichkeit* gründet sich auf die Überzeugung, daß die Schriftaussagen alle gleichsam auf eine Ebene zu projizieren sind, auf der Evangelium und Bibelwort identisch sind, auf der also auch der in der Schrift festgehaltene missionarische Präzedenzfall — vom Propheten Jona über die Rolle Israels als "Licht der Heiden" bis zur Mission der Apostel — als Legitimation der heutigen Sendungsveranstaltung herangezogen werden kann. Unterschiede der historischen Kontexte sind dabei ebenso gleichgültig wie die Möglichkeit, daß die gegenwärtige Missionspraxis, für die eine Begründung in der Schrift gesucht wird, von der Schrift vielleicht gerade nicht bestätigt, sondern in Frage gestellt oder widerlegt werden könnte.

Eine andere Wendung nimmt das biblizistische Verfahren, wo man bewußt selektiv verfährt, wo also ein einzelner Argumentationszusammenhang derart verallgemeinert wird, daß andere, ebenfalls biblische Konzepte unberücksichtigt bleiben. Bekanntestes Beispiel dafür ist die Beharrlichkeit, mit der im Gefolge von Oscar Cullmann das Konzept eines apokalyptischen Plans ausgearbeitet wurde, wonach die Mission

18 Missionswissenschaft 190

entscheidendes Zeichen des nahen Endes sei und die erfolgreiche Ausbreitung des Evangeliums über den Anbruch des endzeitlichen Heils entscheide.

Demgegenüber hat die neuere neutestamentliche Forschung nachgewiesen, daß ein solches Konzept allenfalls für die Missionsbegründung in der jerusalemischen Urgemeinde ausschlaggebend gewesen sei, nicht aber für die paulinische Heidenmission. Auch für Paulus hat zwar "die baldige Parusie den zeitlichen Horizont der Mission" dargestellt; daß er aber mit seiner Mission schon die Herrschaft Christi herbeiführen wollte, ist schwerlich nachzuweisen, zumal für ihn die Mission ihre universale Weite aus dem "Dienst an der Versöhnung" erhielt, der durch die Ausrichtung der törichten Botschaft vom Kreuz vollzogen wird.[19]

Dies Beispiel zeigt bereits, daß mit Hilfe der historischen Bibelforschung Einsichten in die Voraussetzungen und Bedingungen der christlichen Mission gewonnen werden können, die, im Unterschied zu den oft allzu flächenhaften Bildern des Biblizismus, perspektivische Tiefe und Mannigfaltigkeit aufweisen und deshalb nicht etwa eine Beeinträchtigung und Relativierung der biblischen Wahrheit, sondern eher eine Bereicherung bedeuten. Ob man deshalb gut daran täte, für die Grundlegung der Mission das biblizistische Prinzip nun durch ein exklusiv historisch-chronologisches Modell zu ersetzen, ist freilich zweifelhaft. Alle Informationen, die man auf diese Weise über die Anfänge der urchristlichen Mission sammeln könnte, würden doch noch nicht dazu helfen, zwischen den biblisch bezeugten historischen Sachverhalten und einem gegenwärtig gültigen Missionsauftrag eine tragfähige Brücke zu schlagen. Die hermeneutische Besinnung wäre nur zur Hälfte geleistet, da die Schriftaussagen und die Gleichzeitigkeit der Anrede Gottes an den Menschen nicht miteinander vermittelt wären.

Das andere hermeneutische Extrem, das in der Nachfolge Rudolf Bultmanns vor allem von Walter Holsten zur Diskussion gestellt worden ist, beseitigt dies Dilemma dadurch, daß es sich ohne Rücksicht auf historische Gegebenheiten auf die *Gegenwärtigkeit der Evangeliumsbotschaft* konzentriert. Nur von Gottes eigenem Handeln im Kerygma her läßt sich christliche Sendung begründen; ja es ist das Kerygma selbst, das missioniert, und zwar in Gestalt der paulinischen Botschaft von der Rechtfertigung des Sünders, die gleichsam die eine und einzige Mitte der Schrift darstellt.[20] Die Vorteile dieses Verfahrens sind einleuchtend: zur Begründung missionarischer Praxis bedarf es weder der Berufung auf

19 *Pesch*, Voraussetzungen und Anfänge 32; *Zeller*, Theologie der Mission bei Paulus 176ff., 184 ff.
20 Das Kerygma und der Mensch, passim

einzelne Bibelstellen noch der Vorstellung einer heilsgeschichtlich-apokalyptischen Evolution, erst recht nicht einer besonderen Sendungsveranstaltung, die ständig um ihre spezifische Begründung besorgt sein müßte. Die Schwächen des Konzepts sind allerdings ebenfalls nicht zu übersehen. Nicht nur wurde, wie es bei Holsten wirklich der Fall war, die biblische Botschaft auf das paulinische Kerygma von der Rechtfertigung reduziert und die tatsächliche Mannigfaltigkeit der neutestamentlichen Grundlegung der Sendung ungebührlich reduziert. Der Vollzug der Mission wäre auch in der Gefahr, einseitig auf das verbale Zeugnis festgelegt zu werden und damit auf die Fülle der methodischen Möglichkeiten zu verzichten, die der christlichen Sendung von ihren Anfängen her mitgegeben sind.

Der hermeneutische Weg zwischen den Extremen ist nur so zu finden, daß in der Grundlegung der Mission *beide Bezugsgrößen bewahrt* werden — sowohl das Historische als auch das Aktuelle, der Anruf aus der Geschichte und die Antwort des Glaubens. Das Schriftzeugnis erweist sich dann als konstitutiv für gegenwärtige Sendung, sowohl dem Geschehenszusammenhang als auch dem Inhalt nach. Schriftgründe für die Mission müssen nicht mehr mühsam aus einzelnen biblischen Belegstellen oder Präzedenzfällen zusammengesucht werden, weil die Schriften des Neuen Testaments als solche bereits als missionarisches Zeugnis entstanden sind. Die Schrift informiert oder belehrt nicht nur über mögliche Auffassungen von der Mission, sondern sie bezeugt die fortgehende missionarische Verkündigung als ein Geschehen, das vom Evangelium selbst nicht zu trennen ist. Die so verstandene traditio des Evangeliums schließt also immer schon "Sendung nach vorn und Sendung ins Weite" in sich.[21] Schon der Gebrauch der griechischen Sprache im Neuen Testament deutet auf missionarische Grenzüberschreitung bis hin zum interreligiösen "Dialog", der bereits durch zweimalige Verwendung des griechischen Verbums "dialegesthai" im Zusammenhang mit dem Wirken des Paulus in Ephesus unterstrichen wird (Apg 19,8ff.). Zugleich empfängt christliche Sendung auch dem Inhalt nach ihre Grundlegung aus der rettenden Botschaft von Christus als dem Heiland der Sünder; denn eben diese Botschaft impliziert die Berufung aller Menschen aller Zeiten und Weltregionen zur Teilnahme an diesem Heil — nicht etwa nun in der Weise, daß menschliche "Sendungsveranstaltungen" jeder beliebigen Art legitimiert wären, wohl aber so, daß die christliche Mission aller Zeiten im Glaubenszeugnis der Schrift ihren kritischen Maßstab empfängt. Vor allem Moltmann hat darauf hingewiesen, daß, umgekehrt, im Sinne dieses hermeneutischen Modells die biblischen Zeugnis-

21 *Moltmann*, Theologie der Hoffnung 261

se ihrerseits "am Leitfaden gegenwärtiger Sendung verstanden werden als das, was sie eigentlich sind" — "Zeugnisse vergangener, geschichtlicher Sendung nach vorne".[22]

2.3 Situation und Sendung

Nicht erst die heute überall geläufigen Überlegungen über den "Kontext" als den zweiten hermeneutischen Bezugspunkt der Sendung, über "kontextuelle" Verkündigung und Theologie, haben das hermeneutische Problem der "Kontextualität" thematisiert. Schon im Neuen Testament ist deutlich zu erkennen, wie die Modalitäten der Glaubensverkündigung durch die Eigenart raum-zeitlicher Situationen beeinflußt werden, und zwar nicht zufällig, sondern aus einem Grund, der im Kerygma selbst liegt: Das Evangelium kann und soll nicht als konstant-formelhafte dogmatische "Konserve" tradiert, sondern in die jeweilige geschichtliche Situation hinein verkündigt werden. "Die Macht der Auferstehung Christi verwirklicht sich im i r d i s c h e n H e u t e u n d H i e r als christliche Freiheit" (Ernst Käsemann).[23] Welt und Geschichte werden also "mit-konstitutive" Elemente der Verkündigung, sozusagen "Ort" des Evangeliums — nicht im Sinne eines ruhenden Punktes, auf den die Botschaft ein für allemal fixiert ist, wohl aber im Sinne einer Öffnung von Welt und Situation auf die eschatologische Zukunft hin, die durch das Evangelium erschlossen wird. Ausgeschlossen bleibt die Möglichkeit, das Evangelium direkt aus dem Kontext, aus der empirischen Befindlichkeit von Welt und Geschichte abzuleiten. Der Erwartungshorizont der christlichen Botschaft ist offen für Welt und Geschichte in ihrer universalen Weite und Vielfalt; er kann also nicht auf die Normen und Werte e i n e s bestimmten Kontextes festgelegt werden. Auch der abendländische Kulturbereich kann in diesem Sinne keine Monopolstellung beanspruchen, wenngleich er das zum Schaden der Mission oft genug getan hat.

So ergibt sich eine doppelte hermeneutische Verantwortung für alle Bemühungen um missionarische Kommunikation, bei denen sich mehr als die bloße "Ablieferung" einer Botschaft ereignen soll: Es muß, erstens, nicht nur die Identität des missionarischen Auftrags gewahrt bleiben, sondern es muß auch die Eigenart der Weltbezüge explizit werden, die mit der in der Kommunikationssituation erwarteten neuen Antwort ins Spiel kommen. Die Mission muß deshalb, zweitens, ständig ihren Aktionsradius daraufhin überprüfen, ob er weit genug ist, um auch ein kulturell, sozial oder religiös gleichsam abgelegenes Gegenüber zu erreichen und zu einer authentischen neuen Antwort anre-

22 Ebd.
23 Ruf der Freiheit 258 (Hervorhebung von mir)

gen zu können.

2.4 Zeuge und Zeugnis

Zusätzlich zur Relation Schrift — Botschaft — Situation kommt eine weitere hermeneutische Beziehung in Sicht, die auch in der missionarischen Kommunikation Berücksichtigung verlangt: Damit das "objektive Wort" des Zeugnisses tatsächlich "ankommt", bedarf es der Übermittlung durch den Zeugen, der mit allem, was er ist und hat, einschließlich des Traditionszusammenhangs, in den er gehört, für sein Zeugnis einsteht. Die Erfahrung der missionarischen Praxis liefert eine Fülle von Beispielen, zumal für die Diskrepanz zwischen Absicht und Ergebnis, Bemühung und Wirkung, wie sie im Kontext des interkulturellen Zeugnisses, im Zeichen der "West-Mission" alten Stils, fast unvermeidlich war. Der Missionar tritt in die Arena in der Erwartung, daß die glatten Steine des Evangeliums, wie er sie in seiner Tasche zu haben meint, ihre Wirkung nicht verfehlen können — und er macht sich nicht klar, daß er in Wirklichkeit in der schweren Rüstung eines Goliath daherkommt, die für die Hörer lauter und zugleich unverständlicher redet als das, was der Missionar eigentlich sagen will. Dies Problem der Glaubwürdigkeit des Zeugen ist zwar ein Strukturproblem aller Evangeliumsverkündigung. Heute belastet es jedoch das gesamte abendländische Christentum in seiner Begegnung mit Menschen, Kirchen und Bewegungen in der Dritten Welt in besonders akuter Weise. Als erstes weithin sichtbares Symbol dafür kann man die Forderung nach einem "Moratorium" für die West-Mission ansehen, wie sie Anfang der siebziger Jahre besonders in Afrika, dann auch im weiteren Bereich der Ökumene erhoben wurde. Seitdem hat sich der Akzent mehr auf die Frage der Solidarität mit den Armen, Unterprivilegierten, Entrechteten als das eigentliche Kriterium der Glaubwürdigkeit der Zeugen verlagert. Wird durch die sich immer weiter vertiefende Kluft zwischen der Not der Dritten Welt und dem Wohlstand der nördlichen Industrienationen und ihrer Kirchen nicht auch die Vollmacht des Zeugnisses eingeschränkt? Wie steht es um die Mission und ihre Zielsetzung, solange ihre Träger in der nördlichen Christenheit von Wirtschaftsstrukturen mitprofitieren, die auf der anderen Seite zu Stagnation und Verelendung beitragen? Wie kann es heute noch ein Ringen mit dem "Heidentum" geben, wenn seine neuen, zeitgemäßen Gesichter in West und Ost unerkannt bleiben — das wirtschaftlich-soziale, das durch die Vergötzung von Konsum und Profit geprägt ist; das politische, in dessen Zeichen ungehemmtes Machtstreben und Korruption die Seelen zu vergiften drohen?

Die Berechtigung dieser Frage ist nicht zu bestreiten, wenn anders christliches Zeugnis auch heute etwas mit der Nachfolge Jesu zu tun hat, der sich zu den Leidenden stellte; wenn anders der christliche Zeuge heute seine Glaubwürdigkeit auch am Lebensstil derer zu orientieren hat, die, wie Franz von Assisi, die Apostolizität ihres Wirkens in Wort und Tat als imitatio Christi praktizieren, oder die, mit Luther, die Kraft dafür im Altarsakrament suchen und finden: "Da, wo die Liebe nicht täglich wächst und den Menschen so verwandelt, daß er g e m e i n w i r d j e d e r m a n n, da ist dieses Sakraments Frucht und Bedeutung nicht." [24]

Auch im Zusammenhang einer Hermeneutik der christlichen Sendung darf freilich die Grenze solcher Überlegungen nicht aus den Augen verloren werden. "Menschliches Eintreten für Gerechtigkeit und Frieden ist nicht eine B e d i n g u n g für den Anbruch des Reiches Gottes, sondern es ist eine Folge der Verheißung des Reiches" (Wolfgang Huber). [25] Die Wirkung der missionarischen Verkündigung kann nicht von individual- oder sozialethischen Vorleistungen der Zeugen abhängig gemacht werden. Wohl aber soll die Verkündigung der rechtfertigenden Gnade auch die Früchte des Glaubens sichtbar machen, als begleitende Zeichen für die neuschaffende Wirkung des Evangeliums, die dem missionarischen Zeugnis seine Glaubwürdigkeit gibt. Die Summe dieser Überlegungen läßt sich in dem paulinischen Grundsatz ausdrücken, daß wir "nicht uns selbst predigen, sondern Christus als den Herrn" (2 Kor 4,5). Auch der Zeuge unterwirft sich mit seinem gesamten Sein und Tun der Kritik, der "krisis" des Kreuzes. Auch er muß sich fragen, ob und wie durch ihn für die anderen etwas von der forma crucis erkennbar wird. Nicht auf den Kreuzzugsgeist (crusading mind) kommt es an, sondern auf den "Kreuzesgeist", die Kreuzesmentalität (crucified mind) [26] — die Bereitschaft des Zeugen, "abzunehmen", damit Er "wachse" (nach dem Wort Johannes des Täufers, Jo 3,30), so daß, mit K. Koyama, der hermeneutische Prozeß in der Mission als eine Kettenreaktion darzustellen ist: vom "Abnehmen" der Zeugen zum "Wachsen" dessen, der der Herr des Zeugnisses ist, bei denen, denen das Zeugnis gilt, damit auch sie zu seinen Zeugen werden.

3. KONSEQUENZEN

Ohne der inhaltlichen Ausfüllung dieses hermeneutischen Aufrisses

---

24 WA 2, 748,4 (Hervorhebung von mir)
25 Zitiert bei *H.-E. Tödt*, ZMiss 6 (1980) 74
26 *Koyama*, What Makes a Missionary? passim

vorzugreifen, die den Hauptteil der Einführung in die Missionswissenschaft ausmachen soll, können abschließend in thesenhafter Kürze einige Folgerungen für die Stellung des Fachs in der Gemeinschaft der theologischen Disziplinen gezogen werden, die, so ist zu hoffen, wenigstens anfangsweise über die eingangs beschriebenen Aporien und Ambivalenzen hinausführen.

a. Als theologische Disziplin erweist sich die Missionswissenschaft, indem sie die missionarische "Dimension" des Glaubens zu ihrem wichtigsten Gegenstand und zum Hauptkriterium ihrer Arbeit macht: *Mission als Gottes eigene Sache,* die von ihm selbst ins Werk gesetzt ist und von ihm selbst zur Vollendung im endzeitlichen Gottesreich geführt werden wird. Die Dimension besagt, daß Gott das Heil der Welt will und daß er es ist, der das Heil schafft, indem er seinen Sohn zum Kyrios macht. Zugleich damit ist die missionarische "Intention" konstituiert, die besagt, daß Gott das Heil der Welt in seinem Sohn besorgt, indem er die gnädige Herrschaft Christi durch Menschen bezeugen, proklamieren und damit in Kraft setzen läßt.[27] Die Missionswissenschaft steht und fällt damit, daß sie, wie die Mission selbst, sich nicht auf einer Seite dieser Doppelrelation fixieren läßt, sondern gleichsam zwischen Dimension und Intention ständig in Bewegung ist. Nur so findet sie auch ihren Weg zwischen den Extremen, die sie zu meiden hat — einer Beschäftigungstheorie für ein spezialistisches Ausnahmewerk einerseits und, andererseits, der Ideologie eines Totalapostolats, der alle Funktionen der Kirche im "Exodus ins Soziale" zu monopolisieren sucht.

b. Als theologische Disziplin erweist sich die Missionswissenschaft, indem sie *im gesamten Bereich der Theologie* dem dimensionalen Bezug auf die missio Dei nachgeht, und zwar weit über die Grenzen der operationalen Mission im herkömmlichen Sinn hinaus. Damit ist ihr endgültig versagt, den missionarischen Faktor als eine Art Arkandisziplin für sich zu reklamieren und als ihr Eigentum zu hüten. Ebenso ist ihr versagt, "alle Theologie in Missiologie verwandeln zu wollen"[28] und sich auf diese Weise als die maßgebliche Integrationsdisziplin anzubieten, ohne diesen Anspruch je realisieren zu können. Nur im Rahmen einer Partnerschaft mit den anderen theologischen Fächern kann die Missionswissenschaft hoffen, ihrer eigenen Sache gewiß zu werden.

c. Als theologische Disziplin erweist sich die Missionswissenschaft deshalb auch dadurch, daß sie sich *auf die anderen theologischen Disziplinen angewiesen* weiß und von ihrer Hilfe Gebrauch macht. Es ist ja

---

27 Näheres dazu bei *H.-W. Gensichen,* Glaube für die Welt (Gütersloh 1971) 80ff.; *Bosch,* Theological Education 25ff.

28 *Bosch* aaO 30

beispielsweise die moderne Bibelwissenschaft gewesen, die der Missionswissenschaft den Weg zur biblischen Dimension der missio Dei gebahnt und damit den Zwang von ihr genommen hat, sich mit Hilfe einzelner biblischer dicta probantia zu legitimieren. Es ist die Bemühung von Kirchenhistorikern um eine "Kirchengeschichte als Missionsgeschichte"[29] gewesen, die der Missionswissenschaft ein vertieftes und erweitertes Verständnis der historischen Implikationen der Weltmission des Christentums eröffnet hat. Es ist die geistige Disziplin und Bewegtheit der systematischen Theologie, deren die Missionswissenschaft bedarf, um jenseits allen bloßen Spezialistentums sich über ihre Funktion im Gesamtzusammenhang des Weltbezugs der Kirche Rechenschaft zu geben. Es ist die Besinnung auf die "scientia ad praxim" in Schleiermachers Verständnis der Praktischen Theologie, die auch der Missionswissenschaft zu ihrem Selbstverständnis als Theorie einer Praxis verhelfen kann, die auf Glauben für die Welt als ihr erkenntnisleitendes Interesse bezogen ist.

Nur so, in Tuchfühlung mit den anderen Disziplinen, kann die Zunft der Missiologen hoffen, vom Odium eines unverantwortlichen Dilettantismus frei zu werden. Der Missionswissenschaftler soll ja eben nicht zum Fachexegeten, -historiker, -systematiker werden wollen, so nützlich und begrüßenswert es auch ist, wenn er sich in e i n e m der Hauptfächer als sachverständig qualifiziert hat. Entscheidend bleibt, daß die Missionswissenschaft sich um Partnerschaft der Disziplinen bemüht, wie sie vor allem in interdisziplinären Lehrveranstaltungen zu erproben ist. Die Erfahrungen, die bisher damit gemacht wurden, sind kaum zu überschätzen. Nur so wird die Missionswissenschaft auch die Möglichkeit bekommen, die anderen Disziplinen darauf zu befragen, ob und wie diese ihrem besonderen Bezug auf die missionarische Dimension und Intention Raum geben kann. Man kann sich mit Recht darüber wundern, daß z. B. im Jahr 1984 eine monumentale Dogmatik erschien, in der der missionarische Auftrag der Kirche nur ganz beiläufig in einigen Zeilen erwähnt wird. Die Missionswissenschaft täte allerdings gut daran, in solchen und ähnlichen Fällen zunächst einmal zu überlegen, ob das Versäumnis nicht auch auf ihrer eigenen Seite liegt.

d. Als theologische Disziplin erweist sich die Missionswissenschaft schließlich darin, daß sie auch die *operationale Seite der Mission* zum

---

29 Vgl. als Beispiel das Sammelwerk unter diesem Titel (hrsg. von *H. Frohnes, H.-W. Gensichen, G. Kretschmar*), ebenso aber auch die neuzeitliche Erforschung der mittelalterlichen Missionsgeschichte durch Kirchen- und Säkularhistoriker und neuerdings die Aufhellung der Zusammenhänge von neuerer Missions- und Kolonialgeschichte, die in erster Linie einer Gruppe junger Säkularhistoriker zu danken ist.

Gegenstand ihrer wissenschaftlichen Bemühungen macht — nicht als ein Hobby, auf das man auch verzichten könnte, sondern sozusagen als die der Kirche und ihrer Weltverantwortung zugekehrte Seite der missio Dei. Der Missionswissenschaft fällt damit zunächst die Funktion zu, Werk und Vollzug der Weltmission kritisch zu begleiten, ob dieser Dienst nun von der institutionellen Mission begehrt wird oder nicht. In der Gemeinschaft der theologischen Disziplinen kommt die Aufgabe hinzu, neue Aspekte weltweiter christlicher Verantwortung zu erschließen, an denen auch die anderen Fächer partizipieren. Besonders herausragende Beispiele bieten heute drei Bereiche, die in der konventionellen Theologie und Theologenausbildung vielfach noch nicht ausreichend wahrgenommen werden, obwohl an der kirchlichen Basis zunehmend danach gefragt wird.

Dialog mit nichtchristlichen Religionen — primär und vordringlich zweifellos eine Angelegenheit christlicher Praxis in den Kirchen der Dritten Welt, eben damit aber auch immer ein Gegenstand gesamtchristlicher theologischer Verantwortung, von der immer intensiveren Konfrontation mit fremdreligiösen Bewegungen im Bereich abendländischer Kirchen selbst ganz zu schweigen. Die Missionswissenschaft kann und darf diesen Gegenstand nicht zu ihrem Monopol machen. Wohl aber sollte sie dafür sorgen, daß er auch in den anderen theologischen Disziplinen in seiner tatsächlichen Bedeutung erkannt wird. Wo, wie es häufig der Fall ist, innerhalb einer Fakultät die Vertretung der Missionswissenschaft mit der Vertretung der Religionswissenschaft gekoppelt ist, liegt das besonders nahe, ebenso natürlich auch dort, wo die Missionswissenschaft aktive Kontakte zu religionswissenschaftlichen Fachvertretungen außerhalb der theologischen Fakultät unterhält.

"Kontextuelle" oder einheimische Theologie der Dritten Welt, in Verbindung damit die ganze Problematik interkultureller theologischer Kommunikation. Dies Gebiet weitet sich fast täglich weiter aus und sprengt bereits die Kapazität eines "kleinen" Fachs, wie es die Missionswissenschaft ja in der Regel ist. Die Aufmerksamkeit, die es heute auch in anderen Disziplinen findet, sollte deshalb von der Missionswissenschaft nach Kräften gefördert werden, gegebenenfalls auch gegen Versuche, vermeintliche spezifische Besitzstände westlicher Theologie gegen die Herausforderung aus der Dritten Welt verteidigen zu müssen.

Die entwicklungspolitische Verantwortung der Christenheit im Weltmaßstab — ein Problembereich, in dem heute zwar schon bemerkenswerte Querverbindungen zwischen Missionswissenschaft, Sozialethik und außerkirchlicher Entwicklungswissenschaft hergestellt werden, dessen theologisches Eigengewicht jedoch gerade in der Ausbildung zum geistlichen Amt noch nicht ausreichend berücksichtigt wird. Hier läßt sich übrigens deutlicher als anderswo erkennen, wie weit wir noch von einer angemessenen Wahrnehmung unserer westlichen bzw. nördlichen Schicksalsgemeinschaft mit den Völkern und Kirchen der Dritten Welt entfernt sind. Die Missionswissenschaft kann auch hier nur versuchen, weiterhin Denkanstöße zu geben und Einstiegsmöglichkeiten anzubieten, die die Partnerschaft mit den anderen theologischen Disziplinen intensivieren können.

Die Missionswissenschaft wird ihre Eigenständigkeit nur darin bewähren können, daß sie — wenn nicht schlechthin als ancilla theologiae — im Bewußtsein ihrer eigenen dauernden Abhängigkeit von der Theologie, der Theologie als ganzer das vermittelt, was ihr selbst in der Korrelation von Dimension und Intention als ihre spezifische wissenschaftliche Verantwortung aufgetragen ist — Grund, Ziel und Vollzug der Sendung des Glaubens für die Welt.

Zweites Kapitel

WAS IST MISSION?

Literatur:

J. *Amstutz,* Kirche der Völker: Skizze einer Theorie der Mission (Freiburg 1972) 127 S.

R.C. *Bassham,* Mission Theology 1948–1975: Years of Worldwide Creative Tension, Ecumenical, Evangelical, and Roman Catholic (Pasadena 1979) 434 S.

H. *Bürkle,* Missionstheologie (Stuttgart 1979) 212 S.

C. *Carminati,* Il Problema Missionario: Manuale di Missionologia. I Principi e aspetti dottrinali (Roma 1941) XXII + 476 S.

J.E. *Champagne,* Manuel d'Action Missionnaire (Ottawa 1947) 843 S. Englische Ausgabe: Manual of Missionary Action (Ottawa 1948) 748 S.

P. *Charles,* Les Dossiers de l'Action Missionnaire: Manuel de Missiologie. 2. erweiterte Auflage (Louvain – Bruxelles 1938–1939)

P. *Charles,* Missiologie, Etudes, Conférences. I (Louvain 1939) 309 S.

G. *Collet,* Das Missionsverständnis der Kirche in der gegenwärtigen Diskussion (Mainz 1984) 308 S.

H.-W. *Gensichen,* Glaube für die Welt: Theologische Aspekte der Mission (Gütersloh 1971) 288 S.

A. *Mulders,* Inleiding tot de Missiewetenschap ('s-Hertogenbosch 1937) X + 225 S.

Th. *Ohm,* Machet zu Jüngern alle Völker (Freiburg 1962) 927 S.

S. *Paventi,* La Chiesa Missionaria: Manuale di Missiologia (Roma 1949) 542 S.

Pio de Mondreganes, Manual de Misionologia (Madrid 1947[2]) XXXI + 578 S.

K. *Rahner,* Grundprinzipien zur heutigen Mission der Kirche. In: Handbuch der Pastoraltheologie II, 2, 46–80

P. *Rossano,* Theologie der Mission. In: Mysterium Salutis IV, 1, 503–534

L. *Rütti,* Zur Theologie der Mission: Kritische Analysen und neue Orientierungen (Mainz – München 1972) 364 S.

H. *Rzepkowski* (Hrsg.), Mission: Präsenz – Verkündigung – Bekehrung. StIM 13 (St. Augustin 1974) 168 S.

J. *Schmidlin,* Katholische Missionslehre im Grundriß. 2. verbesserte Auflage (Münster i. W. 1923) 446 S.

J. *Schmidlin,* Einführung in die Missionswissenschaft (Münster i. W. 1925[2]) V + 188 S.

J. *Schütte* (Hrsg.), Mission nach dem Konzil (Mainz 1967) 344 S.

A.V. *Seumois,* Introduction à la Missiologie (Schöneck/Beckenried 1952) 491 S.

Th. *Sundermeier* mit H.J. *Becken* und B.H. *Willeke* (Hrsg.), Fides pro mundi vita: Missionstheologie heute. Missionswissenschaftliche Forschungen 14 (Gütersloh 1980) 331 S.

J. *Verkuyl*, Contemporary Missiology: An Introduction. Aus dem Holländischen übersetzt von D. Cooper (Grand Rapids 1978) 414 S.

H. *Waldenfels* (Hrsg.), " ... denn Ich bin bei Euch" (Einsiedeln 1978) 461 S.

G. *Warneck*, Evangelische Missionslehre: Ein missionstheoretischer Versuch (Gotha 1892—1905) 5 Bde

Wortbedeutungen liegen nicht eindeutig für immer fest. Darum kann es durchaus einen Sinn haben, vom "Werden und Wandel" des Missionsbegriffs zu sprechen.[1] Auf das Wort kommt es nicht an, wohl aber auf die Sache, die damit gemeint ist. Nach den hermeneutischen Darlegungen des ersten Kapitels wird es leicht sein, die nun folgenden Schritte mitzuvollziehen.

S. Paventi macht in seinem missionstheologischen Handbuch darauf aufmerksam, daß bis zum 17. Jh. für die Sache Mission sehr *vielfältige Umschreibungen* verwendet wurden; er zählt auf: Verbreitung des Glaubens, Bekehrung der Heiden, Verkündigung der Frohbotschaft in der ganzen Welt, Glaubensunterweisung für die Unwissenden, Bekehrung der Ungläubigen, apostolische Verkündigung, Heilsangebot an die barbarischen Völker, Ausbreitung der christlichen Religion, Proklamation des Evangeliums, Heilszuwendung, Vermehrung des Glaubens, Ausweitung der Kirche, Sendung (legatio), Pflanzung der Kirche, Pflanzung in Blut, evangelisches Apostolat, Ausbreitung der Lehre des Evangeliums, Verkündigung (Nuncius), Einrichtung der Kirche, Wachstum der Kirche, Acker des Evangeliums, Ausbreitung des Reiches Christi.[2]

Ignatius von Loyola forderte von den Jesuiten ein viertes Gelübde, nämlich das "votum missionis"; er schrieb in den Jahren 1544—1545 "Constitutiones circa missiones". Der Jesuit Acosta verstand seinen Ordensgründer richtig, wenn er in seinem berühmten Buch "De procuranda Indorum salute" (1588) definierte: "Unter Missionen verstehe ich Reisen und Unternehmungen, die um des Wortes Gottes willen von Stadt zu Stadt durchgeführt werden." Dem heutigen Terminus technicus Mission kommen am nächsten die Schriften der Karmeliter des beginnenden 17. Jahrhunderts, vor allem des Thomas a Jesu, der im Jahre 1610 sein Buch "Stimulus missionum" veröffentlichte. Die im Jahre 1622 gegründete Missionskongregation des Römischen Stuhles nahm den Namen "De Propaganda Fide" an; erst nach dem II. Vatikanischen

1 Siehe *J. Mitterhöfer*, Der Missionsbegriff: Werden und Wandel. Theologischpraktische Quartalschrift 132 (1984) 249—262

2 La Chiesa Missionaria 13f.

Konzil wechselte sie den Namen und heißt jetzt "Kongregation für die Evangelisierung der Völker".

Intensiver als die Katholiken beschäftigten sich die Protestanten vor allem des 17. und der folgenden Jahrhunderte mit dem Begriff und der Theorie der Mission. Theologen wie Philipp Nicolai, Johann Heinrich Ursinus und Gottfried Arnold wußten sehr wohl, was sie meinten, wenn sie von der Ausbreitung des Christus-Reiches über die ganze Erde sprachen.[3] Der Pietist Philipp Jakob Spener (1635–1705) sprach von "Erweiterung" des Reiches Gottes und "Beförderung" der Ehre Gottes und Christi und schrieb: "Gott wartet nicht, bis die Heiden kommen und seine Gnade suchen, sondern er trägt sie ihnen entgegen. Er besuchet sie damit."[4] Der Utrechter Professor Gisbertus Voetius (1589–1676) sah das Ziel der Mission in der Stufenfolge: Bekehrung der Heiden, Pflanzung der Kirche, Ehre Gottes. Nicolaus Ludwig von Zinzendorf (1700–1760) schrieb das berühmte Buch "Instruktion an alle Heydenboten". Der englische Baptist William Carey (1761–1834), der vielfach als "Vater der modernen Mission" bezeichnet wird, sprach in seinen programmatischen Schriften über die Mission von der "Bekehrung der Heiden" und dem "Werk der Belehrung der Heiden".[5] Das systematische Bemühen um eine "Definition" der Mission begann erst mit Gustav Warneck (1834–1919). Doch bevor wir darauf eingehen, scheint es hilfreich, uns anhand einiger Wortumschreibungen den Sinn und Inhalt dessen vor Augen zu führen, was mit der Bezeichnung Mission gemeint war.

1. UMSCHREIBUNG DER SACHE MISSION

Mission als Verbreitung des Glaubens

Die Missionskongregation der *Propaganda Fide,* die in bewußtem Gegensatz zu den politischen und kolonialen Expansionsbestrebungen Portugals und Spaniens gegründet wurde, verstand sich nach den Worten der Errichtungsbulle[6] als päpstliche Behörde "zur Ausbreitung des Glau-

---

3 Siehe *E. Beyreuther,* Evangelische Missionstheologie im 16. und 17. Jahrhundert. EMZ 18 (1961) 1–10, 30–43

4 Nach *H.-W. Gensichen,* Theologische Motive in der Mission des frühen Pietismus. In: Warum Mission? I (St. Ottilien 1984) 101

5 An Enquiry into the Obligations of Christians to Use Means for the Conversion of the Heathen (1792), und: The Form of Agreement Respecting the Great Principles Upon Which the Brethren of the Mission at Serampore Think It Their Duty to Act in the Work of Instructing the Heathen (1805)

6 Collectanea S. Congregationis de Propaganda Fide. Nr. 3, Vol. I (Rom 1907):

bens in der ganzen Welt". Im weiteren Text der Bulle heißt es dann, daß es darum gehe, das Evangelium aller Kreatur zu verkünden, aus allen vier Enden der Erde die Unwissenden und Gottlosen zu sammeln, die sich in beklagenswertem Irrtum Befindlichen zur Herde Christi und zur Anerkennung des Hirten und Herrn der Herde zu führen. Konkret ging es bei der Gründung der Kongregation auch um die innere Reform der europäischen Länder, der Hauptakzent aber lag eindeutig auf dem Welt-missionarischen. Es ging dem sich dem Tode nahe fühlenden Papst in keiner Weise um politische Macht oder gar um Manipulation des Glau-bens im Sinne des modernen, anrüchigen Wortes "Propaganda", sondern einzig und allein um ein religiöses Anliegen, nämlich die Menschen zum Glauben, d. h. zur Anerkennung Jesu Christi und Gottes zu führen. Der Papst erfährt dies zwar als "Werk", als eine ernste Verpflichtung, aber er weiß auch und sagt es ausdrücklich, daß dieses Werk vornehmlich von der Gnade Christi abhänge.

Mission als Erweiterung des Reiches Gottes

Der als Liederdichter bekannte *Philipp Nicolai* (1556—1608), der die Orthodoxie des 17. Jahrhunderts erheblich beeinflußte, legte mit seinem Buch "De regno Christi" (1597) gleichsam eine Missionsstrategie vor. In der Überzeugung, daß bereits die Apostelpredigt überallhin ge-drungen sei, sah er Reste christlicher Gedanken selbstverständlich unter den Thomaschristen, aber auch in China und Amerika (sic!). Er zweifel-te nicht daran, daß Christus sich überall zur Geltung bringe, selbst durch die katholische Weltmission, die in Asien und Amerika notwendigerwei-se auf den "papistischen Sauerteig" verzichten müsse. Für Afrika sei die äthiopische Kirche der geeignetste Ausgangspunkt. Gott könne überall den glimmenden Funken des Evangeliums zu einem hellen Feuer an-fachen, denn sein universaler Gnadenwille gelte trotz aller Schuld des Heidentums, das das Evangelium nicht festgehalten habe, allen Zeiten und Völkern.[7] Für Nicolai und die Männer der Orthodoxie stand der Gedanke der weltumfassenden Basileia Gottes und Christi, der ja ein

"Inscrutabili divinae providentiae arcano". Eine gedrängte Geschichte der Pro-paganda bietet *A. Mulders*, Missionsgeschichte: Die Ausbreitung des Glaubens (Regensburg 1960) 259—274. Eine ausführliche Darstellung der Geschichte und ihres Werkes: *J. Metzler* (Hrsg.), Sacrae Congregationis de Propaganda Fi-de memoria rerum: 350 Jahre im Dienste der Weltmission, 1622 — 1972 (Rom 1971—1976) Bd 1—3

7 Vgl. *E. Beyreuther*, Die Bedeutung des 17. Jahrhunderts für das deutsche Mis-sionsleben. In: EMZ 8 (1951) 104f. Vor allem *W. Hess*, Das Missionsdenken bei Philipp Nicolai (Hamburg 1962)

Grundgedanke der Hl. Schrift ist (und gerade in neuerer Zeit wieder große Sympathien findet),[8] außer Frage, trotzdem aber überwog bei ihnen die Auffassung, daß man Gott nicht in sein eigenes Handwerk pfuschen dürfe. Außerdem hinderten die weltpolitische Lage und das spätere politische Schicksal Deutschlands die Protestanten daran, selber aktiv an der missionarischen Sendung der Kirche teilzunehmen. Es spielte allerdings auch eine Rolle, daß der Basileia-Gedanke, ähnlich wie innerhalb der katholischen Kirche, auch im protestantischen Bereich stark mit der Corpus-christianum-Idee verknüpft war, wie es z. B. in einem Missionsgutachten der Wittenberger theologischen Fakultät hieß, daß die Verpflichtung, die Kirche zu mehren und allenthalben die wahre Erkenntnis Gottes fortzupflanzen, der "w e l t l i c h e n   O b r i g k e i t, welche solche Sünder und unchristliche Völker jure belli oder auch durch andere zulässige Mittel unter ihre Botschaft gebracht, und   h o h e r   l a n d e s f ü r s t l i c h e r   o b r i g k e i t l i c h e r   M a c h t, so sie über die Kirche hat", zuzuschreiben ist.[9]

Mission als Bekehrung der Heiden

Beide Worte, "Bekehrung" sowohl als auch "Heiden", entsprechen nicht dem heutigen Zeitempfinden, sagen aber deutlich, was mit "Mission" gemeint ist. Es geht darum, daß die Menschen, die Christus *noch nicht kennen und ihn nicht anerkennen,* von ihm erfahren und sich ihm im Glauben zuwenden, d. h. sich "bekehren". Die Verkündigung Jesu ist wirkliche Frohbotschaft für sie, sie hat "Metanoia" zur Folge, durch diese bekommt das Leben einen neuen Sinn; durch sie erfahren die Menschen Heil von Gott her in Jesus und werden im Geist des Vaters und des Sohnes selber zu Söhnen Gottes. "Heide" heißt, theologisch gesehen, nichts anderes als: Jesus Christus nicht kennen.[10] "Bekehren"

8   Vgl. *H. Merklein,* Jesu Botschaft von der Gottesherrschaft: Eine Skizze (Stuttgart 1983) 189 S. Die Melbourne-Konferenz hatte als Zentralthema: "Your Kingdom come". Es sei hier die Bemerkung gemacht, daß bereits die sogenannte "Katholische Tübinger Schule" von der Reich-Gottes-Idee her die Forderung erhob, die Mission in den theologischen Unterricht aufzunehmen. Mission ergebe sich "aus dem immanenten Charakter des Christentums selbst"; die Missionen seien "nichts anderes als ein Beweis des in ihr fortwirkenden christlichen Geistes und Lebens"; in den theologischen Disziplinen seien "ganze Theile, ja Haupttheile völlig übersehen" worden. Die Zitate von *J.B. Hirscher* († 1865) und *A. Graf* († 1867) in: *G. Collet,* Das Missionsverständnis der Kirche in der gegenwärtigen Diskussion 92f.

9   Zitiert bei *G. Warneck,* Abriß einer Geschichte der protestantischen Mission (Berlin 1913[10]) 27

10 Zu "Heiden" siehe *G. Rosenkranz,* Heiden — was ist das? In: *Th. Sundermeier*

hat nichts mit "Proselytenmacherei" zu tun. Christ werden heißt nicht, daß man soziologisch aus seinem angestammten Gruppen- und Familienverband ausscheidet, sondern daß man Christus als Mitte und Ziel anerkennt und in die Gemeinschaft der Christusgläubigen eintritt. Kirche ist das "neue Volk" Gottes, ein Mysterium zwar und nicht aus dieser Welt kommend, aber doch ganz in der Welt stehend und damit auch Dialogpartner der Welt. In der Kirche geht es wesentlich um Christus und sein Reich, allerdings sind Christus und sein Reich nicht mit den Grenzen der sichtbaren Kirche identisch. Die Zugehörigkeit zur Kirche ist nicht Garantie endgültiger Erwählung, wie auch das "Heil Christi" nicht absolut auf die Zugehörigkeit zur sichtbaren Kirche eingeengt ist. Mission hat durchaus mit "christianisieren" zu tun, aber im theologischen, nicht rein soziologischen Sinn.

Mission als Kirchengründung

Aus dem eben Gesagten ergibt sich, daß es der Mission auch um neue kirchliche Gemeinschaften geht. So sah es Paulus, so handelte die Kirche zu allen Zeiten. H. Bürkle macht darauf aufmerksam, daß auch die Reformation den "Gedanken der Gemeinde" betonte, daß sie "Gemeindeaufbau aus dem Evangelium" wollte (B. Gutmann), als "Wachstumsprozeß aus dem Samen des Evangeliums", ohne freilich dabei "in das andere Extrem zu einem institutionellen System, nämlich in den sog. Kongregationalismus" zu verfallen.[11] Die Einseitigkeiten der sogenannten Löwener Schule[12] sind heute praktisch überall aufgegeben, wie man auch von der Überbetonung des juridischen Charakters der Kirche Abstand genommen hat. So vermögen wir heute wiederum Sinn darin zu sehen, von der Mission als der "Gründung neuer Kirchen" zu sprechen im Sinne von neuen Gemeinschaften, die ganz in ihrem Volk eingewurzelt sind, mit eigener Leitung, eigenen Sitten und Gebräuchen, eigenen Ausdrucksformen der Gottesverehrung, als eigenständige, mündige Glieder der Gesamtkirche. Wenn das II. Vatikanische Konzil den Begriff der "Partikularkirchen" so stark unterstrich, distanzierte es sich damit von einem abstrakten Universalismus und einseitigen Zentralismus, es leistete aber auch einen erheblichen Beitrag zur Theologie der Mission. "Neue Gemeinschaften des Volkes Gottes gründen" ist eine Terminologie, die theologisch richtig die Sache Mission zu umschreiben vermag.

(Hrsg.), Fides pro mundi vita: Festschrift für W.-H. Gensichen (Gütersloh 1980) 69—78; R. Dabelstein, Die Beurteilung der "Heiden" bei Paulus (Frankfurt — Bern 1981) 246 S.
11 Missionstheologie 45
12 Näheres zur "Löwener Schule" im kommenden Kapitel

Diese Umschreibung findet sich besonders häufig bei H. Bürkle in seinem 1979 erschienenen Buch "Missionstheologie". Er erkennt sie bereits bei den Apostolischen Vätern (siehe S. 40), verfolgt sie als "Universalität des Evangeliums" durch die Geschichte (50) und sieht sie besonders deutlich in der neueren Zeit. Er versteht Grenzüberschreitung durchaus nicht nur "im regionalen Sinne des Wortes" (81) und formuliert, sich auf amerikanisches Vokabular stützend: "Eine christliche Gemeinschaft, die selber nicht mehr im missionarischen o u t r e a c h das Wunder des Verwandeltwerdens in die größere Gemeinschaft mit denen erfährt, die noch nicht zu ihr gehören, verliert e o i p s o die Kraft der Beheimatung auch in der ihr verbliebenen Gestalt" (155). Damit scheint ein wesentliches Element christlicher Existenz zum Ausdruck gebracht: Kirche, die nicht missionarisch ist, d. h. nicht über sich hinausgreift, sich nicht selbst "überschreitet", ist eigentlich keine Kirche.

Mission als Heroldsdienst

Es ist vor allem Paulus, der den Namen "Apostel", κηρυξ, praeco, "Herold" für sich in Anspruch nahm.[13] Herolde sind "Ausrufer". Sie verkünden eine Botschaft im Namen des Königs und nehmen teil an seiner Würde, Heiligkeit und Unverletztlichkeit. Die Apostel waren berufen, die Sendung Jesu Christi in seinem Namen fortzusetzen. Als Zeugen seines Ostertriumphes konnten sie bezeugen, daß ihm, dem Auferstandenen, alle Macht gegeben ist im Himmel und auf Erden; als Zeugen der Auferstehung waren sie dazu in besonderer Weise geeignet. Es hat einen tiefen Sinn, wenn sich die Missionare mit Vorliebe als "Evangelii praecones", als "Herolde" bezeichnen, denn gerade in der Verkündigung des Herolds liegt, daß die Botschaft etwas Neues, bisher Unbekanntes, Beachtenswertes ist, daß sie amtliche Botschaft ist, daß sie "Ansage" und "Proklamation" ist. Es liegt in der Natur der missionarischen Botschaft, daß sie etwas Neues verkündet, daß sie für die ganze Welt bestimmt ist, daß sie die Welt umzuwandeln vermag — Frohe Botschaft, die einzig, einmalig und unüberbietbar ist.[14]

---

13 Pauli Apostolatsbewußtsein ist wesentlich von der Damaskuserfahrung bestimmt (Gal 1,15f), die ihm wie eine neue Schöpfung vorkam (2 Kor 4,6). Er fühlte sich der Berufung nicht würdig (1 Kor 15,9; Gal 1,13. 23). Sie wurde ihm als Gnade geschenkt (1 Kor 15,10). Er verkündet aufgrund von Offenbarung (Gal 1,16). Er ist "Herold und Apostel" (1 Tim 2,7; 2 Tim 1,11).

14 Vgl. *K. Müller*, Das Missionsziel des hl. Paulus. ZMR 41 (1957) 91—100; *ders.,*

2. BEMÜHEN UM EINE DEFINITION DER MISSION

2.1 Warneck und Schmidlin

Gustav Warneck [15] definierte: "Unter christlicher Mission verstehen wir die gesamte auf die Pflanzung und Organisation der christlichen Kirche unter N i c h t c h r i s t e n gerichtete Tätigkeit der Christenheit. Diese Tätigkeit trägt den Namen M i s s i o n, weil sie auf einem S e n d u n g s a u f t r a g des Hauptes der christlichen Kirche beruht, durch S e n d b o t e n (Apostel, Missionare) ausgeführt wird und ihr Ziel erreicht hat, sobald die Sendung nicht mehr nötig ist." [16]

Wenn er Mission so definiert, verschließt er nicht die Augen davor, daß das Wort "Mission" auch im weiteren Sinn gebraucht wird, wie etwa in dem Herrenwort: "Wie mich der Vater gesandt hat, so sende ich euch" (Jo 20,21). Er meint aber, daß der allgemeine Sprachgebrauch ein engerer sei und daß dieser vorzuziehen ist. Nach ihm richtet sich "Mission" nicht an Christen, sei es der eigenen oder anderer Konfessionen, sondern an die nichtchristliche Welt, konkret: an Juden, Mohammedaner und Heiden. Sinn und Aufgabe der christlichen Mission ist die Ausbreitung des Christentums bzw. die Pflanzung der christlichen Kirche. Eine zufällige und sporadische Verkündigung ist für ihn noch nicht Mission, es müsse vielmehr eine "solche g e o r d n e t e V e r a n s t a l t u n g (sein), welche zur Gründung, Pflege und Organisation eines volklichen christlichen Gemeinwesens, einer Kirche führt" (S. 5). Eine "rein äußere Ekklesiastizierung der Massen" lehnt er allerdings ab, ebenso die Identifizierung der Missionsaufgabe mit einer "bloßen Zivilisierung" (6), was Verweltlichung bedeutet. Die ordnungsgemäße Durchführung der Missionierungsaufgabe erfordere eine angeordnete und ordentliche "Sendung" (missio) und "berufene Boten" (Missionare). Der eigentliche Herr solcher Sendung ist Christus selber, das menschliche Organ aber die christliche Gemeinde.

"Praedicate Evangelium" als Zentralidee der Päpstlichen Missionsenzykliken. ZMR 44 (1960) 161–174

15 Geb. 6.3.1834 in Naumburg, gest. 26.12.1919 in Halle. Gründer der "Allgemeinen Missionszeitschrift" (1874), die für viele ähnliche Gründungen Vorbild wurde. Von 1896–1909 Inhaber eines missionstheologischen Lehrstuhls in Halle, des ersten dieser Art überhaupt. Wichtigste Veröffentlichungen: Pauli Bekehrung, eine Apologie des Christentums (1870); Das Studium der Mission auf der Universität (1877); Moderne Mission und Kultur (1879); Abriß einer Geschichte der protestantischen Mission (1882–1910); Welche Pflichten legen uns unsere Kolonien auf (1885); Evangelische Missionslehre (1897–1903)

16 Evangelische Missionslehre I, 1

Joseph Schmidlin[17] stützte sich weitgehend auf Warneck.[18] Auch er sieht, daß der Terminus Mission in verschiedenem Sinn gebraucht wird. Grundsätzlich hält er es für möglich, den Begriff ganz weit zu fassen und ihn auf alle Menschen auszudehnen, "auf die einen, die ihr (der Kirche, d. Verf.) bereits angehören und den kirchlichen Glauben schon besitzen, damit sie ihn bewahren und ihm gemäß auch leben, auf die anderen, die noch in der Nacht des Irrtums und außerhalb der Kirche stehen, damit sie sich ihr anschließen und bekehren" (S. 35). Er weiß, daß nicht nur die römische Propaganda und der Codex Juris Canonici, sondern auch namhafte katholische Autoren[19] einen weiteren Missionsbegriff vertreten, er selber entscheidet sich aus praktischen wie methodischen Rücksichten für eine engere Fassung und schreibt: "Mission im engern Sinne, auch äußere oder auswärtige Mission genannt (...) ist somit die Mission u n t e r N i c h t c h r i s t e n, also denjenigen, die vom christlichen Glauben und von der christlichen Religion ausgeschlossen sind" (34). Er betont den Vorrang des religiösen Charakters der Mission als Ausbreitung des Reiches Gottes, schließt aber kulturelle, intellektuelle, moralische, soziale, karitative, selbst wirtschaftliche Zwecke nicht aus (40). Er beschreibt die missionarische Sendung und Beauftragung als "die in der Fülle der Zeiten vom Vater ausgegangene, von Christus beim Abschluß seiner Erlöserlaufbahn auf die Apostel und die Kirche übertragene Aussendung in die Welt und unter die Völker zur Verkündigung des Evangeliums" (41). Er unterscheidet folgende Stufen: 1. die Verkündigung des Evangeliums oder des christlichen Glaubens unter den Heiden; 2. die innere Bekehrung, d. h. die Umwandlung des Herzens, wie auch die äußere Bekehrung, d. h. die Eingliederung in die Kirche und der Empfang der hl. Taufe; 3. die Organisation der Kirche

---

17 Geb. 29.3.1876 in Kleinlandau, gest. 10.1.1944 im Konzentrationslager Struthof bei Schirmeck. 1910 Lehrauftrag für Missionskunde; ab 1911 Herausgabe der "Zeitschrift für Missionswissenschaft"; 1914 ordentliche Professur. Großer Missionsorganisator und unermüdlicher Missionsautor. Grundlegende Schriften: Einführung in die Missionswissenschaft (1925[2]); Katholische Missionslehre im Grundriß (1923[2]); Katholische Missionsgeschichte (1925). Literatur über ihn: *K. Müller*, Joseph Schmidlin: Leben und Werk. In: *J. Glazik* (Hrsg.), 50 Jahre katholische Missionswissenschaft (Münster 1961) 22—33; *ders.*, The Legacy of Joseph Schmidlin. Occasional Bulletin of Missionary Research 4 (1980) 109—113; vgl. auch: *ders.*, Friedrich Schwager, Pionier katholischer Missionswissenschaft StIM 34 (Nettetal 1984) 207 S.

18 Vgl. Katholische Missionslehre im Grundriß 29—45

19 Z. B. *T. Grentrup*, Die Definition des Missionsbegriffes. ZM 3 (1913) 265—274; *ders.*, Jus missionarium (Steyl 1925) I, 7, wo er prägnant schreibt: "Est illa pars ministerii ecclesiastici, quae plantationem et consolidationem fidei catholicae in acatholicis operatur."

über die einfache Gemeindebildung bis hin zur Aufrichtung der vollständigen Hierarchie. Die Missionskirche wird zur konstituierten Kirche, wenn ein Volk als Ganzes den Glauben angenommen hat und die Kirche personell und finanziell sich selber trägt.

2.2 Die Löwener Schule

Die Schule von Löwen geht auf René Lange, vor allem aber auf den belgischen Jesuiten *Pierre Charles*[20] zurück. Die Kernthese der Löwener Schule ist die von der Pflanzung der Kirche, deshalb auch Pflanzungs- oder Plantationstheorie genannt. Nach ihr ist das Formalobjekt der Mission "die Einrichtung der sichtbaren Kirche in den Ländern, wo sie dies noch nicht ist".[21] Mission richtet sich deshalb auch nicht an die Heiden allein, sondern an alle Gruppen, bei denen die sichtbare Kirche noch nicht dauerhaft eingerichtet ist. Mission ist werdende Kirche, Zustand des Wachstums zur Reife. Mission rechtfertigt sich nur unvollkommen durch den Gehorsam gegen das Mandat Christi oder aus dem Motiv der Seelenrettung, es geht ihr vielmehr einzig und allein darum, die sichtbare Kirche einzurichten,[22] sie "da zu pflanzen, wo sie noch nicht gepflanzt ist, d. h. die Mittel des Heils (den Glauben und die Sakramente) in die Reichweite aller Seelen guten Willens zu bringen".[23] Es sei ungenau zu sagen, daß die Kirche lediglich Mittel der Seelenrettung ist; sie ist mehr, weil sie "die göttliche Form der Welt (ist), der einzige Berührungspunkt, wo das ganze Werk des Schöpfers heimkehrt zum Erlöser", weniger, weil es durchaus nicht genüge, zur Kirche zu gehören, um gerettet zu werden. "Die Grenzen der sichtbaren Kirche weiter hinauszurücken, diese Arbeit des Wachsens bis zu ihrem Ende führen, die ganze Welt mit Gebeten und Anbetung besäen, dem Erlöser sein ganzes Erbteil erstatten, das ist die besondere Aufgabe der Mission."[24]

P. Charles' Darlegungen wurden nicht in allen Einzelheiten bejaht, die Plantationstheorie als solche aber gewann immer neue Anhänger, selbst in Deutschland, wo sich die "Münstersche Schule" zunächst lange behauptete. Überraschend aber ist, daß selbst ein so eifriger Vertreter

---

20 Geb. 3.7.1883 zu Schaerbeek-Bruxelles, gest. 11.2.1954 in Mouscron. Für sein Missionsverständnis von Wichtigkeit sind: Les Dossiers de l'Action Missionnaire: Manuel de Missiologie. 2. édition entièrement refondue et augmentée (Louvain – Bruxelles 1938–1939); Missiologie, Etudes, Conférences I (Louvain 1939) 309 S.
21 Missiologie 59
22 Dossiers, 1. Ausgabe, Nr. 37
23 Missiologie 65
24 Vgl. Missiologie 84–87

der Plantationstheorie wie A. Seumois schon bald nach dem Krieg schrieb: "Die beiden großen Schulen, die von Münster und die von Löwen, die vor dem Krieg hermetisch gegeneinander abgeschlossen erschienen, haben jetzt ihre Nichtabbaufähigkeit verloren. Die Lücken Schmidlins erscheinen mehr und mehr, und man mißtraut auch mehr und mehr den charakteristischen Entwicklungen von P. Charles, um eine größere, genauere und besser fundierte Synthese des Begriffes der Missionstätigkeit zu suchen."[25]

2.3 Die Weltmissionskonferenzen

Die allmähliche Akzentverschiebung im neueren Missionsverständnis — das gilt mehr oder weniger auch für den katholischen Raum — läßt sich am besten an den ökumenischen Missionskonferenzen aufzeigen.

Von den 1200 Delegierten der *Edinburgher* Missionskonferenz (1910) stammten nur achtzehn aus sogenannten Missionsgebieten. Mission wurde eindeutig als Einbahnstraße verstanden, von Europa und Amerika zu den andern Erdteilen. Das Missionsmotiv war zweifellos die Evangelisierung der Welt, die Missionierung aber geschah parallel zu oder gar in Abhängigkeit und enger Zusammenarbeit mit der Kolonialisierung. Das hatte Vorteile — von daher rührte der damalige unbändige Optimismus, der etwa in dem Motto zum Ausdruck kam: "Evangelisierung der Welt in dieser Generation" (J. Mott) —, das belastete die Mission aber auch, wenn auch nicht von ihr intendiert, mit dem Makel des Kolonialismus. Die Edinburgher Missionskonferenz war der Anfang eines universalen weltmissionarischen Bewußtseins, das bis heute nicht erloschen ist. Aus ihr erwuchs der "Internationale Missionsrat" (IMR), später die "Kommission für Weltmission und Evangelisation" (CWME) im Rahmen des "Ökumenischen Rates der Kirchen" (ÖRK oder WCC).

Der *Jerusalemer* Weltmissionskonferenz (1928) gingen der erste Weltkrieg und die bitteren Nachkriegsjahre voraus. Man sah die Einheit des Christentums und der westlichen Kultur gebrochen, die Säkularisierung nahm immer mehr zu, die nichtchristlichen Religionen gewannen an Selbstbewußtsein. All dem stellte die Konferenz ganz bewußt die These entgegen: "Unsere Botschaft ist Jesus Christus. Wir dürfen nicht weniger geben, und wir können nicht mehr geben." Unter den 231 Kon-

---

25 Auf dem Wege zu einer Definition der Missionstätigkeit. Übersetzt von *J. Peters* aus der NZM (Aachen 1948) 14. Vgl. *A. Seumois,* Introduction à la Missiologie (Schöneck/Beckenried 1952) 491 S.; *E. Loffeld,* Le Problème Cardinal de la Missiologie et des Missions Catholiques (Rhenen 1956) 416 S. Ausführliche Darlegung des Problems und reiche Literaturangabe in: *A. Freitag,* Mission und Missionswissenschaft (Kaldenkirchen 1962) 21—67

ferenzteilnehmern waren 52 Asiaten und Afrikaner.

Auf derselben Linie bewegte sich *Tambaram* (Madras) 1938. Die Konferenzteilnehmer, über die Hälfte aus den jungen Kirchen, stellten dem immer mehr anwachsenden Nationalismus den betont übernatürlichen Charakter der Weltmission entgegen; gemäß den Maximen: "Die christliche Botschaft in einer nichtchristlichen Welt" (H. Kraemer) und: "Wer Kirche sagt, sagt Mission; wer Mission sagt, sagt Kirche" (K. Hartenstein).

Erheblich andere Akzente setzte die Nachkriegskonferenz *Whitby* (Kanada) 1947. Man sprach vom christlichen Zeugnis in einer sich wandelnden Welt, betonte ganz bewußt den übernationalen Charakter der Weltmission und distanzierte sich damit von der "Westmission", man sprach von Partnerschaft im Gehorsam und leitete damit eine neue Epoche der Beziehungen zwischen "Mutterkirchen" und neuen Kirchen ein.

In *Willingen* 1950 spielten J.C. Hoekendijks Thesen — er war von 1949 – 1952 Sekretär für Evangelisation im Ökumenischen Rat der Kirchen — eine bedeutende Rolle. Die Welt sei der Horizont der Mission. Die Kirche "treibe" nicht Mission, sondern sie ist selber Mission, und sie ist nur dadurch Kirche, daß sie sich ganz aufnehmen und gebrauchen läßt in Gottes Handeln an der Ökumene. Ökumene ist für ihn die Welt, der als Ganzer der Auftrag der Kirche gilt. Willingen löste nicht die Probleme, bereitete aber die große Wende von Uppsala 1968 und den betonten Weltbezug von Bangkok vor. Mit Willingen begannen auch die Neuüberlegungen zur Rolle und Funktion der Missionsgesellschaften.

In *Achimota* (Accra) 1957/58 ging es um das grundsätzliche Verhältnis von Kirche und Mission, d. h. von sendender und empfangender Kirche, von Missionar und einheimischer Gemeinde, von Mission und zwischenkirchlicher Hilfe. Man wurde sich eins darüber, daß man beide nicht auseinanderdividieren dürfe, daß es um mehr als bloße Partnerschaft gehe, daß man um Integrierung der beiden bemüht sein müsse.

Mexico City 1963 war eine Weiterentwicklung der Problematik. Selbstverständlich kann die Forderung, statt "Westmission" "Weltmission" zu treiben, nur begrüßt werden. Viel Verwirrung aber, auch in den katholischen Raum hinein, stiftete die These von der "Mission in sechs Kontinenten". Richtig daran ist ohne Zweifel, daß durch die weltweite Säkularisierung in den traditionell christlichen Ländern "Situationen" eingetreten sind, die man als missionarische bezeichnen kann, soll man aber soweit gehen, daß man den Unterschied zwischen missionarischer Verkündigung und christlicher Erneuerung überhaupt verwischt?

In *Bangkok* 1972/73 trat das Spannungsverhältnis von Kirche und Welt in der Thematik "Das Heil in der Welt von heute" überdeutlich zutage. Man sah die Bedrohung des Friedens durch den Vietnamkrieg, man konstatierte, wie der Graben zwischen den reichen Industriestaaten und den Entwicklungsländern immer mehr wuchs, Vertreter der Dritten Welt protestierten gegen die angebliche westliche Überfremdung ihrer Länder durch die Mission und forderten selbst ein Moratorium. Leider gelang es nicht, in der Frage einer Stellungnahme zu den neueren politischen und sozialen Fragen einen gemeinsamen Nenner zu finden, so daß fortan, seit Lausanne 1974, die starke Gruppe der "Evangelikalen" ihren eigenen Weg ging. Der geistliche, übernatürliche, vertikale Aspekt der Mission fehlte durchaus nicht in Bangkok, manche aber hatten den Eindruck, daß der horizontale allzusehr überwog.

Melbourne 1980 prägte den Begriff der "holistic mission" und war, teilweise bewußt, eine Korrektur von Bangkok, gleichzeitig aber auch eine Weiterführung. Man unterstrich, daß es in der Mission wesentlich darum gehe, den "Namen Jesu zu nennen", man betonte Gebet, Gottesdienst und Eucharistie, man sah aber genauso deutlich, daß die politische und soziale Weltkrise auch die Kirche angehe, daß Ungerechtigkeit und Ausbeutung die Kirche fordere, daß die "Gute Nachricht" besonders den Armen gelte. An Melbourne nahmen auch Vertreter der evangelikalen Richtung teil, ohne daß sie wesentlich andere Akzente setzten; auf der sich anschließenden Evangelikalenkonferenz in *Pattaya* (Thailand) aber wurden die gegensätzlichen Meinungen wiederum sehr deutlich.

Dieser kurze Überblick über die Missionskonferenzen[26] sollte zeigen, daß die Kirche in einer konkreten Welt missioniert, daß in einem guten Sinn die Welt ihre Agende setzt, daß mit der sich wandelnden Welt auch die Mission sich wandelt, daß andere Akzente notwendig werden. Das wurde auch vom II. Vatikanischen Konzil zum Ausdruck gebracht, vor allem durch Gaudium et Spes. Heißt das aber, daß sich die Weltsituation heute so sehr geändert hat, daß damit das Missionsverständnis als solches oder gar die Sache der Mission in Frage gestellt ist. Um noch pointierter zu fragen: Hat sich die Weltlage heute so radikal geändert, daß sich Mission im theologischen Sinne überlebt hat?

Seit 1963 nehmen auch die *Orthodoxen Kirchen* an den Missionskonferenzen teil. Der Integration voraufgegangen war die Gründung des Innerorthodoxen Missionszentrums "Porefthentes" in Athen (1961) unter dem griechisch-orthodoxen Priester Anastasioa Yannoulatos, heu-

---

26 Ich stütze mich in den Darlegungen auf die ausgezeichnete Zusammenfassung von *H.-W. Gensichen* unter dem Stichwort "Missionskonferenzen" im Ökumene-Lexikon (Frankfurt a. M. 1983). Siehe auch: *Ph. Potter,* Von Edinburg nach Melbourne. In: *M. Lehmann-Habeck,* Dein Reich komme: Bericht der Weltkonferenz für Mission und Evangelisation in Melbourne 1980 (Frankfurt a. M. 1980) 71–85; *G. Hoffmann,* Von Bangkok nach Melbourne, ebd. 13–23

te Bischof von Androussa und Erzbischof in Nairobi. Die Ziele des Zentrums zeigen deutlich, was man unter Mission verstand: 1. Studium und Erforschung theoretischer und praktischer Fragen der orthodoxen auswärtigen Mission; 2. missionarische und ökumenische Bewußtseinsbildung innerhalb der Orthodoxen Kirche überall in der Welt; 3. Unterstützung der geistlichen und wissenschaftlichen Ausbildung zukünftiger Missionare; 4. Kontakt mit den Missionskirchen und Mithilfe bei der Lösung theoretischer und organisatorischer Fragen.[27] Sehr deutlich sagte Yannoulatos: "Eine Kirche, die nicht missionarisch tätig ist, die nicht teilnimmt an der Agonie Christi am Kreuz für das Heil der ganzen Welt, für das Wachstum des Leibes Christi zur endgültigen Fülle, zur Erfüllung des göttlichen Erlösungsplanes (...) ist nicht wirklich ein lebendiger Leib Christi, wahrhaft orthodox, eine Wacht des Geistes der 'einen heiligen, katholischen und apostolischen Kirche', der unser Herr die Fortsetzung seines Erlösungswerkes anvertraut hat."[28]

Missionstheologisch waren und blieben sich die protestantischen und orthodoxen Kirchen in zwei Prinzipien einig: 1. Mission gehört zum wahren Wesen der Kirche. Da sie die "apostolische" Kirche ist, hat sie den apostolischen Glauben weiterzutragen und ist, gleich den Aposteln, in die Welt gesandt, die Auferstehung Christi zu bezeugen; 2. Mission kann nicht eingeengt werden auf die bloße Verkündigung des Evangeliums, sondern schließt Diakonie mit ein, d. h. Zeugnis durch Tat wie durch Wort.[29] Schwieriger war es, in Fragen der Ekklesiologie, des Sakramentsverständnisses und des Weltbezugs zu voller Einigung zu finden. Die Orthodoxen rechneten sich als Verdienst an, zur "heiteren Unveränderlichkeit"[30] der Kirche einen Beitrag geleistet zu haben, sie selber aber konnten auf längere Sicht vor den Problemen der Welt die Augen nicht verschließen. Wenn sich, um ein Beispiel zu nennen, A. Yannoulatos so intensiv mit den Menschenrechten beschäftigt,[31] ist das ein Zeichen dafür, daß ökumenisches Gespräch für beide Teile nur fruchtbar sein kann.

---

27 *C.S. Calian*, Eastern Orthodoxy's Renewed Concern for Mission. IRM 52 (1963) 33
28 Ebd. 34
29 *J. Meyendorff*, An Orthodox View on Mission and Integration. IRM 70 (1981) 257
30 Ebd.
31 *A. Yannoulatos*, Eastern Orthodoxy and Human Rights. IRM 73 (1984) 454—466. Einen guten Überblick über die Fragen von Orthodoxie und Mission bietet: *I. Bria* (Hrsg.), Martyria — Mission: The Witness of the Orthodox Churches Today (Genf 1980) 255 S.

2.4 Das Missionsdekret Ad Gentes[32]

Die Väter des Zweiten Vatikanischen Konzils forderten ausdrücklich, daß die Missionstätigkeit der Kirche in einen theologischen Rahmen gestellt und der Sendung der Kirche im allgemeinen zugeordnet werde. Das geschieht in den ersten fünf Kapiteln des *Missionsdekretes Ad Gentes*. Die zu den Völkern gesandte Kirche als das "allumfassende Sakrament des Heils" (AG 1; vgl. LG 48) hat kraft ihrer inneren Katholizität wie auch im Gehorsam gegen den Herrn die Aufgabe, das Evangelium allen Menschen zu verkünden. Sie ist deswegen "missionarisch", d. h. "als Gesandte unterwegs", weil sie ihren Ursprung aus der Sendung des Sohnes und der Sendung des Hl. Geistes herleitet. Am Anfang stand die "quellhafte Liebe" des Vaters, in dieser gründen sowohl die innertrinitarischen "Hervorgänge" (processiones) als auch die "Sendungen" (missiones); im Liebeswollen des Vaters gründen die Schöpfung, die Berufung zur Teilnahme am göttlichen Leben, die Sammlung der zerstreuten Kinder Gottes zu einem Volk. Gott war immer in der Welt, er trat aber auf eine neue und endgültige Weise in die Geschichte der Menschen durch die Inkarnation des Wortes: Jesus Christus, der in die Welt Gesandte, Erbe des Alls, wahrer Mittler Gottes und der Menschen. Es war Christus der Herr, der vom Vater den Heiligen Geist sandte, damit dieser das Heilswerk von innen her wirke und die Kirche zu ihrer Ausbreitung bewege: die Kirche, die von Jesus Christus gegründet wurde, Sakrament des Heiles ist und den Auftrag erhielt, alle Völker zu Jüngern zu machen.

Erst in Nr. 6 des Dekretes wird von "Mission" und "Missionen", d. h. von der Missionstätigkeit der Kirche, im spezifischen Sinn gesprochen. "Missionen" werden hier definiert als die

> "speziellen Unternehmungen, wodurch die von der Kirche gesandten Boten des Evangeliums in die ganze Welt ziehen und die Aufgabe wahrnehmen, bei den Völkern oder Gruppen, die noch nicht an Christus glauben, das Evangelium zu predigen und die Kirche einzupflanzen."

Als das eigentliche Ziel der missionarischen Tätigkeit werden die "Evangelisierung und die Einpflanzung der Kirche bei den Völkern und Gemeinschaften, bei denen sie noch nicht Wurzeln gefaßt hat," bezeichnet (ebd.). Mit dieser Formulierung vermeidet es das Konzil, sich für eine der beiden "Schulen", die Münstersche oder die Löwener, zu entscheiden, oder besser: es distanziert sich von der Exklusivität beider Schulen und entscheidet sich für eine "charaktervolle Synthese", wie

---

32   AAS 58 (1966) 947—990

S. Brechter es ausdrückte.[33] Y. Congar, der an der Formulierung des Textes maßgeblich beteiligt war, gab dazu die Erklärung: "Die Einpflanzung der Kirche läßt sich folglich nicht in einem rein juridischen Sinne interpretieren: Sie ist die Einpflanzung eines Volkes Gottes, das sich zunächst aus dem Glauben und damit durch die Verkündigung konstituiert."[34] Genauso sieht es auch H. Döring, wenn er schreibt: "Als Grundrichtung des Missionsdekrets läßt sich mithin klar angeben: Einpflanzung der Kirche durch Evangelisierung der Völker. So hängen das Wesen der Kirche und die missionarische Tätigkeit engstens zusammen."[35] Kirche darf hier allerdings nicht als "Institution", in geographischer Abgrenzung, exklusiv juridisch-hierarchisch oder gar als Endzweck gesehen werden, sondern wie AG 6 es ausdrückt: Die Kirche "breitet ihren heilschaffenden Glauben aus, verwirklicht in der Ausbreitung ihre katholische Einheit". Damit ist allerdings bereits Stellung genommen zu L. Rütti, der am Konzilstext kritisiert, daß die Mission als eine "Funktion zur Selbsterhaltung und Ausbreitung der Kirche"[36] erscheine, und auch zu J.C. Hoekendijk, der forderte: "Erst wenn die weitverbreitete Ekklesiozentrik mit Stumpf und Stiel ausgerottet ist, wird der Weg frei sein, um endlich an die ecclesia und nicht an eine ihrer üblen Metamorphosen zu denken."[37]

AG 6 spricht auch von den sehr verschiedenen Umständen und Bedingungen, auf die die Missio Ecclesiae, d. h. die Sendung der Kirche, im weiteren Sinn trifft, von Anfängen und Stufen der kirchlichen Tätigkeit, von schrittweisem Hineinwachsen der Völker in die katholische Fülle, von einem Steckenbleiben auf dem Wege, von Rückschritten, ja von einem Rück-Fall. Gerade diese unterschiedlichen Bedingungen, sagt das Dekret, berechtigen, von verschiedenen "Tätigkeiten" der Kirche zu sprechen und die Missionstätigkeit im spezifischen Sinn von anderen Tätigkeiten wie der pastoralen Betreuung der Gläubigen und der Ökumene zu unterscheiden, wenngleich sie alle engstens miteinander verknüpft sind und einander bedingen.

Das neue kirchliche Gesetzbuch (Codex Juris Canonici) lehnte sich eng an das Zweite Vaticanum an und bestimmte: "Die ganze Kirche ist

---

33 Das Zweite Vatikanische Konzil. In: LThK III, 35
34 Theologische Grundlegung. In: *J. Schütte* (Hrsg.), Mission nach dem Konzil, 156
35 *H. Döring,* Erstverkündigung als Selbstvollzug der Kirche. In: *P. Zepp* (Hrsg.), Erstverkündigung heute (Nettetal 1985) 38
36 Zur Theologie der Mission: Kritische Analysen und neue Orientierungen (1972) 257
37 Kirche und Volk in der deutschen Missionswissenschaft, bearb. und hrsg. von *E.W. Pollmann* (1967) 331

ihrer Natur nach missionarisch, und das Werk der Evangelisierung ist als grundlegende Aufgabe des Volkes Gottes anzusehen; daher haben alle Gläubigen, im Wissen um die ihnen eigene Verantwortung, ihren Teil zur Missionsarbeit beizutragen" (Can. 781).[38]

2.5 Evangelii Nuntiandi [39]

Das Missionsdekret des II. Vatikanischen Konzils wurde in großer Eile erarbeitet. So berechtigt es sein mag, von einer "charaktervollen Synthese" zu sprechen, darf man auch von einem "Kompromiß" sprechen, der das Ziel hatte, die unversöhnlich nebeneinander stehenden Meinungsverschiedenheiten irgendwie zu überbrücken, ohne sie ausdiskutieren zu können. So konnte A. Seumois noch im Jahre 1980 mit großer Schärfe gegen Thomas Ohm, einen Vertreter der Münsterschen Schule, polemisieren. [40] Ernster war, daß das Problem des Weltbezugs der Kirche resp. der Mission gegen Ende des Konzils zwar schon deutlich gesehen und in Gaudium et Spes auch behandelt wurde, aber erst nach dem Konzil in aller Schärfe aufbrach. Uppsala und Bangkok wurden erwähnt. J.B. Metz und L. Rütti sind von daher zu verstehen. Man kritisierte den Weltverlust der Mission, forderte die Neuorientierung auf die Welt hin, lehnte "Ekklesiozentrismus" wie auch ein ekklesiozentrisch-expansives Verständnis der Mission ab, verwies auf die Identifizierung von Mission und Kolonialismus usw. Die Problematik von Gerechtigkeit und Frieden drängte sich immer mehr auf. Vor allem war das Verhältnis des Christentums zu den nichtchristlichen Religionen theologisch nicht genügend geklärt und, engstens damit verbunden, die Frage nach dem Verhältnis von Mission und Dialog. Infolge von all dem versiegte die Missionsbegeisterung, die während des Konzils hell aufgeflammt war, zusehends, und man scheute sich sehr bald, das Wort "Mission" überhaupt noch in den Mund zu nehmen.[41]

Das Apostolische Schreiben Evangelii Nuntiandi setzte zweifelsohne neue und wertvolle Akzente, und gerade deshalb fand es weiteste Sympathien. Deutlicher als das Konzil verzichtete es auf die geographische Festlegbarkeit des Missionsbegriffs. Es unterstrich die Partnerschaft aller, auch der jungen Kirchen. Es stellte heraus, daß Entwicklung, Friede, Freiheit, Befreiung authentische biblische Botschaft sind und darum

38 Vgl. H. Rzepkowski, Umgrenzung des Missionsbegriffes und das neue kirchliche Gesetzbuch. Verbum 24 (1983) 101—139
39 AAS 68 (1976) 5—76
40 A. Seumois, Théologie missionnaire I (1980) 135ff.
41 Vgl. K. Müller, Sinn und Stellenwert der Erstverkündigung in der heutigen missionstheologischen Diskussion. In: P. Zepp aaO 9—22

auch die Mission angehen. Es wiederholte mit dem Konzil, daß auch in den nichtchristlichen Religionen Heilselemente vorhanden sind. Es betonte, daß es der Mission wohl um den einzelnen gehe, daß dieser aber immer in seinem Milieu, seiner Kultur und seiner konkreten Gemeinschaft getroffen werde. Es verwies darauf, daß es Mission nicht nur in Asien und Afrika gäbe, daß vielmehr auch in Europa und den beiden Amerika Situationen eingetreten sind, die man als Missionssituationen bezeichnen kann. Es befürwortete eine Pluralität in der Theologie und den Dialog mit den Religionen.

Das alles sind äußerst positive Akzente. Verwirrend aber wurde, daß so mancher glaubte, die Kirche habe mit diesem Schreiben den Terminus Mission überhaupt fallen gelassen und ihn durch Evangelisation ersetzt. So wenig man auf dem Wort als solchem insistieren soll, sei an dieser Stelle bereits gesagt, daß diese Behauptung unrichtig ist. Das Thema des Rundschreibens war "Evangelisation", betraf also die Sendung der Kirche in weiterem Sinn, in diesem Rahmen aber kam das Anliegen der Mission im spezifischen und traditionellen Sinn mehr als deutlich zum Ausdruck. Nicht nur, daß das Schreiben immer wieder und bewußt an Ad Gentes anknüpfte — das Missionsdekret wird allein vierzehnmal zitiert —, auch die Worte "Mission", "missionarisch", "Missionare" kommen wenigstens elfmal vor. Um alle Zweifel zu zerstreuen, genügt es, einen einzigen Text zu zitieren, und zwar aus dem Abschnitt über die nichtchristlichen Religionen, wo es heißt: "Darum ist die Kirche darauf bedacht, ihren missionarischen Elan lebendig zu erhalten, ja ihn im geschichtlichen Augenblick unserer heutigen Zeit noch zu verstärken. Sie spürt die Verantwortung angesichts ganzer Völker. Sie kann nicht eher ruhen, als bis sie alles getan hat, um die Frohbotschaft vom Erlöser Jesus Christus zu verkünden. Stets bildet sie neue Generationen von Glaubensboten heran. Das stellen wir mit Freude fest gerade in einem Augenblick, da es nicht an solchen fehlt, die denken oder gar sagen, der apostolische Eifer und Elan seien erloschen und die Entsendung von Missionaren gehöre nun der Vergangenheit an. Die letzte Synode hat darauf die Antwort gegeben, daß die missionarische Verkündigung nicht aufhören werde und die Kirche stets auf die Erfüllung dieses Auftrags bedacht bleibe" (Nr. 53).

3. GRUNDELEMENTE EINER MISSIONSTHEOLOGIE

Es ging uns bei der bisherigen Darlegung vor allem um die Sache Mission; Worte sind sekundärer Natur. In der Sache herrscht eigentlich überraschende Einmütigkeit. Worum geht es bei Mission? Ohne hier schon Endgültiges aussagen zu wollen, seien folgende Grundelemente, die uns bei der weiteren Behandlung unseres Themas Wegweiser sein können, hervorgehoben. Es sind:

a. Mission gründet zutiefst im Geheimnis des Dreifaltigen Gottes, in seinen Processiones und Missiones, in Gott, dessen ganzes Wesen Sich-Mitteilen und Sich-Verschenken ist. Es geht bei Mission also in keiner Weise um Expansionsgelüste der Kirche, auch nicht um einen "Missions-befehl", der auf reiner Willkür beruht und theologisch ohne Fundament ist. Mission liegt vielmehr im ewigen Liebesplan Gottes mit der Welt be-schlossen. Mission ist also zunächst "Missio Dei", und von hier aus er-gibt sich die Berechtigung zu sagen, daß die Mission Gottes ureigenstes Werk ist. Was Gott plant und will, dafür trägt er auch die Verantwor-tung.

b. Bei Mission geht es um Heil. Gott will die Menschen von Schuld befreien und sie an seinem Leben teilhaben lassen. Das bedeutet für den einzelnen Abkehr von der Sünde und Hinkehr zu Gott, aber auch, daß diese einzelnen sich einfügen lassen in die Familie Gottes, die Gottes Volk ist. Da Gottes Schöpfer- und Heiligungswille nicht losgelöst voneinander betrachtet werden können, so ist auch das Heil integrales Heil: "Schalom" und Berufung zur Teilnahme an Gottes Leben zugleich. Wie Gottes Liebe den ganzen Menschen umfaßt, hat sich die Mission auch immer um den ganzen Menschen gekümmert. Promotio humana und Bemühen um Gerechtigkeit und Frieden in der Welt sind nicht mit Mission identisch, sie gehören aber als integraler Bestandteil zu "Mis-sion".

c. Bei Mission geht es auch um Gemeinschaft. Gott hat den Menschen auf Gemeinschaft hin geschaffen, und er will, daß die zerstreuten Got-teskinder "Volk Gottes" werden. Was immer man unter Kirche versteht, es gibt kein Christentum von lauter Individuen, die unabhängig vonein-ander ihren Weg gehen und ohne den Schutz und die tragende Kraft der Gemeinschaft zu Gott gelangen. Wenn das Zweite Vatikanische Konzil von Kirche spricht, denkt es primär an die Gemeinschaft der Gläubigen und an ihre Funktion für das Heil der Welt.

d. Mission hat es auch immer mit "Welt" zu tun. Es gibt nicht ein Abstraktum "Mission", das der Welt aufgestülpt wird. Mission geschieht auch nicht im luftleeren Raum. Mission ist Begegnung von Gott und Welt, von Göttlichem und Menschlichem. Mission ist ein Integrierungs-prozeß und vollzieht sich nach Art der Inkarnation. Daß das nicht ohne Spannung und Auseinandersetzung vor sich geht, liegt auf der Hand. Es ist aber auch nicht so, daß "Natur" — das gleiche gilt von "Kultur" — und Evangelium unvereinbare Gegensätze sind. Gott stand am Ursprung der Welt, er ist es auch, der uns das Evangelium geschenkt hat und die

Welt heiligen will.

e. Mission kümmert sich vornehmlich um die, die das Evangelium noch nicht kennen, um die, die sich noch außerhalb der Sichtbarkeit des Volkes Gottes befinden. Es ist darum richtig empfunden, wenn man Mission als "reaching out" bezeichnet, als eine "Grenzüberschreitung", aber nicht im geographischen Sinn. Missionar ist, wer Heroldsdienst tut, wer die Kunde von der Menschwerdung proklamiert, wer am Werk der Sammlung der zerstreuten Kinder Gottes mitarbeitet. Missionar ist nicht, wer Meere überschreitet, sondern wer "Missionsarbeit" tut. Mission ist ein theologischer, nicht ein geographischer Begriff. Darum verdient der autochthone Mitarbeiter genauso den Ehrentitel "Missionar" wie der Ausländer.

f. Soll man am W o r t Mission festhalten? Nicht notwendigerweise, aber es hat Sinn. Als die Diskussion um den Terminus Mission in vollem Gange war, nahm ich an einer Missionsversammlung teil, in der heftig dagegen vom Leder gezogen wurde. Da meldete sich die Präsidentin einer Laienmissionarsvereinigung und sagte: "Ja, wir hatten auch Schwierigkeiten mit dem Wort Mission. Wir sprachen über die Frage miteinander und sagten uns: Das Wort hat einen so tief biblischen Sinn, daß wir von uns aus darauf nicht verzichten möchten. Seitdem erklären wir unsern Mitgliedern, was damit gemeint ist, und wir sind glücklich darüber." Das Bekenntnis überzeugte. Der Lutherische Weltbund definierte in seiner Vollversammlung in Budapest (1984): "Mission ist die gemeinsame Verantwortung aller Christen, aller Gemeinden und aller Kirchen; Mission an jedem Ort ist das Privileg und die gemeinsame Verantwortung der weltweiten Kirche."[42]

42 Zitiert nach H. Becker, Weltmission nach Budapest (Neuendettelsau 1985) 15

Drittes Kapitel

DER GRUND DER MISSION

Literatur:

F. Asensio, Horizonte misional a lo largo del Antiguo y Nuevo Testamento. Biblioteca Hispana Biblica (Madrid 1974) 253 S.

P. Beyerhaus, Allen Völkern zum Zeugnis: Biblisch-theologische Besinnung zum Wesen der Mission (Wuppertal 1972) 144 S.

J. Blauw, Gottes Werk in dieser Welt: Grundzüge einer biblischen Theologie der Mission (München 1961) 192 S.

R. Dabelstein, Die Beurteilung der "Heiden" bei Paulus. Beiträge zur biblischen Exegese und Theologie 14 (Frankfurt/M. — Bern 1981) 246 S.

J. Daniélou, Der Gott der Heiden, der Juden und der Christen (Mainz 1957) 198 S.

H. Fries/F. Köster/F. Wolfinger (Hrsg.), Warum Mission? Theologische Motive in der Missionsgeschichte der Neuzeit. Kirche und Religionen 3 (St. Ottilien 1984) 1. Bd: Geschichte. Gestalten. Modelle. 210 S. 2. Bd: Ereignisse und Themen der Gegenwart. 319 S.

E. Gatti, Temi Biblici sulla Missione (Bologna 1980) 188 S.

P. Hacker, Theological Foundations of Evangelization. Veröffentlichungen des Instituts für Missionswissenschaft Münster 15 (St. Augustin 1980) 100 S.

F. Hahn, Das Verständnis der Mission im Neuen Testament. Wissenschaftliche Monographien zum Alten und Neuen Testament 13 (Neukirchen 1965[2]) 168 S.

W. Kasper, Absolutheit des Christentums. QD 79 (Freiburg 1977) 156 S.

K. Kertelge (Hrsg.), Mission im Neuen Testament. QD 93 (Freiburg 1982) 240 S.

H. Köster/M. Probst, Wie mich der Vater gesandt hat, so sende ich euch: Beiträge zur Theologie der Sendung (Limburg 1982) 120 S.

J. Kuhl, Die Sendung Jesu und der Kirche nach dem Johannes-Evangelium. StIM 11 (St. Augustin 1967) 242 S.

R.P. Meyer, Universales Heil, Kirche und Mission. StIM 22 (St. Augustin 1979) 234 S.

R.K. Orchard, Missions in a Time of Testing: Thought and Practice in Contemporary Missions (London 1964) 212 S.

G.W. Peters, Missionarisches Handeln und biblischer Auftrag: Eine Theologie der Mission (Bad Liebenzell 1977) 392 S.

A. Rétif/P. Lamarche, Das Heil der Völker: Israels Erwählung und die Berufung der Heiden im AT (Düsseldorf 1960) 120 S.

D. Senior/C. Stuhlmueller, The Biblical Foundations for Mission (Maryknoll 1983) 371 S.

E. Testa, I principi biblici della missione. In: Missiologia oggi. Pontificia Universitas Urbaniana. Subsidia Urbaniana 14 (Rom 1983) 11—47

G. *Vanchipurackal*, Why the Missions? A Study on the Necessity of Evangelization (Bangalore 1981) 128 S.

G.F. *Vicedom*, Missio Dei: Einführung in eine Theologie der Mission (München 1958) 104 S.

F. *Wagner*, Über die Legitimität der Mission: Wie ist die Mission der Christenheit theologisch zu begründen (München 1968) 54 S.

1. EINE VISION: KOL 1,15–20 UND EPH 1,3–23

Nirgendwo anders erscheint die Universalität des göttlichen Heilsplans so durchsichtig und umfassend wie im Kolosser- und im Epheserbrief. Gott ist der Souverän schlechthin: als Schöpfer, als Herr der Geschichte, als Urheber des Heils. Christus, Ebenbild des unsichtbaren Gottes und Erstgeborener der ganzen Schöpfung (Kol 1,15), schenkte die Vergebung der Sünden, stiftete Frieden durch sein Blut und ist zugleich das Haupt des Leibes, der die Kirche ist (1,14. 20. 18). Alles ist uneingeschränkte Fülle: die g a n z e Welt (Kol 1,6), die g a n z e Schöpfung unter dem Himmel (1,23), j e d e r Mensch (1,28); als Herr über alle Dinge ist Christus auch über die Kirche gesetzt (Eph 1,22), und da Christus das Pleroma ist, ist dieses auch in der Kirche als seinem Leib (1,23). Die Auserwählung zur Gotteskindschaft durch Jesus Christus geschah schon vor der Erschaffung der Welt (Eph 1,47), realisiert aber wurde sie im Tode Jesu Christi (1,7). Die Kirche weiß um die Absicht Gottes, "in Christus alles zu vereinen, alles, was im Himmel und auf Erden ist", durch Offenbarung, also aus Gnade, als Geschenk (1,97). Auferweckung und Erhöhung sicherten Jesus den Platz zur Rechten des Vaters "hoch über allen Fürsten und Gewalten, Mächten und Herrschaften und über jeden Namen, der nicht nur in dieser Welt, sondern auch in der zukünftigen genannt wird" (1,21). Christi Herrschaft ist, so weit der Kosmos reicht, und da die Kirche ihm in geheimnisvoller Weise als Leib angehört, ist auch ihre Bestimmung weltweit und ihr Dienst unbegrenzt: weder zeitlich noch geographisch, weder durch Rassenunterschiede noch durch sozialen Status, weder durch Bildung und Reichtum noch durch Unwissenheit und Armut. Die einzige Grenze, die möglich ist, setzt der Mensch selber: Dadurch, daß er sich in Erkenntnis und Freiheit dem Heilsangebot Gottes widersetzt. Die "kosmische" Christologie und Ekklesiologie des Kolosser- und Epheserbriefes gehören eng zueinander. Dadurch, daß hier bewußt auf den geschichtlichen Aspekt des Heilsgeschehens verzichtet wird, vermag Eph 1,10 den Sinn des Alls und der Kirche in einer "Anakephalaiosis" zu sehen, die als "absoluter

Endpunkt eines Entwicklungsgeschehens anzusehen (ist), dessen Uran-fang im 'Erstgeborenen vor aller Schöpfung' liegt."[1]

Über den Grund der Mission nachdenken, heißt primär über Jesus Christus nachdenken; die Fragen des Heils, der Kirche, der Völker, der Strukturen, des Alls sind zweitrangig und finden ihre Beantwortung einzig und allein in einer rechten Sicht Jesu Christi. Kolosser- und Ephe-serbrief sind ein großartiger und für die Missionstheologie bedeutender Entwurf, der leicht durch andere biblische Sachverhalte ergänzt werden kann. Ohne die Einzelheiten weiter zu entfalten, sei auf vier solcher Sachverhalte verwiesen, wie sie Hans Urs von Balthasar zusammenstellt.[2]

1. Die vielfache Verwendung der Ausdrücke für Fülle und Erfüllung, die zumeist auf eine "innere positive Unbegrenztheit" weisen: "Wenn allen Tora-Weisungen das Heilig-Sein-Sollen, wie Gott heilig ist, zugrun-de liegt, dann ist, falls der neutestamentlichen Erfüllung dieser (bleiben-den) Forderung eine aus Gottes Fülle ergangene Gnade (vgl. Jo 1,16—17) als Voraussetzung mitgegeben wird, eine durchaus entschränkte Fülle erreicht."

2. Der Gebrauch von "eschatos" dort, wo es das End-Gültige und damit Abschließende bezeichnen soll. Wenn in den paulinischen Briefen vom "letzten Adam" gesprochen wird, ist damit in keiner Weise der zeitlich letzte Mensch gemeint, sondern der endgültige Typos des (neuen) Menschen, nach dem alle Menschen zu ihrer eigenen endgülti-gen Gestalt gelangen sollen, so wie sie zunächst nach dem ersten (alten) Adam gestaltet waren.

3. Alle biblischen Aussagen, die die Unübersteigbarkeit der göttli-chen Selbstoffenbarung und Selbsthingabe an die Welt zum Ausdruck bringen, z. B. Jo 3,16: "Gott hat die Welt so sehr geliebt, daß er seinen einzigen Sohn dahingab", oder Röm 8,31f.: "Ist Gott für uns, wer ist dann gegen uns? Er hat seinen eigenen Sohn nicht verschont, sondern ihn für uns alle hingegeben — wie sollte er uns mit ihm nicht alles schen-ken?"

4. Die Bindung der "Absolutheit" Christi oder des Christentums an die Konkretheit des Kreuzes Christi, seines Blutes, und damit alle Nega-

---

1 J. Ernst, Pleroma und Pleroma Christi. Biblische Untersuchungen 5 (Regens-burg 1970) 190f. Vgl. J. Gnilka, Der Epheserbrief. Herders theologischer Kom-mentar X/2 (Freiburg i. Br. 1977[2]) 275 S., besonders Exkurs: Ekklesiologie; ders., Der Kolosserbrief. HThK X/1. 249 S.; H. Schlier, Der Brief an die Ephe-ser (Düsseldorf 1965[5]) 257 S.; F. Hahn/K. Kertelge/R. Schnackenburg, Einheit der Kirche: Grundlegung im Neuen Testament. QD 84 (Freiburg — Basel — Wien 1979) 131 S.

2 H.U.v. Balthasar, Die Absolutheit des Christentums und die Katholizität der Kirche. In: W. Kasper (Hrsg.), Absolutheit des Christentums 132—137

tivität der Sünde und des Fluches, die sich in seiner stellvertretenden Übernahme in ein Positives verwandeln. Vom physischen Leibe Christi erhält auch die Kirche ihre Leib-Konkretheit und ihre "Katholizität": "als die in Christus (dem Gekreuzigten und Auferstandenen) an die Welt mitgeteilte Fülle Gottes."

Interessant in diesem Zusammenhang ist die Erkenntnis O. Cullmanns, daß die meisten neutestamentlichen Glaubensformeln nur einen einzigen Glaubensartikel enthalten, und zwar den christologischen: "Christusverkündigung ist der Ausgangspunkt jedes christlichen Bekenntnisses."[3] In den zwei- und dreigliedrigen Formeln werden der Vater und der Hl. Geist im allgemeinen in ihrem Bezug zu Christus genannt, z. B.: "Gott, der unsern Herrn von den Toten auferweckt und ihm die Herrlichkeit übertragen hat", oder: der Hl. Geist als "der von Christus ausgesandte Paraklet". Der frühchristlichen Verkündigung ging es schlechthin um das Christusbekenntnis, darum die Kurzformeln: "Kyrios Jesus Christos" (1 Kor 12,3), "Jesus ist der Christus" (1 Jo 2,22), "Jesus ist der Sohn Gottes" (Apg 8,37), "Jesus ist ins Fleisch gekommen" (1 Jo 4,2). Das Fischsymbol der jungen Kirche ist im Grunde ein Bekenntnis zu Christus. Solche Sicht ist verständlich aus der konkreten Situation der Urkirche, ergibt sich aber auch aus ihrem Christusverständnis: Auf Jesus Christus hin hat Gott die Welt geplant; ihm wird er alles zu Füßen legen; er ist mittels seines eigenen Blutes ein für allemal in das Heiligtum hineingegangen und hat eine ewige Erlösung gebracht (Hebr 9,12). Wenn Christus so zentral ist im Plane Gottes und im Erlösungs- und Heiligungswerk, liegt seine Verkündigung "an alle Kreatur" in der Natur der Sache: Jesus Christus selber ist der Grund der Mission.

2. UNIVERSALISMUS IM ALTEN TESTAMENT

Ohne auf das "Protoevangelium" (Gn 3,15) hier näher einzugehen — immerhin schrieb J. Schabert noch jüngst: "Die Deutung als Protoevangelium dürfte nicht rundweg falsch sein"[4] — sei ein Wort über die Urgeschichte der Menschheit vorausgeschickt. Gn 1—11 wollte nicht eine Ontologie von Schöpfung und Mensch sein, sondern eine Theologie der Geschichte und Zeugnis für die Treue Gottes gegenüber seinen Geschöpfen. Gott ist zwar ein strafender, aber zugleich ein rettender Gott. Der Sintflut folgte der Noachbund, dem Verlust der Einheit des Men-

---

3   Die ersten christlichen Glaubensbekenntnisse (Zürich 1949[2]) 34
4   Genesis 1 — 11. In: Neue Echter Bibel (Würzburg 1983) 58

schengeschlechtes (Gn 11,1–9) die Erwählung Abrahams (Gn 12,3). Die Auserwählung Israels erscheint somit als Fortsetzung des Handelns Gottes an den Völkern und findet eigentlich ihren einzigen Grund darin, daß das Verhältnis der Völker zu Jahwe gebrochen war. Gn 12,3 ist zwar "Abschluß der Urgeschichte der Menschheit",[5] aber auch der "Punkt, an dem Urgeschichte und Neueinsatz der Heilsgeschichte miteinander verklammert" sind.[6] Abraham wurde mit Rücksicht auf die Völker berufen und nicht um seiner selbst und nicht einmal um Israels willen. Es fällt auf, daß in der Völkertafel von Gn 10 der Name Israels nicht einmal genannt wird. So wird auch Paulus in der Areopagrede die Geschichte Israels einfach überspringen: "Er hat aus einem einzigen Menschen das ganze Menschengeschlecht erschaffen, damit es die ganze Erde bewohne" (Apg 17,26).

Auf diesem Hintergrund ist die Beobachtung von Interesse, daß Israel nicht von vornherein als das "auserwählte Volk" existierte, sondern aus der Gesamtmenschheitsfamilie hervorwuchs, daß seine Geschichte nicht von vornherein und in eigener Weise "Heilsgeschichte" war, sonder Geschichte, wie sie jedem andern Volk auch widerfährt. C. Stuhlmueller macht darauf aufmerksam, daß der Auszug der Israeliten aus Ägypten und der Zug durch die Wüste solch natürliche Ereignisse waren und daß die Zelebration dieser Ereignisse zunächst rein profaner Art war, allmählich aber zu einer religiösen Feier wurde, in der Gottes Führung und der Glaube des Moses den Mittelpunkt bildeten: "Liturgische Zeremonien rekapitulieren die früheren Ereignisse und ursprünglichen Feiern so, daß das, was früher periphär, unsichtbar oder Parenthese war, in das Zentrum gerückt wurde: die göttliche Berufung und der Glaube des Führers wie auch die religiöse Erfahrung einer Kerngruppe."[7] Wie nüchtern die Masse der Israeliten die Ereignisse selber erlebte, zeigt in klassischer Weise Nm 11,4–6. Gerade durch die Feier der Liturgie wurden sie zu "Großtaten" Gottes an seinem geknechteten und hilflosen Volk.

Während die früheren Patriarchen Gott, den "Gott Abrahams, Isaaks und Jakobs", unter kanaanäischem Namen, mit kanaanäischen Priestern und in kanaanäischen Heiligtümern verehrten, entstanden zur Zeit des Moses und unter seinem Einfluß eigene religiöse Strukturen, eine eigene, abgegrenzte, in sich abgeschlossene Religion. Sie erstand aus einem Prozeß der Akkommodation, Zurückweisung und Transformation. Die dem

---

5 *J. Kuhl*, Die Sendung Jesu und der Kirche nach dem Johannes-Evangelium 4. Daselbst auch entsprechende Literaturangaben.
6 Ebd.
7 *Senior/Stuhlmueller*, The Biblical Foundations for Mission 13

Moses von Gott geschenkte Weisheit ging über an Joshua und die Richter wie später an die Könige. Alle Führer Israels waren Sünder, aber Gott offenbarte sich ihnen immer aufs neue als "ein barmherziger und gnädiger Gott, langmütig, reich an Huld und Treue" (Ex 34,6). Gerade den Propheten war es aufgegeben, die Sünde des Volkes zu geißeln und, nach dem Vorbild des barmherzigen Gottes, die Rechte der Unterdrückten und Ausgebeuteten ins Licht zu stellen. Als Israel eine Sekte zu werden drohte, rief Deuterojesaja zur Öffnung auf; er ging so weit, daß er dem Perser Kyrus Attribute des Moses zuschrieb (45,1—7), Gottes Heil "bis an das Ende der Erde" ansagte (49,6) und Jahwe die Worte in den Mund legte: Den Verschnittenen "errichte ich in meinem Haus und in meinen Mauern ein Denkmal, ich gebe ihnen einen Namen, der mehr wert ist als Söhne und Töchter: einen ewigen Namen gebe ich ihnen" (56,5). Israel kam also aus Völkern, sonderte sich aufgrund seiner Auserwählung und des Bundes immer mehr, zuweilen übergebührlich, ab und wurde durch die Propheten wieder in die größere Gemeinschaft der Menschheit zurückgerufen; die jüdische Geschichte des Alten Testamentes ist eine "Dialektik zwischen zentripetalen und zentrifugalen Kräften".[8] Selbst Ezechiel, "der die Absonderung Israels in fast radikaler Weise forderte, konnte nicht umhin festzustellen: "Bei deiner Geburt, als du geboren wurdest, hat man deine Nabelschnur nicht abgeschnitten" (16,4).

Es wäre verkehrt, die Spannung zwischen Partikularismus und Universalismus im Alten Testament auflösen zu wollen. Zu deutlich steht Dt 7,6 am Anfang: "Dich hat der Herr, dein Gott, auserwählt, damit du unter allen Völkern, die auf der Erde leben, das Volk wirst, das ihm persönlich gehört." Auf der anderen Seite hieß es schon bei der Aussonderung Abrahams: "Durch dich sollen alle Geschlechter der Erde Segen erlangen" (Gn 12,36). Wenn es um den Grund der Mission geht, ist dieser Aspekt von Bedeutung.

Daß Gottes Sorge zwar in erster Linie Israel galt, die anderen Völker aber nicht ausgeschlossen waren, zeigt in deutlicher Weise Ps 87 aus der davidischen Zeit, wo es heißt: "Leute aus Ägypten und Babel zähle ich zu denen, die mich kennen; auch von Leuten aus dem Philisterland, aus Tyrus und Kusch sagt man: Er ist dort geboren. Doch von Zion wird man sagen: Jeder ist dort geboren (V.4f.). Daß die Auserwählung Israels aber keine blinde Garantie bedeutete, zeigt der Prophet Amos, wenn er den Herrn sprechen heißt: "Seid ihr für mich mehr als die Kuschiter, ihr Israeliten? Wohl habe ich Israel aus Ägypten heraufgeführt, aber ebenso die Philister aus Kaftor und die Aramäer am Kir" (9,7). Mit der univer-

8   AaO 316

salen Gottesherrschaft, die so deutlich im Alten Testament zum Ausdruck kommt, wäre ein einseitiger göttlicher "Partikularismus" unvereinbar.

Während in Protojesaja der neue Exodus Israels aus der babylonischen Gefangenschaft noch im Vordergrund steht, durchbricht Deuterojesaja die Grenzen auf die Völker hin. Schon das 40. Kap. spricht so deutlich von der "Herrlichkeit des Herrn", die "allen Sterblichen" geoffenbart wird, daß man hier unmöglich an Israel allein denken kann (V.5). Ausgerechnet der Heide Kyrus wurde, obwohl er Gott nicht kannte, von ihm "an der rechten Hand" gefaßt, "gesalbt", beim "Namen gerufen" um seines "Knechtes Jakob willen, um Israels", seines Erwählten, willen (45,1–4). Auffallend ist auch, daß Deuterojesaja den Noe-, Abrahams- und Davidsbund erwähnt, aber nicht den mit Moses. Vor allem die Gottesknechtlieder machen den Durchbruch unverkennbar: "Und er sagte: Es ist zu wenig, daß du mein Knecht bist, nur um die Stämme Jakobs wieder aufzurichten und die Verschonten Israels heimzuführen. Ich mache dich zum Licht für die Völker; damit mein Heil bis an das Ende der Erde reicht" (49,6. vgl. 52,15; 53,10f.).

Man wird die Geschichte des israelitischen Volkes nur richtig einordnen, wenn man zwei Dinge bedenkt:

1. Israel war nicht eine geschlossene ethnische Gruppe mit eigener Kultur und glorreicher Geschichte, sondern eine Mischung von Israeliten und einem "großen Haufen anderer Leute" (Ex 12,38): ägyptische Sklaven, verarmte Untertanen kanaanäischer Könige, Einwanderer aus dem Osten; die "Leute, die sich ihnen angeschlossen hatten" (Nm 11,4) waren von negativem und positivem Einfluß auf die "Israeliten" im engeren Sinn. Erst unter David und Salomon wurde Israel das einheitliche organisierte Zwölf-Stämme-Reich. Während die Patriarchen (1850–1700) in Frieden mit den andern Völkern zusammenlebten, vollzog sich unter Moses und Joshua (1240–1150) der "Auszug". Unter David und Salomon (1000–922) wurde Israel ein politisch selbstbewußtes Reich, das durch die Idee eines Königtums von Gottes Gnaden religiös fest untermauert wurde.

2. Die jüdische Offenbarungsreligion kam nicht als etwas absolut Neues, wie ein Deus ex machina, über Israel. Nicht nur die Patriarchen, auch die spätere Zeit übernahm religiöse Elemente von den Völkern, mit denen sie zusammenlebten. Stuhlmueller weist darauf hin, daß nach den Untersuchungen von A.A. Anderson Ps 29, einer der ältesten des ganzen Psalters, ursprünglich ein kanaanäischer Baalhymnus gewesen sei, der, nach erforderlichen Abänderungen, in den israelitischen Gottesdienst übernommen wurde.[9] Weniger deutlich, aber deutlich genug,

9   AaO 114–118

sei es bei den Psalmen 95 und 46. Die biblischen Gebete (Bitten und Fürbitten) weichen zwar, so Stuhlmueller, in grundsätzlichen Aspekten von nichtjüdischen Gebeten ab, aber sie zeigen doch auch manche Verwandtschaft. Eine eng partikularistische Erwählungstheologie Israels überschreitet sodann Ps 22, in dem ein von Gott Verlassener seine Not hinausschreit, von Gott erhört wird und Gott vor der ganzen Gemeinde preist; er erkennt, daß die "Armen" überhaupt — die "anawim" — Hoffnung haben dürfen, selbst über dieses Leben hinaus, und schließt mit der wohl in späterer Zeit hinzugefügten Hoffnung: "Alle Enden der Erde sollen daran denken und werden umkehren zum Herrn: vor ihm werfen sich alle Stämme der Völker nieder. Denn der Herr regiert die Völker als König; er herrscht über die Völker ..." (V.28—32). Nicht unerwähnt bleibe, daß dieser Psalm ein Gebet der Anawim blieb und in das offizielle Gebetbuch der Priesterschaft nicht übernommen wurde.

Die Ausführungen lassen erkennen, daß Gott der Gott aller Völker ist und daß Israels Auserwählung nicht exklusiv war, daß sich Gottes Heilswille vielmehr auf alle Völker erstreckt. Sie zeigen auch, daß es vor der biblischen Offenbarung bereits Religion gab, daß die Patriarchen das religiöse Brauchtum der sie umgebenden Völker mitvollzogen, daß selbst spätere Zeiten religiöse Lieder und Gebräuche von den "Heiden" übernahmen. Im Grunde finden wir im Alten Testament bestätigt, was Kolosser- und Epheserbrief in der Form eines Hymnus und einer eschatologischen Vision aussagen: Gott steht als Souverän über allen Völkern: als Schöpfer, als Herr der Geschichte, als Urheber des Heils. Ein anderes Gottesverständnis muß als abwegig zurückgewiesen werden.

In diesem Sinn ist das Alte Testament Grundlage für eine Missionstheologie des Neuen Testamentes. Es gab zwar keine "Sendung" der Juden zu den "Heiden", wohl aber liegen im jüdischen Glauben alle Elemente, die die Sendung "zu den Völkern" sinnvoll erscheinen lassen. H.-W. Gensichen, der die verschiedenen universalistisch lautenden Texte des Alten Testamentes untersucht (u. a. Gn 12,1—3; Am 9,2ff.; Ps 72, 8ff.; Jes 2,2ff.; Mich 4,1ff.; die Deuterojesajatexte; die Gottesknechtlieder; Mal 1,11), kommt zu der zusammenfassenden Feststellung: "Wenngleich das Alte Testament von einem Auftrag zu einer Mission des Gottesvolkes, zu einem Hinausgehen zu den Völkern nichts weiß, so gehört es doch zu dem heilsgeschichtlichen Rahmen, in dem hernach Mission erst möglich wird. Gottes Handeln im Alten Bund trägt wesentlich Verheißungscharakter; das, was Israel in seiner Geschichte mit Gott erfährt, ist geöffnet auf die endgültige Erfüllung hin, die in Christus geschieht."[10]

Wie wenig Gott eine ghettohafte Selbstabschließung und religiöse

10 Glaube für die Welt 62

Enge Israels mochte, zeigt die ernste und doch humorvolle Lehrerzählung des Jona-Buches. Jona, ein an sich frommer Mann, in der Reformzeit von Nehemia und Esra großgeworden, weigert sich, als Strafprediger zu den Niniviten zu gehen, und flieht. Die heidnischen Schiffsleute werden als menschlich und gottesfürchtig dargestellt; sie suchen Jona zu retten und zugleich den Gott des Jona zu versöhnen. Sodann predigt Jona den heidnischen und dazu korrupten Bewohnern von Ninive. Und was geschieht? Gott erweist sich als der barmherzige und gnädige Gott, und Jona ist erbost. Es kostete Gott viel Mühe, ihn von der Intoleranz und Engstirnigkeit seiner Frömmigkeit zu überzeugen: "Mir aber sollte nicht leid sein um Ninive, die große Stadt, in der mehr als hundertzwanzigtausend Menschen leben, die nicht einmal rechts und links unterscheiden können" (Jon 4,11). Wie nirgendwo anders zeigt sich hier: Jahwe ist der Gott aller Menschen und erbarmt sich aller, die zu ihm rufen. Exklusivität gibt es für den Gott der Offenbarung nicht, weder des Alten und noch weniger des Neuen Testamentes.

3. WELTMISSION IM NEUEN TESTAMENT

Die "Erfüllung" im Neuen Testament ist nicht so zu denken, daß sie auf einmal da war, sondern sie *geschah* in einem Glaubensprozeß, der stufenweises Fortschreiten im Erkennen bedeutet, der selbst dunkle Wegstrecken nicht ausschließt. Die Meinungsverschiedenheiten zwischen Paulus und Petrus und die auf dem Apostelkonzil sind dafür deutliche Beispiele.

Der irdische Jesus

Die Diskussion über die Stellung des irdischen Jesus zur Mission ist noch nicht abgeschlossen. [11] Zweifellos bestätigt Jesus durch sein Verhalten und durch Worte, daß die Heilsverheißung des Alten Testamentes nicht auf die Juden begrenzt ist. Er lehnt zwar die Art der jüdischen Proselytenmacherei ab (Mt 23,15), aber im Kontext der Heilung des Hauptmanns von Kafarnaum sagt er ausdrücklich: "Ich sage euch: Viele werden von Osten und Westen kommen und mit Abraham, Isaak und

---

11 Hier verdient nochmalige Würdigung das Werk von *M. Meinertz*, Jesus und die Heidenmission (Münster 1908) XII + 244 S. Aus neuerer Zeit: *F. Hahn*, Das Verständnis der Mission im Neuen Testament; *H. Kasting*, Die Anfänge der christlichen Mission: Eine historische Untersuchung (München 1969) 158 S.; *M. Hengel*, Die Ursprünge der christlichen Mission. Neutestamentliche Studien 18 (1971/72); *K. Kertelge*, Mission im Neuen Testament; *D. Senior/C. Stuhlmueller*, The Biblical Foundations for Mission

Jakob im Himmelreich zu Tische sitzen; die aber, für die das Reich bestimmt war, werden hinausgeworfen in die äußerste Finsternis" (Mt 8,11f.). Dasselbe sagt er über Sodom und Gomorra aus (Mt 10,15), über Tyrus und Sidon (Mt 11,21), über die Männer von Ninive und die Königin des Südens (Mt 12,41f.), in der Rede vom Weltgericht (Mt 25,31—46); anläßlich der Tempelreinigung klagt er die Juden an, daß sie den Tempel, der ein "Haus des Gebetes für alle Völker" sein soll (Mk 11,17), zu einer Räuberhöhle gemacht haben. Es entspricht ganz solcher Haltung, wenn er den Hauptmann von Kafarnaum und die Syrophönizierin heilt.

Schwer einzuordnen sind im Kontext der Gesamthaltung Jesu und der späteren Entwicklung der Kirche die zurückweisende Antwort Jesu: "Ich bin nur zu den verlorenen Schafen des Hauses Israel gesandt" (Mt 15,24; vgl. auch Mk 7,27 b) und die Anweisung Jesu für die Zwölf: "Geht nicht zu den Heiden und betretet keine Stadt der Samariter" (Mt 10,5 b). Die Autoren sind sich uneinig darüber, ob solche Texte auf den historischen Jesus zurückgehen oder ob sie eine Interpretation der frühen jüdisch-christlichen Gemeinde sind. "In jedem Fall", meint Senior, "reflektieren sie die historische Wirklichkeit des Ziels und die Absicht der Sendung Jesu: Sein Werk war aus praktischen Gründen auf Israel beschränkt." [12] Es mag richtig sein, daß die Heidenmission für Jesus faktisch "außerhalb seines Gesichtsfeldes" lag, wie M. Hengel feststellt. [13] In ähnlicher Weise, aber nicht genauso urteilt G. Schneider, wenn er mit Hinweis auf Lk 13,28f. par. Mt 8,11f. und Mk 11,17 schreibt: "Gott will auch das Heil der Heiden. Aber nach Jesu Verständnis wird dieses nur erreichbar in Israel." [14]

Der erhöhte Herr

Für die junge Kirche wurde der Glaube an die Auferweckung Jesu und seine Einsetzung zum Kyrios zum entscheidenden Ansatzpunkt für die Mission. Glaube an den Kyrios bedeutet Bezeugung. Das Zeugnis stand in besonderer Dringlichkeit wegen der Eschatologieerwartung. Während eine eng-jüdische Interpretation (vgl. Apg 14,6f.) die endzeitliche Welttheophanie und die Völkerwallfahrt nach Jerusalem ohne Mission erwartete, begann schon sehr früh, unter der Führung des Hl. Geistes (Apg 10,19) und in Konsequenz der Erfahrungen um die Kornelius-

---

12 AaO 240
13 Die Ursprünge der christlichen Mission 36
14 "Erstverkündigung" — Sachverhalte und theologische Begründungen im Neuen Testament. In: P. Zepp (Hrsg.), Erstverkündigung heute 27

taufe (Apg 10 und 11) eine dem Heidentum gegenüber mehr offene Haltung: Als Petrus beteuerte, daß er unmöglich denen die Taufe verweigern konnte, die wie sie an Jesus Christus, den Herrn, glaubten und genauso wie sie den Hl. Geist empfangen hatten, beruhigten sich selbst die "gläubig gewordenen Juden" in Judäa (Apg 11,2) und begnügten sich damit zu konstatieren: "Gott hat also auch den Heiden die Umkehr zum Leben geschenkt" (Apg 11,18).

Der Durchbruch zu planmäßiger Heidenmission geschah unter den im Gegensatz zu den "Hebräern" mehr offenen "Hellenisten", vorab im syrischen Antiochia. Nach Gal 2,11—14 entstand dort eine "gemischte" Christengemeinde aus Juden und Heiden, in der letztere offensichtlich nicht auf die Tora verpflichtet wurden. Die Gemeindegründung ging zurück auf "einige" aus dem Stephanuskreis, die "auch den Griechen (d. h. Heiden) das Evangelium von Jesus, dem Herrn" verkündeten (Apg 11, 20). Führende Männer waren Philippus und Barnabas, der von Barnabas gerufene Saulus und auch andere "Propheten" und "Lehrer" (Apg 13,1). Es war sodann wieder der Hl. Geist, der die Weisung gab, Barnabas und Saulus auszusondern und sie "zu dem Werk, zu dem ich sie mir berufen habe", auszusenden (Apg 13,2). Die antiochenische Gruppe war deshalb geeigneter zur "Heidenmission", da sie weder die Beschneidung noch die Übernahme aller Gesetzesverpflichtungen, sondern lediglich den Glauben an den einen Gott der Bibel und die Befolgung der ethischen Grundforderungen der Bibel forderte. Gott wirkte "große Zeichen und Wunder durch sie unter den Heiden" (Apg 15,12), und selbst der gestrenge Altapostel Jakobus konnte nicht anders als darin Gottes Eingriff sehen, und er sah Kontinuität und einen ewigen Plan Gottes darin, wenn er das Prophetenwort zitierte: "Danach werde ich mich umwenden und die zerfallene Hütte Davids wieder aufrichten; ich werde sie aus ihren Trümmern wieder aufrichten und werde sie wieder herstellen, damit die übrigen Menschen den Herrn suchen, auch alle Völker, über denen mein Name ausgerufen ist, spricht der Herr, der das ausführt, was ihm seit Ewigkeiten bekannt ist" (Apg 15,16—18).

Der Missionsbefehl

Bevor wir auf Paulus näher eingehen, soll der sogenannte "Missionsbefehl" von Mt 28,16—20 kurz zur Sprache kommen. Zu beachten ist, daß dieser Text abgefaßt wurde, als die Mission des hellenistischen Judenchristentums schon in vollem Gange war. Wichtig ist auch, daß Matthäus, um die innere Dynamik des gesamten Evangeliums hervorzuheben, ihn an den Schluß des Evangeliums setzte und daß er ihn, im Anschluß an die Perikopen des leeren Grabes, der Erscheinung vor den

Frauen und des Betrugsversuches der Hohenpriester, den österlichen Erscheinungsberichten beiordnet. Er ist Christophanie, Sendungsauftrag und Abschied zugleich, vor allem aber Sendungsauftrag. Der Autor übernimmt vorgegebene Überlieferungsstücke, gestaltet sie aber auf eigene Weise. So dürfte die triadische Taufformel auf die liturgische Praxis der matthäischen Gemeinde zurückgehen. Der häufige Gebrauch des Wortes "pās" — viermal in drei Versen — dürfte ganz bewußte Gestaltung von Matthäus sein. Eine Reihe typischer Stil- und Spracheigentümlichkeiten zeigen eindeutig die Hand des Matthäus.[15]

Großen Eindruck auf neuere Interpretatoren machte die Auffassung von O. Michel, daß die Christologie das eigentliche Gestaltungsprinzip von Mt 28,16—20 gewesen sei. Mit der Auferstehung und Erhöhung des Herrn sei die Weissagung von Dan 7,13—14 erfüllt: Dem auf den Wolken des Himmels kommenden Menschensohn seien vom Hochbetagten Macht, Ehre und Reich gegeben worden, damit alle Völker, Stämme und Zungen ihm dienten.[16] Mt 28,16—20 enthalte, nach altorientalischem Hofzeremoniell, drei Vorgänge: Erhöhung, Präsentation (= Proklamation der Erhöhung) und Inthronisation (= Übertragung der Herrschaft): "Dies Zeremoniell ist in der Gedankenwelt unseres Textes auf Jesus übertragen: Das Vollmachtswort weist auf die geschehene Erhöhung hin, der Aussonderungsbefehl ist nichts anderes als die Proklamation der geschehenen Erhöhung, das Geheimnis der Herrschaft Jesu verbirgt sich auch in der Verheißung." In solcher Sicht ist es auch verständlich, daß Mt auf eine ausdrückliche Darstellung der Himmelfahrt Jesu verzichtet, da die entscheidende Entrückung Jesu mit der endgültigen Inthronisation verbunden ist. Der Sinn der Sendung der Jünger ist demnach "die Proklamation der Christusherrschaft unter den Völkern", oder, wie Michel kurz definiert: "Mission ist die Ausrufung der Christusherrschaft." In solchem Verständnis kommt der Matthäustext dem aus ältestem Gemeindegut stammenden Christuspsalm von Phil 2,9—11 sehr nahe, wo es heißt: "Darum hat ihn Gott über alle erhöht und ihm

15 Vgl. *R. Pesch*, Voraussetzungen und Anfänge der urchristlichen Mission. In: *K. Kertelge* 11—70; *H. Frankemölle*, Zur Theologie der Mission im Matthäusevangelium, ebd. 93—129; *S. Brown*, The Matthean Community and the Gentile Mission. In: Novum Testamentum 22 (1980) 193—221; *F. Hahn*, Biblische Begründung der Mission. In: *H. Fries u. a.* (Hrsg.), Warum Mission? 265—288

16 Der Zusammenhang zwischen Mt 28,16—20 und Dan 7,13—14 wurde schon früher gesehen, so von *L. Goppelt*, Typos (1939) 112f. *O. Michel* entfaltete seine These in EMZ (1941) 225—267: Menschensohn und Völkerwelt. Neuerdings in *J. Lange*, Das Matthäusevangelium (Darmstadt 1980) 119—133: *O. Michel*, Der Abschluß des Matthäusevangeliums: Ein Beitrag zur Geschichte der Osterbotschaft

den Namen verliehen, der größer ist als alle Namen, damit alle im Himmel, auf der Erde und unter der Erde ihre Knie beugen vor dem Namen Jesu und jeder Mund bekennt: Jesus Christus ist der Herr, zur Ehre Gottes, des Vaters." Wenngleich die Auffassung von O. Michel nicht unwidersprochen geblieben ist, [17] ist sie ein sympathischer Entwurf, der in vielen andern Partien der Heiligen Schrift eine Stütze findet. Sicher aber ist, daß der matthäische "Missionsbefehl" mehr ist als ein bloßer Befehl, er ist genuine Theologie, er ist im Grunde Proklamation des urchristlichen Glaubensbekenntnisses: Jesus ist der Christus.

Paulus

Pauli Einsicht in die weltmissionarische Berufung war vermutlich nicht von Anfang an so deutlich wie es in Gal 1,15f. erscheint. Jedenfalls wirkte er zuerst in Arabien (Gal 1,17), sodann in Syrien/Zilizien und im Süden Kleinasiens, und erst nach dem Apostelkonzil (um 48 n. Chr.) und der Trennung von Barnabas wandte er sich in entschiedener Weise dem "Heidenapostolat" zu, und dies in der Form eines gesetzesfreien Evangeliums. Nach 1 Kor 15,1—11 sieht er seine Verkündigung ganz in der Tradition des Kephas und der übrigen "Brüder", nach den Darlegungen des Römerbriefes aber, des letzten von ihm erhaltenen Schreibens, versteht er sich als in spezifischer Weise für das Apostolat unter den Heiden berufen: "Durch ihn haben wir Gnade und Apostelamt empfangen, um in seinem Namen alle Heiden zum Gehorsam des Glaubens zu führen" (Röm 1,15; vgl. 1,14; 15,15—21), nicht zwar exklusiv, doch hauptsächlich. Im übrigen vertritt er die Auffassung: "Es (das Evangelium) ist eine Kraft Gottes, die jeden rettet, der glaubt, zuerst den Juden, aber ebenso den Griechen" (Röm 1,16 b).

Der Universalität des Erlösungsbedürfnisses entspricht in seinem Verständnis die Universalität des Verfallenseins. Es gibt zwar Heiden, die "von Natur aus das tun, was im Gesetz gefordert ist" (Röm 2,14) und die trotz ihres Unbeschnittenseins als Beschnittene gelten können (Röm 2,26), grundsätzlich aber gilt ihm: "Der Zorn Gottes wird vom Himmel herab geoffenbart wider alle Gottlosigkeit und Ungerechtigkeit der Menschen" (Röm 1,18). Er hält die, die sich falschen Göttern zuwenden, für "unentschuldbar" (Röm 1,20 b). Nicht weniger hart und generalisierend urteilt er in den andern etwa aus der gleichen Zeit stammenden Briefen, z. B. 1 Thess 4,5 ("wie die Heiden, die Gott nicht kennen") oder Gal 4,8 ("Einst, als ihr Gott noch nicht kanntet, wart

17 Vgl. *G. Friedrich*, Die formale Struktur von Mt 28,18—20. Zeitschrift für Theologie und Kirche 80 (1983) 137—183

ihr Sklaven der Götter, die in Wirklichkeit keine sind"); nach 1 Kor 10,20 ist das Opfer der Heiden Dämonendienst. Den Juden billigt Paulus zwar zu, daß sie im Besitz des Gesetzes sind, aber er macht ihnen zum Vorwurf, daß ihr Leben in keiner Weise der Lehre entspricht.

Solch allgemeiner Verfallenheit stehen Gottes eigene Gerechtigkeit und Heiligkeit gegenüber. Die Rechtfertigung der Menschen wurde dadurch möglich, daß Gott ein gnädiger Richter ist, dessen Liebe im Kreuzestod seines Sohnes die absolute Klimax erreichte: "Der nämlich seines eigenen Sohnes nicht schonte, sondern für uns alle preisgab, wie sollte er uns mit ihm nicht alles schenken?" Erlösung ist also nicht nur nötig, sondern auch möglich. H.-W. Gensichen sieht geradezu den Sinn der Mission darin, "allen Menschen die Botschaft von der universalen Versöhnung zu bringen".[18] Die Frohbotschaft ist somit "Heilsbotschaft", die in der Liebe Gottes des Vaters gründet und im Opfertod des Sohnes offenbar wurde, die freilich der Mensch im Glauben aktualisieren muß.

Seit Golgotha und der Auferstehung ist Christus der Mittelpunkt der Menschheit. "Ist denn Christus zerteilt", rief Paulus erzürnt aus, als sich in Korinth Parteiungen bildeten (1 Kor 1,13). "Wir verkündigen nämlich nicht uns selbst, sondern Jesus Christus als den Herrn", heißt es in 2 Kor 4,5 a. Jesus Christus als den Kyrios zu verkünden, darin bestand die Berufung des Hl. Paulus. Den Herrschaftsanspruch des gekreuzigten und auferstandenen Herrn zu verkünden, wurde zum Inhalt seiner missionarischen Sendung. Wenn Paulus sich speziell als "Apostel der Heiden" bezeichnet, kommt darin sicher auch zum Ausdruck, daß das Heil zu den Heiden nicht notwendigerweise über Israel geht; im Röm 11 geht er so weit, zu behaupten, daß das Heil der Heiden den Juden Anreiz zur Umkehr wird: "Am Ende — so kehrt Paulus die israelitische Heilshoffnung um — werden nicht die Völker zu Zion wallfahren, sondern wird Israel zu der neuen Menschheit stoßen."[19]

Gesandt zur Verkündigung

Da die Erlösung zwar eine "objektive" ist (vgl. Röm 3,24—26), die Aneignung aber in der Zeit geschieht, ist Verkündigung nötig, Verkündigung aber gibt es nicht ohne Verkünder, und Verkündiger müssen gesandt werden. Paulus hält viel vom W o r t der Verkündigung: "Wie sollen sie an den glauben, von dem sie nichts gehört haben?" (Röm 10, 14 b). D. Zeller meint: "Gott hat die Welt schon mit sich versöhnt, aber er überwältigt sie nicht, sondern streckt seine Hand aus im Wort seiner

18 Glaube für die Welt 75
19 *D. Stoodt*, Mission im Selbstverständnis der Urgemeinde. EMZ 21 (1964) 1—21

Boten."[20] Die Boten sind nur Diener. Sie bieten wohl die Errettung von Gottes Zorn an, aber sie haben keine unmittelbare Macht über die, denen sie Versöhnung zusprechen. Letzten Endes bleibt die Mission Gottes Werk. Paulus sieht sich in seiner Liebe gedrängt, bis an die Grenzen der damals bekannten Welt zu eilen, aber er bleibt gelassen, demütig, un-triumphalistisch, da er sich als Diener weiß: "Knecht Christi Jesu, berufen zum Apostel, auserwählt, das Evangelium Gottes zu verkündigen" (Röm 1,1). In 1 Kor 3,5—9 deutet er die Funktion des Dienstes durch ein ansprechendes Bild: Den Trieb einpflanzen und die junge Pflanze begießen ist wirkliche "Mitarbeit" und verdient Belohnung, man muß aber im Auge behalten, daß das Wachsen als solches von Gott kommt: "Ihr seid Gottes Ackerfeld, Gottes Bau."

4. DIE MISSIONSWISSENSCHAFTLICHE DISKUSSION

Sowohl G. Warneck als auch J. Schmidlin führen den Nachweis für die Missionstätigkeit aus der Hl. Schrift. *G. Warneck* kommt zu dem Ergebnis: "In der Gewißheit, daß der Ursprung der Mission in G o t t liegt, wurzelt nicht nur aller subjektive Missionsgehorsam, sondern auch der gesamte objektive Missions b e s t a n d. Nur dieselbe göttliche Autorität, die die Erzeugerin des Missionsgedankens ist, kann auch die Macht sein, welche kraft inwendigen Wissens zum Missionsdienst treibt."[21] *J. Schmidlin* führt den Schriftbeweis weiter über die Kirchenväter, die Theologen und das Lehramt der Kirche und meint: "Darin stimmen alle kirchlichen Jahrhunderte, Vergangenheit wie Gegenwart überein, daß der obligatorische Charakter der Heiden(mission) durch die Lehre der Schrift wie der Tradition, das Gebot Gottes wie der Kirche verbürgt ist."[22]

Sowohl Warneck als auch Schmidlin schenken der "natürlichen Begründung der Mission" breiten Raum. Warneck schreibt: "Wie mit dem Missions g e d a n k e n, so ist es auch mit der Missions t h a t: nicht als ein isoliertes Phänomen erscheint sie in der Weltgeschichte, sondern d i e W e l t g e s c h i c h t e   i s t   a u f   s i e   v e r a n l a g t."[23] Schmidlin

20 Theologie der Mission bei Paulus. In: *K. Kertelge* 172. Ein sehr eingehendes Literaturverzeichnis über Paulus als Missionar in: *W.-H. Ollrog*, Paulus und seine Mitarbeiter: Untersuchungen zu Theorie und Praxis der paulinischen Mission (Neukirchen-Vluyn 1979) 252—269. Besonders hervorgehoben in unserem Kontext seien: *G. Bornkamp*, Paulus (Stuttgart 1969); *O. Haas*, Paulus als Missionar: Ziel, Grundsätze und Methoden der Missionstätigkeit des Apostels Paulus nach seinen eigenen Schriften (Münsterschwarzach 1971) 132 S.
21 Evangelische Missionslehre I 69
22 Katholische Missionslehre 78
23 AaO 272

betont zunächst: "Ihre Hauptlegitimation auch gegenüber dem Unglauben und Heidentum schöpft die christliche Mission daraus, daß sie als Vertreterin und Verkünderin einer überlegenen und absoluten Religion den Heiden religiöse Güter bringt, die sie noch nicht besitzen, den wahren Gott und die beseligende Erlösung"; dann fügt er hinzu, daß die Mission auch "Kulturziele und Kulturaufgaben" erstrebe, die zwar "sekundäre Missionsmotive" sind, die aber "im Wesen der Mission begründet liegen und sie zu einem Kulturfaktor, einer Kulturträgerin ersten Ranges machen". [24]

Th. Ohm suchte die Möglichkeit einer auch natürlichen Begründung der Mission damit zu untermauern, daß er auf den inneren Zusammenhang von Natur und Gnade verwies. Er schrieb: "Gnade und Natur hängen insofern zusammen, als beide den nämlichen Urheber haben. Der Geber der Gnade ist zugleich der Schöpfer der Natur. Weil Gott dieses ist, deshalb kann er über letztere nach dem Ermessen seiner Weisheit frei verfügen und somit, wenn es ihm beliebt, auch den creatürlichen Geist zu einer solchen Tätigkeit, welche die Kraft seiner Natur weit übersteigt, tüchtig machen. Dies setzt jedoch in dem creatürlichen Geist selbst die Fähigkeit voraus, der göttlichen Bewegung, die ihn über seine Natur erhebt, Folge zu leisten. Besitzt derselbe eine solche Fähigkeit? Wir müssen diese Frage bejahen. Die menschliche Natur besitzt eine Aufnahmefähigkeit für die Gnade." [25]

Mit großer Vehemenz legte *H. Schärer*, aus der Schule K. Barths kommend, solche "Sowohl-als-auch-Theologie" wie auch eine "doppelte Begründung" der Mission, d. h. aus der Schrift und mit der Ratio, ab. [26] Er sieht darin zu große Abhängigkeit von der "neu-lutherischen und neu-kalvinistischen Theologie" und ein Abweichen von "evange-

---

24 AaO 108f.

25 Die Stellung der Heiden zu Natur und Übernatur nach dem hl. Thomas von Aquin (Münster 1927) 238. Vielleicht sollte man hier auch die Überlegungen Karl Rahners zum "übernatürlichen Existential" heranziehen, eine bisher aber nicht ausdiskutierte Frage (vgl. LThK III, 1301). A. Bsteh untersuchte genau diese Frage bei den Vätern des zweiten Jahrhunderts und glaubte behaupten zu können: "Alles zusammen genommen darf man daher jedenfalls sagen, daß vom Glaubensverständnis der Väter des 2. Jh. aus gesehen die Annahme, daß die Erlösung Christi nicht nur potentia, sondern auch actu die ganze Menschheit umfaßt, daß also m. a. W. mit dem Heilsgeschehen in Christus eo ipso auch eine innere, reale Heilswirkung für das ganze sündige Menschengeschlecht unmittelbar gegeben ist, als durchaus begründet angesehen werden muß." In: *A. Bsteh*, Zur Frage nach der Universalität der Erlösung. Wiener Beiträge zur Theologie 14 (Wien 1966) 185

26 Die Begründung der Mission in der katholischen und evangelischen Missionswissenschaft. Theologische Studien 16 (Zürich 1944) 44 S.

lisch-lutherischem Denken": "Die Offenbarung Gottes in Jesus Christus ist nicht eine Steigerung dessen, was auch die nichtchristlichen Religionen bereits von der Schöpfung her in ahnendem Wissen von Gott und in den unzerstörten Schöpfungsordnungen haben, auch nicht eine Erfüllung dessen, was sie bereits besitzen. Die Offenbarung Gottes ist nicht die immer höher steigende Sonne, die ihre Strahlen schon längst in die nichtchristlichen Religionen geworfen hat. Das Heidentum (damit bedienen wir uns eines theologischen Termes) ist weder verhüllte Offenbarung noch verzerrte Gottesverehrung. Das Heidentum ist auf der ganzen Linie Selbstbehauptung des Menschen und Selbstvergöttlichung des Geschöpfs" (S. 38). In der Überzeugung, daß das (empirische) Christentum mit allen anderen Religionen "auf der Todeslinie" und "unter dem richtenden Wort Gottes" steht, meint er: Das Christentum "ist die Religion des gerichteten und gerechtfertigten Sünders, in der Gott sich in seiner unaussprechlichen Barmherzigkeit in Jesus Christus als der Herr offenbart hat und in der es ihm gefallen hat, dem Menschen den Glauben und in und durch den Glauben die Versöhnung zu schenken" (40).

Vicedom: Missio Dei

G.F. Vicedom bedauerte in seinem Buch "Missio Dei", daß die Mission "bis in die neueste Zeit im Zeichen der Apologetik" stehen mußte (S. 9). Er hält es für notwendig, das "Selbstverständnis der Mission zu erarbeiten", ohne sich "in unbegrenzte Auseinandersetzungen zu verlieren" (10). Die Kritik an der deutschen Missionswissenschaft sei vor allem von Holland gekommen: "Vorgehalten wird uns eine aus der Romantik stammende Beurteilung von Volk und Volkstum, die zu einer e t h n o p a t h e t i s c h e n   I d e o l o g i e geführt, zahlreiche Abweichungen von der biblischen Grundhaltung für Kirche und Mission zur Folge gehabt, das eschatologische Moment ausgeschaltet und schließlich dazu geführt habe, daß die Gemeinde nur als die 'Verlängerung des Volkes' und Volkstums, als 'segnende Erfüllung der ethnischen Struktur angesehen werde'."[27] Vicedom setzt, um darauf zu antworten, nicht beim Menschen, sondern bei Gott an. Ausgehend von der Willinger Erklärung sagt er in den Worten K. Hartensteins: "Die Mission ist nicht nur Gehorsam gegen ein Wort des Herrn, sie ist nicht nur Verpflichtung zur Sammlung der Gemeinde, sie ist Anteilnahme an der Sendung des Sohnes, der Missio Dei, mit dem umfassenden Ziel der Aufrichtung der Christus-

---

27 Zitat von *S. Knak*, Ökumenischer Dienst in der Missionswissenschaft. Theologia Viatorum (1950) 157. Siehe *G.F. Vicedom* aaO 10

herrschaft über die ganze erlöste Schöpfung" (12).

Kirche und Mission sind nach Vicedom nicht selbständige Größen, sondern haben ihren Ursprung im Liebeswillen Gottes; das handelnde Subjekt der Mission ist Gott. Da die Mission in den innertrinitarischen Sendungen "vorgebildet" ist, ist "ihr Dienst durch den göttlichen vorgegeben, Sinn und Inhalt der Arbeit von der Missio Dei her bestimmt" (14). Gerade durch den Rückbezug auf die Trinitätslehre werde die Mission zum "Ausdruck der einzigartigen Herrschaft Gottes" (ebd.) und unterscheide sich wesentlich von der "missionarischen" Arbeit des Islam, der die Gottheit Christi und des Hl. Geistes leugne. Da Gott sich immer durch sein Handeln offenbart, könne die Mission nichts anderes sein als die Fortsetzung des Heilshandelns Gottes durch die Mitteilung der Heilstaten: "Das ist ihre größte Vollmacht und ihr höchster Auftrag" (15). Gott entläßt die Schöpfung nicht aus seiner Fürsorge. Sein Handeln ist weltbezogen und gegenwartsnah. Seine Liebe wird in besonderer Weise deutlich in Jesus Christus, der zur Erlösung der Menschen gesandt wurde. Da Gottes Handeln alle Menschen umfaßt, kann auch die Mission nicht partikular gedacht werden; es geht ihr letztlich um Gottes Herrschaft, oder, was im Grunde das gleiche ist, um seine Königsherrschaft. Der Schritt von Gottes Königsherrschaft zu Jesus Christus sei leicht, denn Jesus Christus ist "der Gesandte im Namen des Herrn (Mt 21,8), dem alle Königsehren durch die Verherrlichung in den höchsten Höhen zukommen (Lk 18,38). Er ist der König, der königlich für die Seinen sorgt und ihnen hundertfältig wiedergibt, was sie für ihn geopfert haben (18,29). Es gibt keine Macht, die ihm nicht untertan wäre und die er nicht bei der Herbeiführung des Reiches vernichten wird (Mt 28,18). Gottes Herrschaft und Jesus Christus sind darum ein und dasselbe. Wer darum den Namen Jesu verkündigt, verkündigt auch die Gottes-Herrschaft (Apg 8,12; 28,31). Jesus ist die Antwort Gottes auf das Fragen der Menschen und darum der Inhalt der Botschaft vom Reich (2 Tim 4,1)" (24).

Die Ausführungen Vicedoms treffen sich mit dem, was zu Beginn dieses Kapitels unter "Eine Vision: Kol 1,15—20 und Eph 1,3—23" angedeutet wurde. Es stimmt auch mit dem überein, was in der Interpretation von O. Michel zu Mt 28,18ff. gesagt wurde. Jesus trat seine Herrschaft mit seiner Auferstehung und Erhöhung an. Mt 28,18ff. ist nichts anderes als die Proklamation des kommenden Reiches, die Ankündigung der Thronbesteigung und Inthronisation des auferstandenen Herrn: "Missio ist nun die Tätigkeit des erhöhten Herrn zwischen seiner Himmelfahrt und Wiederkunft. So hat die Kirche nur eine Aufgabe, die Heilsgeschichte durch die Verkündigung des Perfektums und durch die Ankündigung seines Reiches in der Sammlung der Gemeinde fortzusetzen, 'bis daß er kommt' " (37).

Das Konzilsdekret Ad Gentes

Der Ansatz des Konzilsdekretes Ad Gentes ist, wie schon im 2. Kapitel hervorgehoben wurde, jene "quellhafte Liebe", die die Liebe Gottes, des Vaters ist; des Vaters, der, selber ursprungslos, den Sohn zeugte und aus dem durch den Sohn der Hl. Geist hervorging; der uns aus Liebe erschuf und uns gnadenhaft rief, mit ihm Gemeinschaft zu haben in Leben und Herrlichkeit, als einzelne und als Sammlung der zerstreuten Kinder Gottes (AG 2). Die Menschwerdung des Sohnes war eine neue und endgültige Art des Eintritts Gottes in die Geschichte der Menschen zu ihrer Erlösung aus der Gewalt der Finsternis und des Satans: Jesus Christus, wahrer Gott, voll der Gnade und Wahrheit, neuer Adam und Haupt der Menschheit, wahrer Mittler Gottes und der Menschen, gesandt vom Vater und gesalbt durch den Hl. Geist. "Was aber vom Herrn ein für allemal verkündet oder in Ihm für das Heil des Menschengeschlechtes getan worden ist, muß ausgerufen und ausgesät werden bis ans Ende der Welt, beginnend von Jerusalem aus" (AG 3). Es ist der vom Vater durch Christus gesandte Hl. Geist, der das "Heilswerk von innen her" wirkt und die Kirche zu ihrer Ausweitung bewegt; er eint sie, stattet sie mit den verschiedenen hierarchischen und charismatischen Gaben aus und begleitet und lenkt ihre apostolische Tätigkeit, geht diesen aber auch "bisweilen" voraus (AG 4). Christus rief die Apostel, gründete die Kirche als Sakrament des Heils und gab den ausdrücklichen Auftrag, das Evangelium in der ganzen Welt und aller Kreatur zu verkündigen. "In dieser Sendung setzt die Kirche die Sendung Christi selbst fort, der den Armen frohe Botschaft zu bringen gesandt war, und entfaltet sie die Geschichte hierdurch. Deshalb muß sie unter Führung des Geistes Christi denselben Weg gehen, den Christus gegangen ist, nämlich den Weg der Armut, des Gehorsams, des Dienens und des Selbstopfers bis zum Tode hin, aus dem er dann durch seine Auferstehung als Sieger hervorging" (AG 5).

Die in den ersten fünf Kapiteln von Ad Gentes entfalteten Gedanken entsprechen im wesentlichen dem, was Vicedom über die Missio Dei sagt. Das 6. Kapitel von Ad Gentes aber geht insofern einen Schritt weiter, als es im Rahmen dieser mehr allgemeinen Missio Dei et Ecclesiae verschiedene, den Umständen entsprechende Tätigkeiten unterscheidet, da ja die Völker "nur schrittweise" in die katholische Fülle aufgenommen werden. Alles, was sich auf die "Anfänge" beziehe, also erste Verkündigung und das Bemühen um die Grundlegung neuer kirchlicher Gemeinschaften, nenne man "activitas missionaria", "missionarische Tätigkeit (AG 6); um diese gehe es im Missionsdekret Ad Gentes. Nicht also um "ökumenische Tätigkeit" oder um allgemeine pastorale Arbeit innerhalb der "zur Reife christlichen Lebens" gelangten Kirchen, sondern eben um jene anfanghafte kirchliche Tätigkeit, die man gemeinhin als "Mission" verstand.[28]

W. Kasper, der die Diskussionen über das Warum der Mission und die konziliaren Erkenntnisse zusammenfaßte, bezeichnete die Eschatologie als "Horizont der Missiologie" und schrieb: "Der 'Tag Jahwes', der im Mittelpunkt der alttestamentlichen Verheißung steht, ist das Offenbarwerden der Herrlichkeit, d. i. des Herrseins Gottes über alle Welt und Geschichte. Weil aber Gott die Geschichte gehört, deshalb gehört ihm auch die Zukunft. Er wird am Ende 'alles in allem' sein. Der biblische Gottesglaube erweist sich aus sich selbst als 'zukunfsträchtig'. Unsere Zukunft kann nichts anderes sein als Gottes Herrschaft. Sie ist das Eschaton, das jedoch nicht erst am Ende steht, sondern das jetzt schon hereindrängt, die Gegenwart qualifiziert und den Menschen engagiert. Eschatologische Aussagen meinen deshalb nicht Spekulationen über eine ferne ausständige Zukunft, sondern über eine Zukunft, die hier und jetzt auf uns zukommt und die Gegenwart bestimmt. Die Eschatologie ist ein Ferment dauernder Unruhe, das die Geschichte ständig in Atem hält, ihr verbietet, selbstzufrieden und selbstgerecht am status quo zu verharren, daß sie immer wieder aufbricht auf neue Ziele und auf eine je größere Zukunft hin. Nicht umsonst sind mit der eschatologischen Botschaft des AT und NT die Kategorien des Exodus, der Metanoia, der Hoffnung engstens verbunden."[29]

28 Eine Anmerkung zu AG 6 macht es sehr deutlich, wie lange diese anfanghafte Tätigkeit dauert. Da heißt es: "Es ist klar, daß in dieser Bestimmung der missionarischen Tätigkeit der Sache nach jene Gebiete Lateinamerikas eingeschlossen sind, in denen weder eine eigene Hierarchie noch ein Reifestand christlichen Lebens noch eine ausreichende Evangeliumsverkündigung gegeben ist."

29 Die Kirche als universales Sakrament des Heiles: Überlegungen zur Theologie der Mission. In: *A. Bsteh* (Hrsg.), Universales Christentum angesichts einer pluralen Welt (Mödling 1976) 248. Vgl. auch: *W. Kasper*, Warum noch Mission? Ordenskorrespondenz 9 (1968) 247–261

Viertes Kapitel

DAS ZIEL DER MISSION

Literatur:

Außer der im 2. und 3. Kapitel angeführten, mehr allgemeinen Literatur können konsultiert werden:

G.H. Anderson/Th.F. Stransky (Hrsg.), Crucial Issues in Mission Today. Mission Trends 1 (New York u. a. 1974) 276 S.

G.H. Anderson/Th.F. Stransky (Hrsg.), Evangelization. Mission Trends 2 (New York u. a. 1975) 279 S.

J.T. Boberg/J.A. Scherer (Hrsg.), Mission in the '70s. What Direction? (Chicago 1972) 208 S.

K. Bockmühl, Was heißte heute Mission? Entscheidungsfragen der neueren Missionstheologie (Gießen – Basel 1974) 192 S.

A. Bsteh (Hrsg.), Universales Christentum angesichts einer pluralen Welt. Beiträge zur Religionstheologie 1 (Mödling 1976) 126 S.

W. Bühlmann, Wenn Gott zu allen Menschen geht: Für eine neue Erfahrung der Auserwählung (Freiburg 1981) 292 S.

A. Camps, Christendom en Godsdiensten der wereld: Nieuwe inzichten en nieuwe activiteiten (Baarn 1976) 104 S.

G. Evers, Mission – Nichtchristliche Religionen – Weltliche Welt. MAT 32 (Münster 1974) 232 S.

H. Fries/F. Köster/F. Wolfinger, Jesus in den Religionen. Kirche und Religionen 1 (Münster 1981) 190 S.

Th. Kramm, Analyse und Bewährung theologischer Modelle zur Begründung der Mission: Entscheidungskriterien in der aktuellen Auseinandersetzung zwischen einem heilsgeschichtlich-ekklesiologischen und einem geschichtlich-eschatologischen Missionsverständnis (Aachen 1979) 264 S.

J. Müller, Missionarische Anpassung als theologisches Prinzip. MAT 31 (Münster 1972) 322 S.

St. Neill, Mission zwischen Kolonialismus und Ökumene: Die Aufgabe der Kirche in einer sich wandelnden Welt (Stuttgart 1962) 262 S.

P. Schwarzenau, Der größere Gott: Christentum und Weltreligionen (Stuttgart 1977) 256 S.

1. SINN DER PAULINISCHEN BERUFUNG

Die Mission hat ihren Grund in Gott und ist sein eigenes Werk. Sie wird aber "legitim von Menschen ausgeführt".[1] Keiner ist sich seiner

1   *H.-W. Gensichen,* Glaube für die Welt 83

Sendung von Gott und zu den Menschen so intensiv bewußt gewesen wie der hl. Paulus. Er ist von Gott "bestellt", heißt es in 2 Tim 1,11, und wofür? Um "Verkünder, Apostel und Lehrer" des Evangeliums für die Menschen zu sein.

Paulus betont es immer wieder, und er führt im 1. und 2. Kapitel des Galaterbriefes den Nachweis, daß er nicht weniger als die "Zwölfe" "Apostel" sei. Apostel sind amtliche Gesandte Jesu Christi und haben aufgrund ihrer Sendung die Aufgabe, das Evangelium Jesu Christi in die Welt hinauszutragen bzw. seine Sendung in der Welt fortzusetzen. Dafür hieß sie Christus teilhaben an seiner Würde, versprach ihnen Anteil an seiner Macht, führte sie unmittelbar in seine Lehre ein und ließ sie Zeugen seines Ostertriumphes sein.

Paulus betrachtet sich als Diener der Heilsbotschaft. Er ist "auserwählt, das Evangelium Gottes zu verkündigen" (Röm 1,1), er steht "im Dienst des Evangeliums von seinem Sohn" (Röm 1,9), sein Charisma ist es, "Diener Jesu Christi für die Heiden" zu sein und "das Evangelium Gottes wie ein Priester" zu verwalten (Röm 15,16); er ist "nicht gesandt zu taufen, sondern das Evangelium zu verkünden" (1 Kor 1,17); er weiß, daß der Diener der Frohbotschaft nur pflanzen und begießen kann, daß Gott aber das Gedeihen gibt (vgl. 1 Kor 3,6).

Was ist nun der Sinn solchen Dienstes an der Frohbotschaft? Das "Künden" — keryssein — eines Apostels hat nicht Selbstzweck und dient auch nicht der Befriedigung der Neugier der Hörer. Das Künden des Apostels ist amtliche Verkündigung, d. h. Ansage eines "Herolds". Der Apostel verkündet das Evangelium vom Gottesreich, das ein Anruf an die Menschen ist, das die Entscheidung des Menschen fordert. Unmißverständlich sagt Paulus in Röm 1,5: "Durch ihn haben wir Gnade und Apostelamt empfangen, um in seinem Namen alle Heiden zum Gehorsam des Glaubens zu führen." Der "Glaubensgehorsam" liegt in der Intention Gottes; die Intention Gottes ist aber auch die des Apostels: "Ich wage nur, von dem zu reden, was Christus, um die Heiden zum Gehorsam zu führen, durch mich in Wort und Tat bewirkt hat, in der Kraft von Zeichen und Wundern, in der Kraft des Geistes Gottes" (Röm 15, 18f.). Nach Röm 16,25f. dient alles — die Verkündigung des hl. Paulus, das Evangelium von Jesus Christus, die seit ewigen Zeiten unausgesprochene, jetzt aber offenbar gewordene Offenbarung des Geheimnisses — dazu, "alle Heiden zum Gehorsam des Glaubens zu führen".

Paulus läßt an den verschiedensten Stellen erkennen, wie sehr "Verkündigung" und "Glauben" für ihn korrelative Begriffe sind. In Röm 10,8f. nennt er seine Verkündigung, das Wort des Glaubens und das Bekenntnis "Jesus ist der Herr" wie in einem Atemzug und fügt hinzu: Wenn du an den Herrn Jesus, den Gott von den Toten erweckt hat, glaubst, "wirst du gerettet werden". Ähnlich 1 Kor 2,5; Phil 1,27; 1 Thess 2,15; Eph 1,13 etc.[2]

Was aber ist "Glaube" für den hl. Paulus? Wenn wir den eben zitierten Römertext sorgsam lesen und ihn weiterlesen, besteht kein Zweifel: Glaube ist für Paulus das im Herzen angenommene und mit dem Mund ausgesprochene Bekenntnis, daß Jesus der in der Auferstehung von Gott bezeugte Herr ist. Solcher Glaube bedeutet Rettung, er ist für "Juden und Griechen" in gleicher Weise erforderlich, er besteht darin, "den Namen des Herrn", der für alle derselbe ist, anzurufen; er bedeutet für alle, die ihn anrufen, Anteilnahme "an seinem Reichtum"; er kommt vom Hören und deshalb durch Verkündigung und deshalb auch durch Sendung. Im Grunde ist damit gesagt, was M. Seckler über den neutestamentlichen Glauben überhaupt aussagt: "Glaube bedeutet primär die Annahme der Botschaft von der einmaligen Heilstat Gottes in Christus und die Unterwerfung unter den dekretierten Heilsweg."[3] Oder H.-W. Gensichen: "Das Neue Testament faßt diese Relation von Heilsgeschehen und Verkündigung unter anderem in den prägnanten Begriff des 'Proklamierens' (keryssein) ... Wo dieses Evangelium verkündigt wird, da ist Gott in seinem Sohn handelnd gegenwärtig, da wird dem Menschen, der keine Gerechtigkeit hat, Gottes Gerechtigkeit wirksam zugesprochen."[4] G. Friedrich stellt den Bezug von Verkündigung zu Mt 28, 18ff. her, wenn er sagt: "Durch das Verkündigen vollzieht sich die Machtergreifung Gottes."[5]

Es ist beeindruckend, wie sehr der Gedanke der "Praedicatio Evangelii" die Sprechweise der päpstlichen Missionsenzykliken der letzten 100 Jahre geformt hat. Die Missionare sind "Boten des hl. Evangeliums", "Herolde der Frohbotschaft", "Legaten Christi", "Säleute des Göttlichen Wortes", "Sendboten und Dolmetscher der hl. Religion", etc. Von dieser zentralen Idee aus wird auch die Arbeit der Missionare charakterisiert als: Propagatio fidei, propagatio catholicae veritatis, evangelicae

---

2   Ich habe diese Gedanken weiter ausgeführt in: Das Missionsziel des hl. Paulus. ZMR 41 (1957) 91—100; vgl. auch *A. Freitag,* Paulus baut die Weltkirche (Mödling 1951) 211 S.

3   In: *H. Fries* (Hrsg.), Handbuch theologischer Grundbegriffe I (München 1962) 530. Im Neuen Handbuch theologischer Grundbegriffe, herausgegeben von *P. Eicher,* findet sich in II (München 1984) 108f. entsprechende Literatur. Verwiesen sei besonders auf *O. Kuss,* Der Glaube nach den paulinischen Hauptbriefen: Der Römerbrief I (Regensburg 1963[2]) 131—154; *H. Binder,* Der Glaube bei Paulus (Berlin 1968); *G. Ebeling,* Das Wesen des christlichen Glaubens (Gütersloh 1977[4]); *W. Mundle,* Der Glaubensbegriff des Paulus (Darmstadt 1977).

4   AaO 83f.

5   ThWNT III 703

lucis diffusio (Leo XIII),[6] illustrare Evangelii luce, fidei propagandae studiosi, "nisi ut Evangelium praedicaret" (Benedikt XV),[7] "ut ethnicis gentibus, praelato cotidie latius per Apostolicos praecones evangelicae veritatis lumine, unam salutis viam sterneremus" (Pius XI),[8] "Evangelium usque quaque terrarum propagare", "universum terrarum orbem evangelica veritate collustrare ac christiana consecrare sanctitudine", "Verbum divinum inter omnes gentes disseminare" (Piux XII).[9] Die Kirchenkonstitution des II. Vaticanums sagt mit Hinweis auf Mt 28, 18—20: "In der Verkündigung der Frohbotschaft sucht die Kirche die Hörer zum Glauben und zum Bekenntnis des Glaubens zu bringen, bereitet sie für die Taufe vor, befreit sie aus der Knechtschaft des Irrtums und gliedert sie Christus ein, damit sie durch die Liebe bis zur Fülle in ihn hineinwachsen."[10]

2. DIE WISSENSCHAFTLICHE KONTROVERSE UM DAS MISSIONSZIEL

Wir sollten uns das Berufungsverständnis des hl. Paulus vor Augen halten, wenn es darum geht, uns über die so reichlich diskutierte Frage des Missionsziels ein Urteil zu bilden. Die Ansätze und Lösungsversuche innerhalb der katholischen Kirche und in den evangelischen Kirchen sind verschieden, und doch zieht sich die gleiche Problematik durch alle Kirchen.

2.1 Die Diskussion innerhalb der katholischen Kirche

Es ist eine grobe Vereinfachung, von der Münsterschen und der Löwener Schule zu sprechen, die Schematisierung aber erleichtert das Verständnis der Kontroverse und ihrer Sinnhaftigkeit. Auch wenn die Auseinandersetzungen zuweilen sehr schulhaft geführt wurden, unterstrichen sie doch Akzente, die für die konkrete Situation erhebliche Bedeutung hatten.

Joseph Schmidlin

J. Schmidlin kennt einen "ganzen Komplex von Aufgaben und Zie-

---

6   Nach der Enzyklika "Sancta Dei Civitas", ASS 13 (1880) 241—248
7   Enz. "Maximum Illud", AAS 11 (1919) 440—455
8   Enz. "Rerum Ecclesiae", AAS 18 (1926) 65—83
9   Enz. "Evangelii Praecones", AAS 43 (1951) 497—528
10 LG 17

len" der Christianisierung und faßt, sich auf den "Willen des gott-menschlichen Meisters und Stifters" stützend, zusammen: "Daraus können wir entnehmen, worin Hauptaufgabe und *Hauptziel* der Mission besteht: die Lehre Christi und das Heil in Christo allen Menschen mitzuteilen, speziell jenen, die sie noch nicht kennen und besitzen; überall das Evangelium zu predigen und das Reich Gottes auszubreiten; die Einzelseelen wie die Völker zu belehren und zu bekehren; sie durch die Taufe an der Welterlösung Anteil nehmen zu lassen und der Kirche des Welterlösers einzugliedern; daneben aber auch den Mitmenschen irdische Wohltaten zu spenden und die Werke der Barmherzigkeit an ihnen zu üben."[11] Sodann betont er stark, daß die religiöse Aufgabe "die oberste und fundamentalste aller Mission" sei (S. 242), und diese sei "die Christianisierung, das Christlichmachen und Christlichwerden der nichtchristlichen Welt im weitesten Sinne des Wortes" (243). Er fordert die "harmonische Verbindung" des individuellen und sozialen Missionsziels, d. h. der Einzelbekehrung und der Volkschristianisierung: "Beides muß sie anstreben und miteinander verbinden, wenn auch nicht notwendig gleichzeitig, sondern zum Teil in sukzessiver Entfaltung; einerseits soll sie das Individuum oder vielmehr die Individuen zu bekehren suchen, anderseits diese Individuen zu einer Gemeinschaft zusammenschließen und durch sie das ganze Volkstum in Christo erneuern" (244).

Die Bekehrung des Einzelmenschen als erstes Stadium des Christianisierungsprozesses bedeutet für Schmidlin zunächst innere Umwandlung, konkret: Glaube, Nachfolge, Hinwendung des Herzens zu Gott und Christus, eine "seelische Metamorphose" (246). Sie bedeutet aber auch "jenen äußeren Schritt, der als Schlußstein zugleich den inneren Werdeprozeß krönen und vollenden, in welchem die Christianisierung des Individuums gipfeln und münden soll", die Taufe (246). Schmidlin weiß sich mit G. Warneck darin einig, daß die Christianisierung nicht erst mit der Taufe beginnt, sondern daß ihr, wenigstens bei Erwachsenen, ein gutes Maß an systematischer Vorbereitung und Unterweisung vorausgehen müsse; die Sakramentalität der Taufe schließe eine gute Vorbereitung nicht aus. Andererseits warnt Schmidlin davor, die Erwartungen an Neuchristen zu hoch zu schrauben: "Wie jeder Christ und noch mehr als andere muß der Anfänger im Christentum auch nach der Bekehrung planmäßig aufrechterhalten, ermutigt, gestärkt, vervollkommnet und geheiligt werden" (253).

Nicht weniger stark als die Einzelbekehrung betont Schmidlin den Aspekt der "sozialen Ergreifung der Menschheit" und der "kirchlichen Organisation" (255), wobei er bei letzterer weniger an rein äußere Or-

11 Missionslehre (Münster 1923[2]) 241

ganisation denkt als an den Zusammenschluß aller einzelnen Christen "als Bausteine im großen Hause Gottes und als Glieder im Gesamtleib, dessen mystisches Haupt Christus der Herr, dessen Obligenheiten organisch unter verschiedene Träger verteilt sind" (257). Wenn dies für ihn auch primär eine dogmatische Frage ist, so ist sie ihm doch auch eine missionspraktische; die Mission ist nicht Selbstzweck, sondern müsse immer und überall darauf hinsteuern, "allmählich aus ihrem Missionsstadium hinauszukommen und im Kirchenstadium einzumünden" (278). Daher auch von vornherein die Forderung der Mitwirkung des einheimischen Elementes, bei der Finanzierung und im Bemühen um einen landeseigenen Klerus und die Mitarbeit der Laien. Ausdrücklich sagt er: "Nach den Weisungen Benedikts XV können die Missionare erst dann ihr Werk als abgeschlossen, die Missionskirche als gut begründet und deren Zukunft als gesichert ansehen, wenn genug einheimische Geistliche vorhanden sind" (299); "Ja selbst die höchste Stufe des Priestertums und damit die oberste Leitung der Missionskirche, die Bischofswürde, darf nicht grundsätzlich und andauernd den Eingeborenen verschlossen bleiben" (311).

Plantationstheorie

Obwohl Schmidlin in seiner Missionslehre die Frage des Heils der Heiden als Missionsmotiv kaum je erwähnt und nie im exklusiven Sinne, wurde diese zum eigentlichen Distinctivum zur Löwener Schule. Schon René Lange SJ griff die Auffassung an, die Notwendigkeit der Mission aus dem Heil der Seelen begründen zu wollen, da Seelenheil auch außerhalb der sichtbaren Kirche möglich sei, und begründete die Mission, unabhängig von der Heilsfrage, aus der Katholizität der Kirche. [12]

Pierre Charles SJ gilt als der eigentliche Vater der "Pflanzungstheorie" (Plantationstheorie); seine Auffassungen sind in *Les Dossiers de l'Action Missionnaire* niedergelegt. Das eigentliche Kriterium dafür, ob ein Land "Missionsland" sei, sieht Charles in der Abwesenheit der sichtbaren, mit all ihren Organen eingerichteten Kirche, wobei er vor allem an eine eigene Hierarchie, die dauernde Bereitstellung der Heilsmittel und die moralische Zugänglichkeit der Sakramente denkt. Formalobjekt der Mission ist ihm *die Einrichtung der sichtbaren Kirche in den Ländern, wo sie dies noch nicht ist.* Nicht Gehorsam gegen das Mandat des Herrn oder die Sorge um das Heil der Menschen rechtfertigen die Mission, sondern die Natur der Kirche selber, die ihre volle Identität erst erreicht, wenn sie geographisch die ganze Welt erfaßt. Zweck der Mission

12 Le Problème Théologique des Missions. Coll. Xaveriana 3 (Löwen 1924) 31 S.

ist also, "die sichtbare Kirche da zu pflanzen, wo sie noch nicht gepflanzt ist, d. h., die Mittel des Heils (den Glauben und die Sakramente) in die Reichweite aller Seelen guten Willens zu bringen. In vielen Ländern ist diese Aufgabe vollendet. Die Mission besteht hier nicht mehr. Dennoch sind noch viele Seelen zu bekehren, und alle Seelen müssen hier noch gerettet werden".[13] Charles stört sich daran, die Kirche zum Mittel der Seelenrettung zu degradieren, für ihn ist die Kirche "die göttliche Form der Welt, der einzige Berührungspunkt, wo das ganze Werk des Schöpfers heimkehrt zum Erlöser":[14] "Die Grenzen der sichtbaren Kirche weiter hinausrücken, diese Arbeit des Wachsens bis zu ihrem Ende führen, die ganze Welt mit Gebeten und Anbetung besäen, dem Erlöser sein ganzes Erbteil erstatten, das ist die besondere Aufgabe der Mission."[15]

Während es die politische Situation den deutschen Theologen kaum erlaubte, ihre Position zu untermauern oder weiter zu entfalten, wurde die Debatte im französischsprechenden Raum um so heftiger geführt. Sie gibt wichtige Einsichten und ist mit den Namen Abbé Glorieux,[16] H. de Lubac,[17] Hugueny,[18] A. Perbal[19] u. a. eng verknüpft. Doch selbst ein so eifriger Vertreter der Plantationstheorie wie A. Seumois mußte gestehen: "Auf der einen Seite stellen wir fest, daß die Spezifizierung der Missionstätigkeit durch die Pflanzung der Kirche mehr und mehr an Grund gewonnen hat, bemerken aber zur gleichen Zeit eine von einmütiger Gunst getragene Bewegung, die Missionen in der Frage des Heiles zu rechtfertigen. Die beiden großen Schulen, die von Münster und die von Löwen, die vor dem Kriege hermetisch gegeneinander abgeschlossen schienen, haben jetzt ihre Nichtabbaufähigkeit verloren."[20] Vertreter der sogenannten Münsterschen Schule meldeten sich erst nach dem Kriege und zunächst sehr spärlich zu Wort, doch konnte ein unparteiischer Beobachter wie H.-W. Gensichen, im Hinblick zwar auf die

13 Manuel de Missiologie (Louvain – Bruxelles 1938–1939[2]) 65
14 Ebd. 84
15 Ebd. 87
16 Le Problème Théologique des Missions. Coll. Xaveriana 3 (Löwen 1924) 31 S. Vgl. auch: De la Nécessité des Missions ex parte infidelium. In: Actes du II Congrès national de l'Union Missionnaire du Clergé de France. Supplément à la Revue de l'U.M.C. (Okt. 1933) 13–35
17 Nécessité des Missions, tirée du rôle providentiel de l'Eglise visible pour le salut des âmes. In: Actes du II Congrès (aaO) 37–54
18 Le scandale édifiant d'une exposition missionnaire. Revue Thomiste 38 (1933) 217–242; 533–567
19 Premières leçons de théologie missionnaire. Bibliothèque de l'U.M.C. de France (Paris 1935) 80 S. 2. Auflage (Paris 1937) 128 S.
20 Auf dem Wege zu einer Definition der Missionstätigkeit (M.Gladbach 1948) 14

protestantische Situation, feststellen: "Zu viel ist seit Thomas Ohm, Karl Müller, André Rétif und vollends seit dem Zweiten Vaticanum, seit Karl Rahner, Küng, Congar und Glazik geschehen, als daß es auch vom eifrigsten protestantischen Ikonoklasten ignoriert werden dürfte."[21]

Zu Beginn des II. Vatikanischen Konzils entfaltete sich eine starke Aktivität zugunsten einer Festschreibung der Plantationstheorie. Zu dieser kam es nicht. Es sieht wie eine gewaltsame Konstruktion aus, wenn AG 6 erklärt: "Das eigentliche Ziel dieser missionarischen Tätigkeit ist die Evangelisierung und die Einpflanzung der Kirche bei den Völkern und Gemeinschaften, bei denen sie noch nicht Wurzel gefaßt hat." S. Brechter nannte das, wie schon erwähnt, eine "charaktervolle Synthese", H. Döring aber meint darin echten Fortschritt zu sehen und stellt fest: "Der erreichte Fortschritt besteht nicht zuletzt darin, daß sich die Einpflanzung der Kirche nicht mehr im juristischen Sinn auslegen läßt, denn es handelt sich um die 'Einpflanzung eines Volkes Gottes, das sich zunächst aus dem Glauben und damit durch die Verkündigung konstituiert'. Im Grunde ist das Konzil auf diese Weise der drohenden Gefahr einer Ekklesiozentrik entgangen; der Konzilstext nämlich 'gibt der Formel von der plantatio Ecclesiae ein Gegengewicht durch die Feststellung, daß die Kirche immer in die Welt gesandt ist, um ihr das Evangelium zu verkünden und sie für Jesus Christus zu gewinnen'."[22]

2.2 Diskussion auf protestantischer Seite

Auf protestantischer Seite stellten sich die Fragen weit härter. G. Warneck sah sich der Überbetonung der Individualbekehrung durch den Pietismus gegenübergestellt; es ginge nicht an, nur solche sammeln zu wollen, die sich im pietistischen Sinn bekehren ließen. Er sieht in der Taufe von Nichtchristen, die das Wort der Frohbotschaft annehmen, nur einen ersten Schritt, eben nur ein "nächstes" Ziel der Mission. Das Christentum ist nach ihm auf Gemeinschaft angelegt. Christlicher Glau-

---

21 Glaube für die Welt 130
22 Erstverkündigung als Selbstvollzug der Kirche. In: *P. Zepp* (Hrsg.), Erstverkündigung heute 37. Mit den verschiedenen "Theorien" der Mission setzt sich kritisch auseinander *J. Amstutz*, Kirche der Völker. Neuerdings *Th. Kramm*, Analyse und Bewährung theologischer Modelle zur Begründung der Mission.
Kramm vergleicht das "heilsgeschichtlich-ekklesiologische" und das "geschichtlich-eschatologische" Modell und zieht letzteres vor; es sei theologisch kohärenter, passe besser auf die gegenwärtige Situation der Mission und biete bessere Ansätze für das Funktionieren der Kirche. Zu *Amstutz* ist zu sagen, daß er, vor allem aufgrund seiner Erfahrungen als Generalsuperior der Bethlehemiten, manche seiner früheren Positionen aufgegeben hat.

be duldet keine Isolierung. Jesus sammelte nicht einzelne Jünger, sondern eine Jüngerschaft, d. h., er baute eine "Ekklesia". Er gab die Verheißung und damit auch den Auftrag zum Gemeindebau. Die Apostel verloren sich nicht in einer vagen "Weltevangelisationstheorie", sondern waren von vornherein auf Gründung von Gemeinden bedacht. Das sei zudem ein ganz "natürlicher" Prozeß, da Isoliertheit "die Gefahr der Verkümmerung in sich birgt, des Segens des gegenseitigen gliedlichen Dienstes entbehrt und dem christlichen Glauben die menschliche Bürgschaft seiner Dauer wie seiner vollen Auswirkung entzieht". [23] Die Gemeinde ist nicht nur "Haus" und "Leib", gleichsam ein "Organismus", sondern auch eine "Organisation in Institutionen und Ämtern", die "aus wirklichen Bedürfnissen geboren" wurden und belebend auf Menschen zurückwirken: "Ist es der Geist gewesen, der sie erzeugt hat, dann liegt auch in ihnen eine pädagogische Macht" (S. 3). Die Ekklesia, "deren Bau Jesus im Auge gehabt hat" (8), kann nicht nur als "Partikularkirche", sondern muß auch als "Universalgemeinde" verstanden werden. In den jungen Christengemeinden muß man wirklicher "Volkschristianisierung" Raum geben, letztes "Missionsziel" aber müssen "nicht bloß organisierte, sondern selbständige, von der sendenden alten Christenheit unabhängige Kirchen" sein, die ihrerseits wieder "für die weitere Ausbreitung des Christentums innerhalb ihrer noch heidnischen Umgebung fürzusorgen befähigt sind" (12). Selbständigkeit bedeutet — Warneck zitiert hier die Definition H. Venns — Selbstunterhalt, Selbstregierung und Selbstausbreitung und erfordert Eingründung in das Schriftwort, Einwurzelung in das Volksleben und Herausbildung geeigneter Führungspersönlichkeiten (15f.). Sie gründet in der Einheit der Lehre, schließt aber "neue Bekenntnisbildungen" nicht absolut aus (18). Die Einwurzelung des Christentums in das Volksleben hält Warneck für "unerläßlich"; er meint damit "eine dem gesamten volklichen Naturleben kongeniale Ausgestaltung des neuen christlichen Geisteslebens, die zur Wiedergeburt dieses Naturlebens wird" (23); Europäisierung und Amerikanisierung sind ihm eine "überwältigende" Gefahr (23). Aus diesem Grunde sind die Heranbildung eines landeseigenen Klerus, Allgemeinbildung des Volkes und Sinn für pädagogische Akkommodation von "durchschlagender Bedeutung". Warneck verschließt auch nicht die Augen davor, daß kirchliche Selbständigkeit kaum möglich ist ohne politische, speziell kolonialpolitische, soziale und wirtschaftliche Selbständigkeit. Darum betont er mit großem Nachdruck: gradatim, gradatim, damit der "kühne Sprung" nicht zum salto mortale werde (37).

Das sind die wichtigsten Akzente, die G. Warneck vor fast 100 Jah-

23 Missionslehre[1-2] III. Abt., Schlußabschnitt: Das Missionsziel 3

ren setzte. Sie scheinen heute so einsichtig, boten aber im Lauf der Geschichte ungeheuren Zündstoff. Auf der einen Seite herrschte ziemliche Einmütigkeit bei Schülern Warnecks wie J. Richter,[24] H. Frick[25] und S. Knak[26] und den Missionaren B. Gutmann[27] und Ch. Keysser,[28] andererseits wurden die Gegensätze so stark, daß H.-W. Gensichen vom "viel gescholtenen Gustav Warneck"[29] sprach. Auf einige Fragen der Gesamtdiskussion muß nun näher eingegangen werden.

24 Sein Fachgebiet waren Missionsgeschichte und Missionskunde. Die Kritik von *J.Chr. Hoekendijk* (in: Kirche und Volk in der deutschen Missionswissenschaft, München 1967, 354 S.) traf in besonderer Weise Arbeiten wie: Die Mission im gegenwärtigen Weltkriege (Berlin 1915); Ein nationaler Einschlag im Missionsmotiv. AMZ 42 (1915) 299–310; Kirche und Mission. NAMZ 1924, 33–36; Evangelische Missionskunde (Leipzig 1927^2); Das Buch der deutschen Weltmission (Gotha 1935)

25 1893–1952. Er veröffentlichte zur gleichen Thematik: Nationalität und Internationalität der christlichen Mission (Gütersloh 1917); Vom Pietismus zum Volkschristentum; Deutschland innerhalb der religiösen Weltlage (Berlin 1936); Mission und fremdes Volkstum; Christliche Verkündigung und vorchristliches Erbgut

26 1875–1955. Sein Thema war: Volksorganische Missionsmethode. Er veröffentlichte dazu u. a.: Zwischen Nil und Tafelbai. Eine Studie über Evangelium, Volk und Zivilisation, am Beispiel der Missionsprobleme unter den Bantu (Berlin 1931); Stehen wir in einer Krise des deutschen Missionslebens. NAMZ 1931, 149–154; Der Totalitätsanspruch des Staates und der Totalitätsanspruch Gottes an die Völker. NAMZ 1933, 401–421; Bantuvolkstum, Evangelium, Pietismus. EMM 76 (1932) 139–151; Die geistlichen Kräfte zum Aufbau der heidenchristlichen Gemeinden. EMM 82 (1938) 244–257

27 Auch Gutmann beschäftigte sich mit der Frage Kirche und Volk. Seine wichtigsten diesbezüglichen Schriften: Das Dschaggaland in Deutsch-Ostafrika und seine Christen (Leipzig 1925); Gemeindeaufbau aus dem Evangelium. Grundsätzliches für Mission und Heimatkirche (Leipzig 1925); Christusleib und Nächstenschaft (Feuchtwangen 1931). *H. Bürkle* charakterisiert ihn: "Bei Gutmann stoßen wir auf eine Missionspraxis, die eindeutig im Dienste der 'Einheimischmachung' des Evangeliums steht" (Missionstheologie 67)

28 Er schrieb: "Das bin bloß ich". Lebenserinnerungen, hrsg. von *W. Fugmann* (Neuendettelsau 1966); Lehret alle Völker. Beispiele aus der Mission zum Kleinen Katechismus (Neuendettelsau 1960); Eine Papuagemeinde (Neuendettelsau 1950^2). *H. Bürkle* schrieb über ihn: "Keysser hat die Antwort umgekehrt in der Forderung nach einer Kirche gesehen, die auf die ethnische Gemeinschaft des Stammes bis in die Frömmigkeitsstrukturen hinein Rücksicht nimmt" (ebd. 69)

29 Glaube für die Welt 130

3. DAS ZIEL DER MISSION

3.1 Das Heil der Seelen

Dem frühen Pietismus ging es eindeutig um das Heil des einzelnen Menschen. Das Bemühen von Ph.J. Spener (geb. 1635) und A.H. Francke (geb. 1663) um persönliche Frömmigkeit und persönliche Frömmigkeitsübungen ist erbaulich. Sie wollten, daß dies auch in der Mission beachtet würde. Als sich die Indienmissionare B. Ziegenbalg und H. Plütschau auch der Erziehung, Sozialtätigkeit und ärztlichen Hilfe annahmen, erhielten sie von der dänischen Zentrale die Aufforderung, nur zu predigen und sich nicht um rein weltliche Dinge zu kümmern; aber sie antworteten, belehrt durch die Hl. Schrift und die konkrete Erfahrung, daß Spiritualität ohne Dienst einseitig, ja schlecht sei. Graf Zinzendorf, der Hunderte von Missionaren aussandte, sagte zwar: "Der einzige Sinn des Wortes Apostolat ist dieser: Mehr Seelen zu retten. Kommt, Heiden! Kommt, Christen! Kommt, Völker! Wir selber können nichts anderes tun, als die Frohbotschaft künden"; doch er freute sich gegen Ende seines Lebens, überall kleine Gemeinden zu finden. Selbst W. Carey, der große Befürworter der Einzelbekehrung, einigte sich bereits 1806 mit seinen Mitarbeitern: Erstes Ziel der Mission ist die Gewinnung von einzelnen, die Gründung von Kirchen und die Errichtung von Schulen müssen aber damit Hand in Hand gehen.

Das "Heil der Seelen" im affirmativen Sinn war immer ein starkes Missionsmotiv. Gleichsam programmatisch sprach es Paulus aus, als die römischen Juden seine Botschaft nicht annahmen: "Wisset also, daß dieses Heil Gottes zu den Heiden gesandt wurde, diese werden ihm Gehör geben" (Apg 28,28). Alexander VI sprach in der berühmten Bulle *Inter caetera* vom 4.5.1493 von der "salus animarum". [30] Nicht nur Pietistenmissionaren, auch anderen ging es um das "Heil der Seelen". Als der deutsche Priester A. Janssen (geb. 1837) für die Gründung eines deutschen Missionshauses warb, zitierte er in einem Chinaartikel den bekannten Jesuitenmissionar A. von Rhodes: "Nachdem ich die schönsten und größten Weltteile durchwandert, finde ich nichts, was nicht klein und verächtlich wäre im Vergleich mit so vielen Seelen, welche Jesus Christus höher schätzte als Sein Eigenes Blut. Denn Er hat es bis zum letzten Tropfen vergossen, um nur zu verhindern, daß nicht Alle zu Grunde gehen." [31] Als er 1879 die ersten Missionare, J.B. Anzer und

---

30 Vgl. *P. Leturia*, Las Grandes Bulas Misionales de Alejandro VI (1493). Biblioteca Hispana Missionum 1 (Barcelona 1930) 209—251
31 Kleiner Herz-Jesu-Bote 1 (1874) 29

J. Freinademetz, aussandte, kam er wiederum auf China zu sprechen und rief den zahlreich erschienenen Festgästen zu: "China mit seiner unermeßlichen Menschenmenge, so groß wie ein Drittel der ganzen Welt, ist das große Land der Wünsche Jesu Christi! Dort gibt es so viele unsterbliche Seelen, und wohl geziemt es sich daher, daß von Jahr zu Jahr etwas mehr für ihre Rettung geschehe!"[32] Benedikt XV mahnte in *Maximum Illud* die Missionsoberen: "Nichts anderes liege dir am Herzen als die Ehre Gottes und das Heil der Seelen."[33]

Im affirmativen Sinn stimmt auch Warneck solchen Gedanken bei, wenn er schreibt: "Freilich wird es das R e s u l t a t der energischen Missionsarbeit sein, daß aller Orten wahrhafte Bekehrungen stattfinden, so gewiß als das gepredigte Evangelium eine K r a f t Gottes zur Errettung ist für alle, die daran glauben." Was Warneck stört, ist die Exklusivität des Motivs. Darum fügt er hinzu: "Sofern d i e s Resultat der eigentliche für die Ewigkeit werthvolle G e w i n n der Missionsarbeit ... ist, kann man es wol auch als das Z i e l bezeichnen. Aber doch nur im relativen Sinn und in abgeleiteter Weise. Die Aufgabe der eigentlichen M i s s i o n s thätigkeit geht noch weit über dieses Ziel hinaus. Abgesehen davon, daß es thatsächlich ganz unausführbar ist, die Missionsthätigkeit blos auf das Zustandebringen wahrhaftiger Bekehrungen zu beschränken und nur die 'Auswahl' aus den Heiden zu sammeln, es würde mit solcher Beschränkung ein Raub an den Völkern begangen werden, der sich von dem Gott, welcher w i l l , daß a l l e n Menschen geholfen und daher allen zeugnißkräftigerweise das Heil in Christo nahe gebracht werde, nimmermehr würde verantworten lassen." [34] G.F. Vicedom faßte beide Erwägungen positiv zusammen, indem er formulierte: Die Kirche "soll der verlorenen Welt, den Nichtchristen die Botschaft der Erlösung verkündigen und durch die Annahme der Botschaft von seiten der Hörer eine Gemeinde der Erlösten, das Gottesvolk auf Erden sammeln";[35] nicht erwähnt wird hier der Zeugnischarakter der neuen Gemeinschaft, den Warneck erwähnt.

Wenn die schon genannten Autoren des französischen Raumes von der Fülle des Heils (Glorieux) oder vom kollektiven Heil (De Lubac)

---

32   Kleiner Herz-Jesu-Bote 6 (1879) 28

33   AAS 11 (1919) 444

34   AMZ 1 (1874) 141

35   Missio Dei 73. Zu "Heil" im mehr allgemeinen Sinn vgl. *J. Ratzinger*, in: LThK 5,78f.; *J. Hempel*, Licht, Heil und Heilung im biblischen Denken. In: Antaios 2 (1960) 375—388; *Kl. Hemmerle*, Der Begriff des Heils: Fundamentaltheologische Erwägungen. Internationale Katholische Zeitschrift 1 (1972) 210—230; *J. Amstutz*, Über die Allgegenwart der Gnade. NZM 38 (1982) 81—109; *J. Auer*, Die Kirche — das Allgemeine Heilssakrament (Regensburg 1983) 424 S.

sprachen, ging es im Grunde auch um Heil; ihr Anliegen war lediglich, die Missionstätigkeit abzugrenzen gegenüber anderen kirchlichen Tätigkeiten, z. B. der Pastoral im allgemeinen, oder um zum Ausdruck zu bringen, daß Gott auch andere Wege kennt, Menschen zum Heil zu führen als den der Kirche oder der Mission.

3.2 Integrales Heil

Die Begriffe "Heil der Seelen" und "Seelsorge" sprachen ein Anliegen aus und hatten einen guten Sinn, und doch finden sie heute geringe Sympathien, einmal, weil sie die Gefahr der Dychotomie des Menschen in sich bergen, zum andern aber, weil andere Probleme wie Armut, Hunger, Unterdrückung, Ausbeutung, Aufrüstung, Krieg, Manipulation u. a. die heutige Menschheit, vor allem die Dritte Welt, akut bedrücken. Als die Aktionen "Misereor" und "Brot für die Welt" aufkamen, sagte man, daß die "Leibsorge" zur "Seelsorge" hinzukommen müsse, heute spricht man lieber vom "integralen Heil", d. h. vom Heil, das den ganzen Menschen und den Menschen in seiner ganzen konkreten Wirklichkeit umfaßt.

Seit den Anfängen war das Evangelium ein "Evangelium der Liebe und Hilfeleistung",[36] und niemand dachte daran, die missionarische Verkündigung und die "Präsenz der Liebe" gegeneinander auszuspielen. Wie Jesus sich der vom Leben Benachteiligten annahm und die Apostel aussandte, Dämonen auszutreiben und Kranke zu heilen, halfen die Missionare den Menschen auf jedwede Weise, bis zur Aufopferung ihres Lebens. Genauso wie es Martyrer des Glaubens gibt, gibt es Martyrer der christlichen Liebe und des sozialen Dienstes; Damian de Veuster starb im Dienste der Aussätzigen, Erzbischof Romero wurde ermordet, weil er Ausbeutung und Korruption anprangerte. Wenn sich die Mission des Schulwesens so sehr annahm, ging es ihr beileibe nicht nur um ein Mittel zur Bekehrung, sondern sie wollte die Menschen für das Leben ertüchtigen und ihr Leben lebenswerter machen.

Entwicklungshilfe als Thema der Mission kam erst in neuerer Zeit auf. Es bereitete auf katholischer Seite kaum Schwierigkeiten, da es durch die thomistische Lehre von der Entfaltung der Einzelperson auf die "familia Dei" hin und durch bedeutende kirchliche Dokumente wie *Gaudium et Spes* (besonders Nr. 25 und 41) und die Enzyklika *Populorum Progressio* (26.3.1967, Paul VI) vorbereitet war. Schwieriger war es für die protestantische Theologie, die stärker unter dem Einfluß des

---

36 *A. v. Harnack*, Die Mission und die Ausbreitung des Christentums in den ersten drei Jahrhunderten (Leipzig 1924[4]) 173

spekulativen Idealismus Hegels und des Evolutionismus des 19. Jahrhunderts stand. Der volle Durchbruch vollzog sich erst auf der Vollversammlung des Weltkirchenrates in Uppsala (1968). Von nun an wurde auch in protestantischen Kreisen der Ruf nach "Weltverantwortung", nach der Proklamation Jesu "in ständig sich ändernde Verhältnisse hinein", ja nach einer "Theologie der Revolution" unüberhörbar. Der Trend bemächtigte sich aller Kirchen und Gesellschaftsschichten. Es ging nicht mehr nur um Entwicklung und Frieden, sondern auch um Wandel der Strukturen. Der alttestamentliche Terminus "Schalom" im Sinne von Frieden, Integrität, Gemeinschaft, Harmonie, Gerechtigkeit wurde zum Schlüsselbegriff der Theologie. Es gilt nicht mehr die Reihenfolge Gott—Kirche—Welt, sondern Gott—Welt—Kirche. Das Ziel der Mission als Ausbreitung von Christentum und Kirche sei nichts anderes als christlicher Imperialismus.[37] Die "Frankfurter Erklärung zur Grundlagenkrise der Mission"[38] stellte sich solchen Interpretationen wohl heftig entgegen, verfiel aber in entgegengesetzte Einseitigkeit und schadete mehr als sie nützte.[39] Daß Mission etwas mit Weltverantwortung zu tun hat, sollte heute keiner bezweifeln. Mission und Weltverantwortung gleichzusetzen aber ist Aushöhlung des Evangeliums. Schon W. Freytag warnte vor Panmissionismus in dem Sinn, daß die Verantwortung der Kirche für die Welt schlechthin "Mission" sei;[40] H. Bürkle erklärte mit Rücksicht auf Uppsala: "Mit der 1968 in Uppsala sich artikulierenden Deutung zeichnen sich erste Konsequenzen der generellen Identität von Mission und Kirche im Weltbezug ab. Der Akzent rückt deutlich auf Themen heutiger Gesellschaftsfragen."[41] J. Verkuyl, der

---

37 Vgl. *H. Döring*, Erstverkündigung als Selbstvollzug der Kirche. In: *P. Zepp* (Hrsg.), Erstverkündigung heute (St. Augustin 1985) 35f.

38 Veröffentlicht in EMZ 27 (1970) 98—104

39 Einen gedrängten Überblick über die innerprotestantische Kontroverse "Evangelikale" und "Ökumeniker" unter dieser Rücksicht bietet *M. Lehmann-Habeck* in: *P. Zepp* (Hrsg.), Erstverkündigung heute 69—85. Vgl. auch *W. Hering*, Das Missionsverständnis in der ökumenisch-evangelikalen Auseinandersetzung. StIM 25 (St. Augustin 1980) 180 S. Über die Evangelikalen speziell: *F. Laubach*, Aufbruch der Evangelikalen (Wuppertal 1972); *ders.*, Lausanne geht weiter (1980); *B. Shelley*, Evangelicalism in America (Grand Rapids 1967); *W. Scott*, Evangelical Strategies for the Eighties (Colorado Springs 1980). Eine evangelikale Theologie entwirft *G.W. Peters* in: Missionarisches Handeln und biblischer Auftrag (Bad Liebenzell 1977) 392 S. Weitere Literatur bei *W. Hering*, aaO 153—161

40 In *J. Hermelink/H.J. Margull* (Hrsg.), Walter Freytag, Reden und Aufsätze (München 1961) 2. Teil 94f. Gesamtbericht über Uppsala: *N. Goodall* (Hrsg.), Uppsala 1968 spricht: Offizieller Bericht über die 4. Vollversammlung des ÖRK. Deutsche Ausgabe besorgt von *W. Müller-Römheld* (Frankfurt 1968)

41 Missionstheologie 15

sich eindeutig zugunsten einer "missio politica oecumenica" ausspricht, fügte zwei Warnungen bei: "Wir dürfen erstens Macrostrukturen niemals betonen auf Kosten der anderen inklusiven Ziele; das wäre eine Verletzung des Geistes Jesu, des Messias. Wir würden dann den Blick für die einzelne Person verlieren und einer Dachspitzenpsychose verfallen, die den Kontakt mit dem wahren Leben und dem wirklichen Menschen verliert. Zweitens darf die Verbesserung der Macrostrukturen nie das tiefste und letzte Ziel der Mission werden; sie ist aber wesentlicher Bestandteil innerhalb des letzten Zieles."[42]

Ohne auf die Kontroverse im einzelnen einzugehen, sei darauf hingewiesen, wie zwei neuere kirchliche Dokumente das Verhältnis Mission und Weltverantwortung sehen.

a. *Evangelii Nuntiandi* [43] Ausgangspunkt und Urheber der Evangelisierung ist für Papst Paul VI die Person Jesu Christi mit seiner Botschaft vom Gottesreich und seiner Sendung zu den Armen (Nr. 6—8). Christus verkündete das Reich und befreiendes Heil als Gottesgeschenk (9). Die Kirche hat keine andere Sendung empfangen als die Jesu Christi: "Ich muß die Frohbotschaft vom Reiche Gottes verkünden" (14). Die Verkündigung der Frohbotschaft ist eine vielschichtige und dynamische Tätigkeit, die alle Bereiche des menschlichen Lebens durchdringen und von innen her umwandeln will (18f.), die immer von der Person ausgeht und dann stets zu den Beziehungen der Personen untereinander und mit Gott fortschreitet (20), die auch die Kulturen von innen her erneuern will (ebd.). Die Botschaft ist eine Botschaft der Befreiung: von Hunger, chronischen Krankheiten, Analphabetismus, Armut, Ungerechtigkeiten in den internationalen Beziehungen und besonders im Handel, Situationen eines wirtschaftlichen und kulturellen Neokolonialismus. "Die Kirche hat, wie die Bischöfe erneut bekräftigt haben, die Pflicht, die Befreiung von Millionen menschlicher Wesen zu verkünden, von denen viele ihr selbst angehören; die Pflicht zu helfen, daß diese Befreiung Wirklichkeit wird, für sie Zeugnis zu geben und mitzuwirken, damit sie ganzheitlich erfolgt" (30). Da Schöpfungs- und Erlösungsplan nicht von einander getrennt werden können, muß die Bekämpfung des Unrechts und die Wiederherstellung der Gerechtigkeit bis in die konkreten Situationen hineinreichen (31). Verkehrt wäre allerdings eine Einschränkung der kirchlichen Bemühungen auf die Dimension eines rein diesseitigen Programmes; in solchem Sinne hätte die Befreiungsbotschaft der Kirche "keine Originalität mehr und würde leicht von ideologischen Systemen

42 Contemporary Missiology 197
43 Apostolisches Schreiben Pauls VI vom 8.12.1975. In: AAS 68 (1976) 5—76

75

und politischen Parteien in Beschlag genommen. Sie hätte keine Autorität mehr, gleichsam von Gott her die Befreiung zu verkünden" (32). Die durch das Evangelium legitimierte Befreiung meint den ganzen Menschen in allen seinen Dimensionen, einschließlich seiner Öffnung auf das Absolute, das Gott ist (33). Ihre Gerechtigkeit geschieht in der Liebe, ihr Elan hat immer eine geistige Seite, ihr Endziel ist Heil und Glückseligkeit in Gott (35). So dringlich die Schaffung menschlicherer und gerechterer Strukturen ist, so sehr ist zu bedenken, "daß die besten Strukturen, die idealsten Systeme schnell unmenschlich werden, wenn nicht die unmenschlichen Neigungen im Herzen des Menschen geläutert werden, wenn nicht bei jenen, die in diesen Strukturen leben oder sie bestimmen, eine Bekehrung des Herzens und des Geistes erfolgt" (36). Gewalttätigkeit, Waffengewalt, der Tod von irgend jemand als Weg der Befreiung widersprechen christlichem Geist und werden den sozialen Fortschritt eher verzögern als fördern: Gewalttätigkeit ruft immer Gewalt hervor und erzeugt unwiderstehlich neue Formen der Unterdrückung und der Sklaverei, die oft noch drückender sind als jene, von denen sie zu befreien vorgibt (37). Diesen Abschnitt abschließend, sagt der Papst: "Die Befreiung, die die Evangelisierung verkündet und verbreitet, ist jene, die Christus selbst dem Menschen durch sein Opfer verkündet und geschenkt hat" (38).

b. *Mission und Evangelisation. Eine ökumenische Erklärung:* Juli 1982 machte sich der Zentralausschuß des Ökumenischen Rates der Kirchen die Überlegungen zu eigen, die seit Jahren in der "Kommission für Mission und Evangelisation" (CWME) diskutiert wurden und in der genannten Erklärung ihren Niederschlag finden.[44] Evangelische Christen, Orthodoxe und Römisch-Katholische kamen zu einer Übereinstimmung, die beeindruckend ist. "In Erfüllung ihres Auftrags", heißt es da, "ist die Kirche dazu aufgerufen, Gute Nachricht in Jesus Christus, Vergebung, Hoffnung, einen neuen Himmel und eine neue Erde anzukündigen; sie soll Machthaber und Gewalten, Sünde und Ungerechtigkeit anklagen; sie soll Witwen und Waisen trösten und die, welche zerbrochenen Herzens sind, heilen und wieder aufrichten; und sie soll das Leben inmitten des Todes feiern" (Nr. 16). Uns interessieren hier die Aussagen über die Weltverantwortung der Kirchen.

In der Einleitung heißt es programmatisch, daß die Verheißung einer neuen Erde und eines neuen Himmels, wo Liebe, Frieden und Gerechtigkeit herrschen, eine biblische ist und daß wir durch sie ermutigt werden zu einem "Handeln als Christen in der Geschichte". Gerade der

---

44 Veröffentlicht in IRM 71 (1982) 427–451

Kontrast zwischen dieser Verheißung und der heutigen Wirklichkeit mache die evangelische Berufung, die Menschen und Nationen zur Buße zu ermahnen, Vergebung der Sünden und einen Neuanfang in den Beziehungen mit Gott und den Nächsten durch Jesus Christus zu verkünden, in besonderer Weise dringlich. Die Integralität des Heils, die hier anklingt, wird im weiteren näher entfaltet. Als Leib Christi nimmt die Kirche teil am Amt Christi als Vermittler zwischen Gott und seiner Schöpfung. An der Kirche ist es, Gottes Liebe für die ganze Welt in Christus dadurch zu bekunden, daß sie sich mit der ganzen Menschheit identifiziert, in liebendem Dienst und freudiger Verkündigung. Nur eine Kirche, die die Menschen versteht und ihre Schmerzen und Sehnsucht teilt, kann ihren Vermittlungsauftrag angemessen erfüllen (6). Christus selber lebte als Armer unter den Armen. Als seine Jünger verkünden wir seine Solidarität mit allen in den Staub Getretenen und an den Rand Gedrängten. Wir stellen uns auf die Seite der Armen und kämpfen für die Überwindung der Armut. Wir bekennen Jesus Christus als den, der Knechtsgestalt annahm und gleich wie ein anderer Mensch und an Gebärden als ein Mensch empfunden wurde (7), der sich selber zur Sünde machte: "Die völlige Selbsthingabe Christi offenbart die unermeßliche Tiefe der Liebe Gottes für die Welt. An genau diesem Kreuz wurde Jesus verherrlicht" (8). Auf solchem Hintergrund kann die vom Christen geforderte Metanoia nur ganzheitlich verstanden werden, d. h. auch als eine Herausforderung an die Strukturen der Gesellschaft (14), als Aufforderung zur Veränderung der wirtschaftlichen, politischen und gesellschaftlichen Institutionen (15), als Anklage gegen Sünde und Ungerechtigkeit und als Trost und Hilfe für die Witwen und Waisen (16), als Prophetie (17), als Führung in der die Menschheit bedrohenden Wissenschaft und Technik (18f.). "Christliches Zeugnis wird auf Jesus hinweisen, in dem sich wahre Menschlichkeit geoffenbart und der nach Gottes Weisheit das Zentrum der ganzen Schöpfung ist, 'das Haupt über alle Dinge'" (19). Mehr denn je muß uns heute "die grausame Wirklichkeit" am Herzen liegen, daß die Zahl derer ständig wächst, denen das materielle Minimum für ein normales menschliches Leben abgeht, die sozial an den Rand gedrängt sind: "Rassismus, Machtlosigkeit, Zerbrechen von Familien und Gemeinschaftsbindungen sind neue Anzeichen für das An-den-Rand-Gedrängt-Sein, das unter die Kategorie der Armut fällt" (31). Gerade die Gegenwart läßt uns verstehen, daß es keine Verkündigung des Evangeliums ohne Solidarität gibt. Eine Verkündigung, die nicht die Verheißungen der Gerechtigkeit des Reiches für die Armen dieser Erde hervorhebt, ist ein Zerrbild des Evangeliums, wie auch ein Ringen um Gerechtigkeit ohne den Hinweis auf die Verheißungen des Reiches gegen das Verständnis christlicher Gerechtigkeit verstößt (34).

3.3 Das Heil aller Menschen

Daß das Heil Jesu Christi nicht nur einzelnen Auserwählten ange-
boten wird, sondern allen Menschen, ergibt sich aus dem Gottes- und
Christusverständnis, wie es bisher dargelegt wurde: Gott, der die ganze
Welt auf Christus hin geschaffen hat, hat sie in Jesus Christus erlöst und
sie zur Teilnahme an der Sohnschaft berufen. In keinem anderen ist
Heil als in Jesus Christus, und keiner ist aus der Berufung zum Heil in
Jesus Christus herausgenommen. Allzu deutlich spricht das 1 Tim 2,5f
aus: "Einer ist Gott, Einer auch Mittler zwischen Gott und den Menschen: der Mensch Jesus Christus, der sich als Lösegeld hingegeben hat
für alle, ein Zeugnis zur vorherbestimmten Zeit." In der Einzigkeit Gottes und der Mittlerschaft Jesu Christi liegt der tiefste Grund für den ent-
schiedenen Willen Gottes, daß "alle Menschen gerettet werden und zur
Erkenntnis der Wahrheit gelangen" (1 Tim 2,4).

Ta ethne

In der Missionswissenschaft entfachte sich ein Streit am Verständnis
des Begriffes "Die Völker" (ta ethne, panta ta ethne). G. Warneck hatte,
obwohl selber aus dem Pietismus kommend, im Gegensatz zu diesem
die Gewinnung der "Völker", also aller Menschen, und die Gründung
der Volkskirche betont. Damit schloß er die grundlegende missionarische Verkündigung und die Notwendigkeit der Entscheidung des einzelnen nicht aus, er aber und seine Schüler "verstanden unter 'Völker'
nicht eine zufällige Summe von Menschen einer besonderen Gruppe,
einer Sprache oder eines bestimmten Staates, sondern sie sahen in den
Völkern die durch das Volkstum und durch die Religion bestimmten
organischen Größen und Gemeinschaften in ihrer gliedlichen Verbundenheit und damit Organismen mit einem festen soziologischen Gefüge
und ethnischer Bestimmtheit. Damit traten an die Stelle der Individuen
des Pietismus die Volksindividualismen."[45] In der Praxis bewährte sich
diese These, und es entstanden aus der Synthese von Evangelium und
Volkstum unter möglichster Schonung des letzteren lebensfähige, im
Volk verwurzelte Kirchen. Es war erst J.C. Hoekendijk, der solchen
"Ethnopathos" energisch verwarf und die Gefahr herausstellte, auf diese Weise das Volkstum über das Evangelium zu stellen: "ethnos" in der
Bibel bedeute nicht Volkstum, und die Kirche sei eine heilsgeschichtli-
che Größe.

Der exegetische Befund gibt weder Warneck noch Hoekendijk ein-

---

45   Nach *G. Vicedom*, Missio Dei 73

seitig recht. Der Singular "ethnos" hat in der Bibel die Bedeutung von "Volksverband" und findet auch auf Israel Anwendung. Der Plural "ethne", in der Verbindung mit "panta", bedeutet im allgemeinen die "Völker" sowohl in ihrer Zusammenfassung als auch in ihrer Differenziertheit. An manchen Stellen freilich, z. B. in Mt 6,7; Lk 12,30; Mt 10,5; 20,19; Apg 14,16, ist "ethne" heilsgeschichtlich und im Gegensatz zu "Israel" zu verstehen. Es ist also nicht nachweisbar, daß "ethne" ohne weiteres mit "Heiden" oder "Menschen" zu übersetzen ist, wie auch "panta ta ethne" nicht mit "pasa ktisis" oder "hapas kosmos" gleichgesetzt werden kann. [46] So läßt sich vom Begriff "ethne" her zur Kontroverse wenig sagen; "ethne" kann die Menschen außerhalb der Gottesgemeinde, aber auch außerhalb der herrschenden Kultur meinen. Allerdings darf man sich, zugunsten der Warneckschen These, die Frage stellen, ob die "Menschen" überhaupt ohne ihre volksmäßige Bestimmtheit gedacht werden können. Speziell zu Mt 28,19 meint Vicedom: "Das Missionsziel Warnecks, die Völker seien zu christianisieren, läßt sich also nicht vom Missionsbefehl her beweisen. Auch der Begriff der ethnischen Ordnungen, die erhalten werden sollen, kann mit dem bloßen Begriff ethne nicht begründet werden." [47] Aus andern Erwägungen aber hält Vicedom daran fest: "Die Botschaft soll in der ganzen Oekumene verkündigt werden, die der Lebensraum der Völker und damit der Raum der Verkündigung der Kirche ist. So werden Oekumene und Kosmos zu Korrelaten der Basileia und damit zu dem Gegenüber der Missio Dei und des Apostolats." [48]

Dürfen aber die Eigenheiten der Völker bei der missionarischen Verkündigung Berücksichtigung finden: ihre Sprache, ihre soziologischen und sozialen Gegebenheiten, ihre Bestimmungen und Gesetze, ihre Ordnungen, die Religionen? So sehr man in Einzelfragen differenzieren muß, darf man sagen, daß die katholische Theologie zu all diesen Fragen leichter einen positiven Zugang fand als die evangelische, aber auch hier setzt sich von der Exegese und von der Praxis her immer mehr die Auffassung durch, daß "Heidentum" ein "Entsprechungsbegriff" ist und "in kontrapunktischer Relation zum Begriff des Volkes Gottes" verstanden werden muß [49] und daß es den Heiden "an sich" und Heidentum "an sich" in concreto nicht gibt.

---

46 Vgl. *K.L. Schmidt*, "Ethnos" im NT. ThWNT II 366—369
47 Missio Dei 76
48 Ebd. 77
49 *W. Freytag*, Das Rätsel der Religionen und die biblische Antwort (Wuppertal-Barmen 1956) 19

Ein Thema, das zur Zeit in allen Gremien der Kirche und Kirchen diskutiert wird, ist das der Kulturen, im katholischen Raum mehr im Sinne von "Inkulturation",[50] im evangelischen Raum vor allem im Sinn einer kritischen Funktion des Christentums gegenüber den Kulturen (oder Unkulturen) der Gegenwart.

Anpassung (Akkommodation, Adaptation) hat es gegeben, solange es Kirche gibt. Da die Vielfalt in Gottes Schöpfungsplan liegt, muß sie auch bei der Missionierung Beachtung finden. Da die Verschiedenartigkeit von Gott selber kommt, muß sie grundsätzlich mit der Christianisierung im Einklang stehen. Was in der Substanz gut ist, darf durch die Religionen nicht vernichtet, vielmehr muß es entfaltet und gepflegt werden. Sinn der Gottesherrschaft ist nicht der Bann über alles Irdische, sondern daß Er "alles in allem" sei (1 Kor 15,28). "Nur nicht manichäisch und pessimistisch denken", mahnte Thomas Ohm.[51] Anpassung geschieht nicht nur aus taktischen, sondern vielmehr noch aus theologischen Gründen. AG 22 sagt: "Die besonderen Traditionen, zusammen mit den vom Evangelium erleuchteten Gaben der verschiedenen Völkerfamilien, werden in die katholische Einheit hineingenommen. So haben schließlich die jungen Teilkirchen mit dem ganzen Reichtum ihrer Überlieferung ihren Platz in der kirchlichen Gemeinschaft." Wenn heute von Theologie im Kontext, Identitätssuche der jungen Kirchen, Aktualisierung des Erbes, Akkulturation oder Inkulturation gesprochen wird, liegt dem im Grunde das gleiche Anliegen zugrunde. H. Bürkle nennt das einen "Vorgang, der zum Wesen der Mission selbst gehört":

50 Die Wortprägung "Inkulturation" ist neu. *A. Roest Crollius* umschreibt ihren Inhalt: "Die Inkulturation bedeutet die Integration der christlichen Erfahrung einer Teilkirche in die Kultur des betreffenden Volkes, und zwar so, daß diese Erfahrung nicht nur in Elementen dieser Kultur zum Ausdruck kommt, sondern zu einer Kraft wird, welche diese Kultur so belebt, ihr Orientierung gibt und sie erneuert, daß ein neues Ganzes und eine Einheit entsteht, sowohl hinsichtlich der betreffenden Kultur als auch im Sinne der Bereicherung der Weltkirche." Vgl. *A. Roest Crollius*, What is so new about Inculturation? A Concept and its Implications. Gregorianum 59 (1978) 721–738; *ders.*, Inculturation and the Meaning of Culture. Gregorianum 61 (1980) 253–274. Eine kurze Erklärung des Ineinandergreifens von Akkommodation, Adaptation, Akkulturation und Inkulturation bzw. des gesamten Integrationsprozesses von Glaube und Kultur wie auch eine Abgrenzung der Begriffe bietet in Anlehnung an Roest Crollius *H.B. Meyer*, Zur Frage der Inkulturation der Liturgie. Zeitschrift für Katholische Theologie 105 (1983) 2–9. Meyer legt dabei den Kulturbegriff von GS 53 zugrunde.
51 Machet zu Jüngern alle Völker 696

"Indem eine Kultur, die bislang beziehungslos zur Kirche und zu ihrem Auftrag zu sein schien, zu ihr in Beziehung gebracht wird, weitet die Christenheit das Feld ihrer bisherigen Erscheinungsformen aus ... Solches 'Mehr' bedeutet neue Aspekte, Verlagerungen bisheriger Schwerpunkte und Freigabe neuer Zugangswege zu der einen christlichen Wirklichkeit"; es sei dies "neben der speziellen Konkretion die eben darin sich vollziehende 'Universalisierung' der christlichen Botschaft". [52]

Christentum ist Akkommodation, Assimilation und Transformation, aber nicht dies allein; Christentum bedeutet auch "Widerspruch". Theologen aus der dialektischen Schule haben das bis zum Übermaß unterstrichen, aber auch Th. Ohm sagt, daß das Christentum "auch Kampf gegen die Natur" verlangt.[53] Auch das II. Vatikanische Konzil spricht von der "Verderbtheit des menschlichen Herzens" (GS 11), von Hoffnungen und Ängsten, Hunger und Not, Analphabetismus, gesellschaftlicher und physischer Knechtung, von harten politischen, sozialen, wirtschaftlichen, rassischen und ideologischen Spannungen, von der Gefahr des Krieges" (GS 4). Die *Ökumenische Erklärung, Mission und Evangelisation,* sagt: "Das Kreuz ist der Ort der Entscheidungsschlacht zwischen den Mächten des Bösen und der Liebe Gottes. Es enthüllt die Verlogenheit der Welt, die Größe der menschlichen Sündhaftigkeit, die Tragödie der menschlichen Entfremdung" (Nr. 8). Die Missionskommission des Weltrates der Kirchen diskutierte auf der auf Vancouver folgenden Konferenz (Mai 1984, Riano) über das Verhältnis von Kultur und Evangelium; sie sprach über die "weltweiten Kräfte", die heute die Kultur belasten: Technologie, Massenmedien, globale Militarisierung, Rassismus, und forderte: "Die Konfrontierung dieser Kräfte mit dem Evangelium macht manchmal ein klares Nein notwendig, da sie eher zum Tode als zum Leben führen. Widerstand in Treue zum Evangelium ist Teil der missionarischen Tätigkeit."[54]

52 Missionstheologie 63
53 AaO 711
54 Hektographierter Text II,6. Das Thema Kultur und Evangelium ist heute sehr akut. Es ist ein Lieblingsthema von Papst Johannes Paul II. In Rom besteht seit 1982 ein "Päpstlicher Rat für die Kultur". Missio e. V. Aachen zeigt periodisch alle Veröffentlichungen über "Kontextualisierung" an ("Theologie im Kontext", seit 1979). Internationale und vor allem Ökumenische Kongresse handeln darüber, vor allem seit Vancouver. Ein Einstieg in die Frage können sein: *L. Newbigin,* Christus und die Kulturen. ZMiss 4 (1978) 134—149; eine Weiterführung dazu: *H.-W. Gensichen,* Evangelium und Kultur: Neue Variationen über ein altes Thema. Ebd. 197—214; zur Sicht der Päpste: *K. Müller,* Accommodation and Inculturation in the Papal Documents. Verbum 24 (1983) 347—360

Auch in der Beurteilung der nichtchristlichen Religionen kommen sich die verschiedenen Meinungen heute näher. Sowohl auf katholischer wie auf evangelischer Seite hat sich diesbezüglich viel geändert. Für Franz Xaver war die nichtchristliche Welt Satans Herrschaftsbereich, und er war überzeugt, daß alle Ungetauften verloren gehen. Von offizieller katholischer Seite wurden wiederholt die Universalität der Erlösungsgnade Christi und der Heilswille Gottes für alle Menschen betont. Papst Alexander VIII verurteilte (1690) die jansenistische Auffassung, daß Christus nur für die Auserwählten und nicht für die Heiden, Juden, Häretiker usw. gestorben sei. Desgleichen verurteilte Papst Clemens XI die These von Paschasius Quesnel (1713), daß außerhalb der Kirche keine Gnade gewährt werde. Über das Wie der Rechtfertigung blieben sich die Theologen ihren eigenen Spekulationen überlassen. Die Scholastik, auf Thomas von Aquin fußend, vertrat im allgemeinen die Auffassung, daß jemand, der "das Seine" tue, gerettet werde. Das *Missionsdekret* des II. Vaticanum sagte in sehr vorsichtiger Weise, daß es auch außerhalb des Christentums "Weisen" gibt, zu Gott zu gelangen (AG 3). Die *dogmatische Konstitution über die göttliche Offenbarung* führt insofern weiter, als sie auf die Kontinuität der Offenbarung hinweist und daß darum immer und überall Glaubensgehorsam aufgrund von Offenbarung möglich war: Das Glaubensgeschehen ereignet sich in Tat und Wort, die innerlich miteinander verknüpft sind. Es gibt Offenbarung, solange es Heilsgeschichte gibt, wenn die Tiefe der Offenbarung auch erst in Christus aufleuchtete, der zugleich Mittler und Fülle der Offenbarung ist (Nr. 2). Über die "natürliche" Offenbarung hinaus tat sich Gott "schon am Anfang" den Stammeltern kund. Nach ihrem Fall richtete er sie durch die Verheißung des Erlösers "in der Hoffnung auf das Heil" wieder auf. "Ohne Unterlaß" kümmerte er sich um das Menschengeschlecht, "um allen das ewige Leben zu geben". Die Berufung des Abraham sollte eine zeitgeschichtliche Vorbereitung auf das Evangelium sein (3). Während AG 3 ausdrücklich sagt, daß menschliche Bemühungen "nur" heilstiftend sind, wenn sie von übernatürlicher Erleuchtung und Heiligung erfüllt sind, sagt Art. 6 der Offenbarungskonstitution allgemeiner: Wenngleich manches über Gott mit dem natürlichen Licht der Vernunft aus den geschaffenen Dingen sicher erkannt werden kann, ist es auf die Offenbarung zurückzuführen, wenn dieses "in der gegenwärtigen Lage des Menschengeschlechtes von allen leicht, mit sicherer Gewißheit und ohne Beimischung von Irrtum" geschieht.

Was die *Erklärung über das Verhältnis der Kirche zu den nichtchrist-*

lichen Religionen[55] betrifft, muß beachtet werden, daß das Konzil keine theologische Aussage über den Heilswert der nichtchristlichen Religionen machen wollte. Dennoch sind die darin enthaltenen positiven Aussagen über die Religionen beachtenswert. "Die katholische Kirche lehnt nichts von alledem ab, was in diesen Religionen wahr und heilig ist" (Nr. 2). "Mit Hochachtung betrachtet die Kirche auch die Muslim, die den alleinigen Gott anbeten, den lebendigen und in sich seienden, barmherzigen und allmächtigen, den Schöpfer Himmels und der Erde, der zu den Menschen gesprochen hat" (3). "Bei ihrer Besinnung auf das Geheimnis der Kirche gedenkt die hl. Synode des Bandes, wodurch das Volk des Neuen Bundes mit dem Stamme Abrahams geistlich verbunden ist" (4). "So erforschen im Hinduismus die Menschen das göttliche Geheimnis und bringen es in einem unerschöpflichen Reichtum von Mythen und in tiefdringenden philosophischen Versuchen zum Ausdruck ... In den verschiedenen Formen des Buddhismus wird das radikale Ungenügen der veränderlichen Welt anerkannt und ein Weg gelehrt, auf dem die Menschen mit frommem und vertrauendem Sinn entweder den Zustand vollkommener Befreiung zu erreichen oder ... zur höchsten Erleuchtung zu gelangen vermögen. So sind auch die übrigen in der ganzen Welt verbreiteten Religionen bemüht, der Unruhe des menschlichen Herzens auf verschiedene Weise zu begegnen, indem sie Wege weisen: Lehren und Lebensregeln sowie auch heilige Riten" (2). So wenig hier direkte Aussagen darüber gemacht werden, ob und in welcher Weise die Menschen in oder durch ihre Religion zum Heil gelangen können, so offen liegt auf der Hand, daß die Religionen nicht "samt und sonders" Teufelswerk sind, wie Franz Xaver annahm, sondern daß sie "nicht selten einen Strahl jener Wahrheit erkennen lassen, die alle Menschen erleuchtet" (ebd.).[56]

Wie viele seiner Zeit war auch Luther dem Corpus-Christianum-Denken verhaftet. So vermag er z. B. in der Religion des Islam nur Bedro-

---

55 Erklärung des II. Vatikanischen Konzils "Nostra Aetate", AAS 58 (1966) 740—744. Eingehender Kommentar dazu: *K. Müller*, Die Kirche und die nichtchristlichen Religionen. Enzyklopädie Der Christ in der Welt XVII, 8 (Aschaffenburg 1968) 176 S. Ebenso: LThK, Das Zweite Vatikanische Konzil II 405—487 (Aufsätze von J. Österreicher, C.B. Papali, H. Dumoulin, G.C. Anawati)

56 Es würde zu weit führen, hier weitere Dokumente zu behandeln. Die wichtigsten Konzilstexte sind herausgehoben in: *K. Müller*, Die Kirche und die nichtchristlichen Religionen 35—46. EN spricht in Art. 53 hierüber; vgl. dazu: *F. Kollbrunner*, Missionstheoretische Überlegungen zu Evangelii Nuntiandi. NZM 32 (1967) 242—254; *H. Rzepkowski*, Die Sicht der nichtchristlichen Religionen nach "Evangelii Nuntiandi". In: *H. Waldenfels* (Hrsg.), " ... denn Ich bin bei Euch" (Einsiedeln 1978) 339—350

hung für die Christenheit zu sehen. Sein Mißtrauen gegen die menschliche Vernunft ist denkbar tief. So sagte er in einer Dreifaltigkeitspredigt: "Die menschliche Vernunft ist nichts denn blind und tot vor Gott. Darum kann sie sich auch nicht nach göttlichen Dingen sehnen und begehren."[57] Mit gewisser Genugtuung schrieb G. Rosenkranz über Luther: "Er entlarvte Aristoteles, auf dessen Lehre Thomas von Aquin sein Weltbild von der einander ergänzenden Natur und Übernatur aufgebaut hatte, als den 'Verführer der Kirche in der griechischen Maske' und hob damit die scholastische Theologie des Aquinaten aus den Angeln."[58] Als Zwingli lehrte, daß Weise wie Sokrates, Numa und Scipio aufgrund ihrer Tugenden, ohne den Glauben an Christus, in den Himmel könnten, war Luther zutiefst empört.[59] Weniger radikal als Luther und Calvin dachte die nachreformatorische Theologie, wie z. B. die *Confessio Belgica* (1561) oder die lutherische *Konkordienformel* (1577), vor allem aber die lutherische Orthodoxie des 17. Jahrhunderts, die der ursprünglichen scholastischen Theologie wiederum recht nahe kam.[60]

Auf die Zeit der Aufklärung mit ihrer Überbetonung einer "natürlichen Religion" folgte die heftige Reaktion Fr. Schleiermachers († 1834), der zwar großen Einfluß auf die Theologie und Philosophie des 19. Jahrhunderts hatte, im Grunde aber die Dychotomie seines Denkens nicht überwand. Im Gefolge von Schleiermacher, vor allem bei Hegel († 1831) und Schelling († 1854), ging es um die Frage der Absolutheit des Christentums, die das ganze 19. Jh. in Spannung hielt. Die Meinungen lösten einander ab. In neuerer Zeit erlangten vor allem die Auffassungen von A. v. Harnack († 1930) und E. Troeltsch († 1923) Bedeutung: Harnack mit der These, daß das Christentum in seiner reinen Gestalt nicht eine Religion neben anderen ist, sondern *die* Religion, und Troeltsch mit der Auffassung, daß das Christentum nicht nur der Höhepunkt, sondern auch der Konvergenzpunkt aller erkennbaren Entwicklungsrichtungen der Religion ist, daß man aber nicht strikt beweisen könne, eben weil es eine geschichtliche Erscheinung ist, daß es der letzte Höhepunkt bleiben müsse und eine Überbietung ausgeschlossen sei.[61]

G. Rosenkranz, der auch die diesbezüglichen Diskussionen während des 20. Jahrhunderts, und zwar auf katholischer wie auch protestanti-

57 Weimarer Ausgabe Bd 12 588
58 Der christliche Glaube angesichts der Religionen (Bern 1967) 156
59 Vgl. Weimarer Ausgabe Bd 54 144
60 Über diese Andeutungen hinaus vgl. *G. Rosenkranz* aaO 156—164: Die Religionen in der Sicht der Reformatoren und der nachreformatorischen Theologie
61 Vgl. *G. Rosenkranz* aaO 164—166: Die Stellung der Aufklärung zu den Religionen

scher Seite, darstellt,[62] stellt abschließend fest: "Der überraschende Gleichklang von Begriffen, auf den wir in der gegenwärtigen evangelischen und katholischen Sicht der Religionen gestoßen sind, bedarf der Erörterung. Dort erscheinen die Heiden als 'heimliche', hier als 'anonyme Christen'; dort ist von 'latenter und manifester Kirche', hier von 'allgemeiner und spezieller Heilsgeschichte', dort von einer 'kosmischen Christologie', hier von den Religionen als 'ordentlichen, legitimen Heilswegen' die Rede. Dennoch besteht zwischen den Urteilen ein grundsätzlicher Unterschied."[63] Worin aber besteht dieser grundsätzliche Unterschied? In den Worten von Rosenkranz: "Die evangelische Theologie kennt kein maßgebendes Amt, das in der Lage wäre, ihre Beurteilung der Religionen, auch Einwände gegen sie, aufeinander abzustimmen und in ein dogmatisches Ganzes einzubauen. Ihre Lehrautorität ist die Bibel, und die Freiheit ihrer Auslegung ermöglicht nicht nur die positive Beurteilung der Religionen, sondern auch ihre Nuancierungen. Hier ist die Diktion in der Tat, wie die Katholiken es empfinden, 'härter und ungeschützter'."[64] In einem späteren Traktat über dieselbe Thematik schloß Rosenkranz seine Darlegungen mit einem Zitat aus der Bangkoker Missionskonferenz (1973) ab: "So schreiben wir Euch unter dem Zeichen der großen Hoffnung. In Demut, zu der uns unsere Armut zwingt, haben wir wieder gelernt, daß 'das Wort nicht gebunden ist' und daß es die Tore des Heils weit öffnet."[65]

62 AaO 166—210
63 AaO 210
64 Ebd. 213
65 *G. Rosenkranz*, Die christliche Mission: Geschichte und Theologie (München 1977) 462. Das Thema der Religionen beschäftigte die Theologen sehr intensiv, vor allem seit dem II. Vaticanum. Vgl. *K. Rahner*, Das Christentum und die nichtchristlichen Religionen. In: Schriften zur Theologie V (Einsiedeln — Zürich — Köln 1962) 136—158; *H.R. Schlette*, Die Religionen als Thema der Theologie. QD 22 (Freiburg i. Br. 1964) 127 S.; *J. Heislbetz*, Theologische Gründe der nichtchristlichen Religionen. QD 33 (Freiburg i. Br. 1967) 231 S.; *J. Ratzinger*, Der christliche Glaube und die Weltreligionen. In: Gott in Welt II (Freiburg 1964) 287—305; *H. Maurier*, Theologie des Heidentums: Ein Versuch (Köln 1967) 122 S.; *A. Darlap*, Religionstheologie. In: Sacramentum Mundi IV (Freiburg i. Br. 1969) 264—272; *H.-W. Gensichen*, Hoffnung in den Religionen und die Hoffnung der Christenheit. EMZ 26 (1969) 10—24; *H. Waldenfels*, Zur Heilsbedeutung der nichtchristlichen Religionen in katholischer Sicht. ZMR 53 (1969) 257—278; *P. Damboriena*, La Salvación en las Religiones no Cristianas (Madrid 1973) 533 S.; *M. v. Brück*, Möglichkeiten und Grenzen einer Theologie der Religionen (Berlin 1979) 264 S.; *N. Abeyasingha*, A Theological Evaluation of non-Christian Rites (Bangalore 1979) 250 S.; *P. Ramers*, Der "Absolutheitsanspruch des Christentums" und der Dialog mit den nichtchristlichen Religionen. Verbum 23 (1982) 211—243

Fünftes Kapitel

DAS WERK DER MISSION

Literatur:

G.H. *Anderson/T.F. Stransky* (Hrsg.), Christ's Lordship and Religious Pluralism (Maryknoll 1981) 209 S.

C. *Boff*, Theologie und Praxis: Die erkenntnistheoretischen Grundlagen der Theologie der Befreiung. Mit einem Vorwort von H. *Waldenfels* (München 1983) 357 S.

C. *Boff/L. Boff*, Da libertaçao: O sentido teológico das libertaçoes sócio-históricas (Petrópolis 1979) 114 S.

L. *Boff*, Die Neuentdeckung der Kirche: Basisgemeinden in Lateinamerika (Mainz 1980) 140 S.

E.J. *Dunn*, Missionary Theology: Foundations in Development (Lanham 1980) 395 S.

Evangelizzazione e Culture: Atti del Congresso Internazionale Scientifico di Missiologia 1975 (Roma 1976) 3 Bde: XVI + 438 S., 668 S., 471 S.

W. *Eigel*, Entwicklung und Menschenrechte: Entwicklungsarbeit im Horizont der Menschenrechte. Gerechtigkeit und Frieden — Ethische Studien zur Meinungsbildung 3 (Basel 1984) 336 S.

R. *Friedli*, Frieden wagen: Ein Beitrag der Religionen zur Gewaltanalyse und zur Friedensarbeit (Freiburg, Schweiz 1981) 252 S.

R. *Friedli*, Mission oder Demission: Konturen einer lebendigen, weil missionarischen Gemeinde (Freiburg, Schweiz 1982) 161 S.

P. *Gordan* (Hrsg.), Gerechtigkeit, Freiheit, Friede: Im Auftrag des Direktoriums der Salzburger Hochschulwochen (Graz — Wien — Köln 1984) 262 S.

G. *Gutiérrez*, Die historische Macht der Armen (München 1984) 203 S.

G. *Gutiérrez*, Theologie der Befreiung. Mit einem Vorwort von *J.B. Metz* (München 1982[6]) 287 S.

F. *Hengsbach/A.L. Trujillo* unter Mitwirkung von L. Bossle, A. Rauscher und W. Weber, Kirche und Befreiung (Aschaffenburg 1975) 144 S.

E.P. *Heiniger*, Ideologie des Rassismus: Problemsicht und ethische Verurteilung in der kirchlichen Sozialverkündigung (Immensee 1980) XXXVII + 380 S.

O.V. *Jathanna*, The Decisiveness of the Christ-Event and the Universality of Christianity in a World of Religious Plurality. Studien zur interkulturellen Geschichte des Christentums 29 (Bern — Frankfurt 1981) 574 S.

H. *Kasdorf*, Gemeindewachstum als missionarisches Ziel: Ein Konzept für Gemeinde- und Missionsarbeit (Bad Liebenzell 1976) 283 S.

D. *Klose*, Kirchliche Entwicklungsarbeit als Lernprozeß der Weltkirche: Dialog der Kirchen der Ersten und Dritten Welt als dynamische Struktur in der Weltkirche. Studien zur Praktischen Theologie 30 (Zürich 1984) 478 S.

Internationale Theologenkommission. K. *Lehmann* mit H. Schürmann, O.G. de Cardedal, H.U. v. Balthasar, Theologie der Befreiung. Sammlung Horizonte NF 10 (Einsiedeln 1977) 195 S.

E. *Leuninger*, Die missionarische Pfarrei: Theologische Forderung und pastorale Notwendigkeit. Offene Gemeinde 35 (Limburg 1981) 140 S.

D.P. McCann, Christian Realism and Liberation Theology: Practical Theologies in Creative Conflict (Maryknoll 1981) 250 S.

K. Müller, Co-Responsibility in Evangelization. In: Toward a New Age in Mission. International Congress on Mission (Manila 1981) III, 238–252

K. Müller, "Holistic Mission" oder das "umfassende Heil". In: *H. Waldenfels* (Hrsg.), " ... denn Ich bin bei Euch" (Einsiedeln 1978) 75–84

W. Ratzmann, Missionarische Gemeinde. Theologische Arbeiten 39 (Berlin 1980) 257 S.

K. Rennstich, Mission und wirtschaftliche Entwicklung: Biblische Theologie des Kulturwandels und christliche Ethik (München 1978) 344 S.

C. Schaller, L'Eglise en quête de dialogue. Studien zur interkulturellen Geschichte des Christentums 13 (Bern – Frankfurt 1977) 373 S.

H. Schambeck (Hrsg.), Pro Fide et Justitia: Festschrift für Agostino Kardinal Casaroli zum 70. Geburtstag (Berlin 1984) 880 S.

M. Spindler, La mission, combat pour le salut du monde (Neuchâtel 1967) 170 S.

E. Stammler (Hrsg.), Sicherung des Friedens: Eine christliche Verpflichtung (Stuttgart 1980) 80 S.

W. Strolz/H. Waldenfels, Christliche Grundlagen des Dialogs mit den Weltreligionen. QD 98 (Freiburg 1983) 192 S.

H.H. Ulrich, Gemeinde in diakonischer und missionarischer Verantwortung: Auftrag – Anspruch – Wirklichkeit (Stuttgart 1979) 375 S.

G.F. Vicedom, Die missionarische Dimension der Gemeinde. Missionierende Gemeinde 7 (Berlin – Hamburg 1963) 67 S.

L. Wiedenmann (Hrsg.), Den Glauben neu verstehen: Beiträge zu einer asiatischen Theologie. Theologie der Dritten Welt 1 (Freiburg 1981) 149 S.

P. Zepp (Hrsg.), Erstverkündigung heute. Veröffentlichungen des Missionspriesterseminars St. Augustin bei Bonn 34 (Nettetal 1985) 142 S.

Weder Christus noch seine Botschaft können auf einen bestimmten Raum oder eine bestimmte Zeit eingeengt werden. Wo immer es Menschen gibt und solange es sie gibt, sind sie auf Christus verwiesen. Christus ist als ihr Haupt gesetzt, und sie sollen seine Erfüllung sein. In der Teilnahme an seinem Leben und der Einfügung in seine Fülle erlangen wir selber Erfüllung und Heil. So entspricht es dem "Liebeswollen Gottes des Vaters": "Er, der ursprungslose Ursprung, aus dem der Sohn gezeugt wird und der Heilige Geist durch den Sohn hervorgeht, hat uns in seiner übergroßen Barmherzigkeit und Güte aus freien Stücken geschaffen und überdies gnadenweise berufen, Gemeinschaft zu haben mit ihm in Leben und Herrlichkeit."[1] Damit alle Gemeinschaft haben mit Chri-

---

1   AG 2

stus in Leben und Herrlichkeit: Das ist der Sinn der missionarischen Sendung. Wenn dem Zweiten Vatikanischen Konzil soviel daran liegt zu betonen, daß "die pilgernde Kirche ihrem Wesen nach missionarisch" ist,[2] so ist genau dies damit gemeint. Es soll die "Vision", die Kol 1, 15—20 und Eph 1,3—23 so großartig zum Ausdruck bringen, zur Vollendung geführt werden.

1. TRÄGER DER MISSION

Der katholischen Kirche fällt es nicht schwer, von der *Kirche* als der Trägerin der Mission zu sprechen. Sie meint die Kirche als S t i f t u n g   C h r i s t i, wenn sie von sich als dem "allumfassenden Heilssakrament" spricht.[3] Sie meint die Kirche als V o l k   G o t t e s, wenn sie die einzelnen Glieder der Kirche aufzählt, um ihre Missionsverpflichtung zu unterstreichen. Sie meint vor allem d i e   H i e r a r c h i e, wenn sie die missionarische Verpflichtung auf die Bestellung der Zwölf zurückführt: "Und er setzte zwölf ein, die er bei sich haben und die er dann aussenden wollte, damit sie predigten" (Mk 3,14; vgl. Mt 10,1—42). Letzteres meint AG 5, wenn es schreibt: "Als er dann ein für allemal durch seinen Tod und seine Auferstehung in sich selbst die Geheimnisse unseres Heils und der Erneuerung von allem vollzogen hatte, gründete er, dem alle Gewalt im Himmel und auf Erden gegeben ist (vgl. Mt 28,18), vor der Aufnahme in den Himmel (vgl. Apg 1,11) seine Kirche als Sakrament des Heils, sandte die Apostel in alle Welt, so wie er selbst vom Vater gesandt worden war (vgl. Jo 20,21), und trug ihnen auf: 'Gehet also hin und machet alle Völker zu Jüngern'."[4]

Von der apostolischen Zeit sagt F. Hahn, daß die Gemeinden "grundsätzlich offen (waren) für alle, die mit der Verkündigung in Berührung kamen, und sie waren in ihrem Leben und Wirken ausgerichtet auf die Gewinnung anderer Menschen für den christlichen Glauben".[5] Wie eng in der nachapostolischen Zeit Kirche und Mission miteinander verknüpft waren, zeigt die bissige Bemerkung des Kirchenfeindes Kelsos: "Wollten sie aber (etwas Gutes lernen), so müßten sie sich von ihrem Vater und den Lehrern losmachen und mit den Weibern und Spielkameraden in das Frauengemach oder in die Schusterwerkstatt oder in die Walke gehen, um dort die vollkommene Weisheit zu empfangen."[6]

---

2   Ebd.
3   LG 48; AG 1
4   AG 5
5   Verständnis der Mission 120
6   Nach *Origenes*, Contra Celsum III, 55. Vgl. hierzu: *A. v. Harnack*, Die Mission und Ausbreitung des Christentums in den ersten drei Jahrhunderten. 2 Bde (Leipzig 1924[2])

F. Hahn aber meint, daß sich die selbstverständliche Verbindung von Kirche und Mission allmählich gelockert habe in dem Sinn, daß sich die Kirche weniger von ihrer missionarischen Aufgabe her verstand als von ihrer "Existenz als Kirche mitten in der Welt".[7] H.-W. Gensichen sieht in solcher Loslösung der missionarischen Aufgabe von der Kirche eine grundsätzliche Gefahr und spricht sogar von einem "doppelbödigen" Kirchenbegriff — hier Kirche, dort wahre Kirche! — : "Die Erfahrungen zumal der protestantischen Mission bestätigen diesen Befund — sowohl durch ihren gesamten Gang als auch durch die Irrwege, insbesondere im 19. Jahrhundert."[8] Er sieht eine gesunde Reaktion darauf, wenn die Weltmissionskonferenz von Tambaram 1938 betonte: "Die eigentliche Aufgabe der Kirche besteht darin, Botschaft Christi zu sein für die Proklamation seines Reiches."[9] Das will nicht im Sinne Karl Barths verstanden werden, daß die Kirche überhaupt n u r in der Ausübung ihres Heroldsdienstes existiere und in nichts anderem,[10] sondern daß Kirche ohne Mission nicht die wahre Kirche Christi sei. "Kirche ohne Mission" ist ein Widerspruch in sich, wie auch der Terminus "Mission ohne Kirche".

1.1 Die missionarische Verpflichtung des einzelnen

Es ist eine starke Formulierung, wenn Paulus in Gal 3,14 sagt: "Jesus Christus hat uns freigekauft, *damit* den Heiden durch ihn der Segen Abrahams zuteil wird." Zwischen unserer Erlösung und dem Heil der "Heiden" ist also ein unmittelbarer Zusammenhang. Erlösung findet nie ihr Ende im Heil des einzelnen, sondern ist immer auf andere bezogen; auf den Nachbarn zweifellos zuerst, aber Paulus überspringt dieses Glied und steuert unmittelbar die Heiden an. Man kann nicht Christ sein ohne die Dimension der Selbstüberschreitung; man kann nicht Christ sein, ohne missionarisch zu sein. Das Zweite Vatikanische Konzil faßte das in die Formel: "Als Glieder des lebendigen Christus, durch Taufe, Firmung und Eucharistie Ihm eingegliedert und gleichgestaltet, ist allen Gläubigen die Pflicht auferlegt, an der Entfaltung und an dem Wachstum Seines Leibes mitzuwirken, damit dieser, so bald wie möglich, zur Vollgestalt gelange."[11]

---

7   AaO 148. Eine gute Arbeit als Hintergrund bietet: *R. Schnackenburg*, Der Missionsgedanke des Johannesevangeliums im heutigen Kontext. In: *R. Schnackenburg*, Das Johannesevangelium IV (Freiburg — Basel — Wien 1984) 58—72
8   Glaube für die Welt 167
9   Ebd.
10 Vgl. *K. Barth*, Die kirchliche Dogmatik IV/1 (Zürich 1960) 809
11 AG 36

Taufe, Firmung und Eucharistie sind missionarische Sakramente, d. h., sie stellen uns mehr als die übrigen Sakramente in je eigener Weise in das Kraftfeld Jesu Christi, des Erlösers, hinein und bedeuten eine je besondere missionarische Verpflichtung für uns. Die Taufe ist Aufnahme in die Versammlung des Volkes Gottes und Einfügung in den mystischen Herrenleib und hat "Teilnahme an der Heilssendung der Kirche selbst"[12] zur Folge; schon durch die Taufe sind die Christen gehalten, "den von Gott durch die Kirche empfangenen Glauben vor den Menschen zu bekennen".[13] Die Firmung ist vollkommenere Verbindung mit der Kirche und Ausstattung mit einer besonderen Kraft des Heiligen Geistes und damit eine strengere Verpflichtung, "den Glauben als wahre Zeugen Christi in Wort und Tat zugleich zu verbreiten und zu verteidigen".[14] Die Eucharistie ist Teilnahme am eucharistischen Opfer, das "Quelle und Höhepunkt des ganzen christlichen Lebens" ist und in anschaulicher Weise "die Einheit des Volkes Gottes, die durch dieses hocherhabene Sakrament sinnvoll bezeichnet und wunderbar bewirkt wird", darstellt.[15]

Den Afrikanern fällt es leichter, den einzelnen Menschen in seinem Gemeinschaftsbezug zu sehen als uns individualistisch gewordenen Europäern. In trefflicher Weise drückt das Jomo Kenyatta aus: "Keiner ist ein isoliertes Individuum. Seine Einzigartigkeit ist vielmehr eine Angelegenheit von sekundärer Bedeutung. Zuerst und vor allem ist er der Verwandte und der Zeitgenosse anderer. In diesem Sachverhalt gründet sein Leben sowohl in spiritueller wie in wirtschaftlicher Hinsicht nicht weniger als in biologischer."[16] Gerade in der Weitergabe der Religion spielte das Gemeinschaftsverständnis immer eine erhebliche Rolle, so sehr, daß E. Bloch von "Religion in Erbe" sprechen konnte. Es ist eine einseitige Sicht, die personale Würde des einzelnen einzig und allein aus seiner Rückbeziehung auf Gott hin zu erklären; "Person" ist und wird man nur in Gemeinschaft. Unter dieser Rücksicht steht der Afrikaner der Kirche, die ja wesentlich Gemeinschaft ist und Gemeinschaftsbildung will, näher als der Europäer. "Je sakramentaler das Wesen der Kirche verstanden wird, je weniger oberflächlich sie bloß von ihrer organisatorischen Seite im Sinne von 'Mitgliedschaft' begriffen wird, desto gewichtiger werden auch jene außereuropäischen Gemeinschaftserfahrungen in den verschiedenen Völkern."[17] Für den Afrikaner würde die Taufe we-

---

12   LG 33
13   LG 11
14   Ebd.
15   Ebd.
16   Facing Mt Kenya (London 1965) 309
17   *H. Bürkle*, Missionstheologie 85

nig bedeuten, wollte man sie lediglich als Hebung der Personwürde und Erfahrung der Neugeburt in Christus interpretieren; Taufe hat vielmehr Bekenntnis- und Inkorporationscharakter; sie ist "Initiation"; sie ist Sterben und Auferstehen im Herrn und macht uns mit Jesus Christus eins, in dem Gott alles vereinen will, "alles, was im Himmel und auf Erden ist" (Eph 1,10).

Es gibt viele Weisen für die einzelnen Glieder der Kirche, ihr missionarisches Engagement unter Beweis zu stellen: Gebete und Bußwerke, das Zeugnis des Lebens, missionarische Bewußtseinsbildung, Bereitstellung von Missionsberufen, materielle Unterstützung des Missionswerkes. Von den Bischöfen sagt das II. Vaticanum, daß sie "als Glieder des in der Nachfolge des Apostelkollegiums stehenden Episkopates nicht nur für eine bestimmte Diözese, sondern für das Heil der ganzen Welt die Weihe empfangen" haben, [18] und von den Priestern: "Die Priester sind Stellvertreter Christi und Mitarbeiter der Bischöfe in dem dreifachen heiligen Amt, das seiner Natur nach auf die Sendung der Kirche ausgerichtet ist. Sie mögen sich also zutiefst bewußt sein, daß ihr Leben auch dem Dienst an den Missionen geweiht ist."[19] Auch von den Laien fordert das Konzil die Mitwirkung am "Evangelisierungswerk der Kirche", als "Zeugen ebenso wie als lebendige Werkzeuge"; in den schon christlichen Ländern, aber auch dort, wo die Kirche noch nicht oder nur anfanghaft ist: "In den Missionsländern mögen die Laien — seien sie von auswärts oder aus dem Lande — in den Schulen unterrichten, sich der weltlichen Angelegenheiten annehmen, im Pfarr- und Diözesanleben mithelfen wie auch die verschiedenen Formen des Laienapostolates einrichten und fördern, damit die Gläubigen der jungen Kirchen so bald wie möglich ihre eigene Rolle im kirchlichen Leben übernehmen können."[20] In eigener Weise werden die wirtschaftliche und soziale Zusammenarbeit und die Mithilfe am "Aufbau des irdischen Gemeinwesens" betont. [21]

1.2 Die missionarische Verpflichtung der Gemeinde

Christentum hat nichts mit Masse, um so mehr aber mit Gemeinschaft zu tun. Graf Zinzendorf kam durch seine Erfahrung zu der Feststellung: "Ich statuiere kein Christentum ohne Gemeinschaft", und C. Ihmels sagte, einen Schritt weiter gehend, über den Herrnhuter: "Für

18 AG 38
19 AG 39
20 AG 41
21 Ebd.

einen Herrnhuter ist es selbstverständlich, daß eine Gemeinde ohne Mitarbeit an der Mission nicht Gemeinde ist."[22] Sehr bestimmt formulierte die *Gemeinsame Synode der Bistümer in der BRD* (1975): "Die christliche Gemeinde 'ist von Grund auf missionarisch'. Darum ist der Pfarrer als Vorsteher der Gemeinde und Mitarbeiter des Bischofs mit dem Pfarrgemeinderat für die Teilnahme der Pfarrei an der Weltmission der Kirche verantwortlich. Der Pfarrgemeinderat nimmt in einem eigenen Sachbereich diese Aufgabe wahr. Missionarisch engagierte Pfarrer und Pfarrgemeinderäte sind die beste Voraussetzung für missionarische Gemeinden."[23] Konkret sah die Synode folgende Möglichkeiten, eine Gemeinde missionarisch zu aktivieren:

— Gottesdienst, Predigt, gemeinsames Gebet, Weiterbildung und Öffentlichkeitsarbeit werden so gestaltet, daß sich die Gemeinde ihrer weltweiten Verantwortung aus dem Glauben heraus bewußt bleibt.

— Die Jugendarbeit konfrontiert die Jugendlichen mit den religiösen und sozialen Fragen der Dritten Welt und weist sie auf die Möglichkeiten eines persönlichen Einsatzes hin.

— Die Gemeinde hält Kontakt mit den Missionskräften, die aus ihr hervorgegangen sind.

— Die Gemeinde unterstützt die Ausbildung einheimischen Missionspersonals und hilft bei der Finanzierung von missionarischen Projekten.

— Die Gemeinde nimmt sich der Gäste aus der Dritten Welt an.

— Die Gemeinde setzt sich für die Zielsetzungen von Missio und Adveniat ein.[24]

Wenn eine Gemeinde sich als Gemeinde engagieren will, muß sie zunächst ein gesundes Gemeindebewußtsein haben. Das heißt nicht Exklusivität oder gar Ghettomentalität, sondern die tiefe Überzeugung, zusammenzugehören und gemeinsame Aufgaben zu haben. Solche Gemeinsamkeit ist konzentriertes Zeugnis. Solcher Gemeinsamkeit ist Gottes Beistand versprochen worden (vgl. Mt 18,20). Solche Gemeinsamkeit ist Wirkung des Heiligen Geistes und führt durch den Heiligen Geist zu neuen Gemeinschaften. Die Apostelgeschichte schildert anschaulich, wie Gemeinde wächst: Die Gläubigen bilden eine Gemeinschaft; sie haben alles gemeinsam; sie beten im Tempel und brechen in den Häusern das Brot; und dann? "Der Herr fügte täglich ihrer Gemeinschaft die hin-

22 Beide Zitate nach *Th. Ohm,* Machet zu Jüngern alle Völker 423
23 Gemeinsame Synode der Bistümer in der Bundesrepublik Deutschland: Beschlüsse der Vollversammlung. Offizielle Gesamtausgabe I (Freiburg u. a. 1978[4]) 840 (10.1.1)
24 Ebd.

zu, die gerettet werden sollten" (Apg 2,47). Missio Dei in einer Gemeinde, die ihr Christentum lebt! Eine Gemeinde, die ein elitäres Eigendasein führen will und "Wachstum" und "Grenzüberschreitung" ausschließt, ist die Karikatur einer christlichen Gemeinde. Christliches Gemeindeleben ist Teilnahme am Leben Gottes. Da Gottes Leben keine Grenzen kennt, darum muß auch die christliche Gemeinde Zeichen der die Grenzen überschreitenden Gegenwart Gottes unter den Menschen sein. Christliche Gemeinde muß ein Kraftfeld sein, das die weltumfassende Gegenwart Gottes erfahren läßt. Die persongewordene Güte und Menschenfreundlichkeit Gottes muß in der Gemeinde für die Menschen sichtbar werden. Geprägt von Christus, der der Friede ist, ist ihr jegliche "trennende Wand der Feindschaft" fremd (Eph 2,14). Sie lebt die Liebe und feiert sie in der Eucharistie. Die katholische Kirche Südkoreas organisierte 1981 ein "Jahr der Evangelisierung des Nachbarn". Das war aufmerksame Nächstenliebe und zugleich Zeugnis und missionarische Tat; wirksam vielleicht gerade deswegen, weil alles sehr konkret war, von Familie zu Familie, zum Nachbarn hin, in einer "Kleinen Gemeinschaft". Eine kleine Gemeinschaft ist persönlicher, mitfühlender, innerlicher; da kennt man einander, sorgt man sich umeinander, leidet man miteinander. In der kleinen Gemeinschaft ist es leichter, den "Dialog des Lebens", aber auch des Wortes zu führen. Nicht ohne Grund hat man immer wieder beobachten können, daß sich das Christentum vor allem auf dem Wege der Freundschaft oder gar der Verwandtschaft ausgebreitet hat. Gerade auf die Gemeinde passen die Bilder vom Sauerteig und Salz, die kraft ihres Wesens wirken, "Mission ist ein Wesenszug der Gemeinde", schrieb G.F. Vicedom.[25] Er wollte damit sagen, daß Gott seine Sendung in der Welt durch die Gemeinde fortsetzt.

Die geschichtliche Entwicklung zwingt uns, das Missionsverständnis auszuweiten und "missionarische Situationen" auch in Deutschland oder Frankreich anzuerkennen. Gerade in diese "missionarischen Situationen" hinein vermag die einzelne Gemeinde zu wirken. Auf solche Situationen ist das Wort von E. Leuninger anwendbar: "Die Pfarrei ist die Stätte, in der die Menschen der Kirche begegnen; sie ist die legitime Gemeinde im biblischen Sinn."[26] Grundsätzlich trifft auf die einzelnen Gemeinden zu, wozu Petrus seine Gläubigen ermahnte: "Ihr seid ein auserwähltes Geschlecht, eine königliche Priesterschaft, ein heiliger Stamm, ein Volk, das sein besonderes Eigentum wurde, damit ihr die Großtaten dessen verkündet, der euch aus der Finsternis in sein wunder-

25 Die missionarische Dimension der Gemeinde 52
26 Die missionarische Pfarrei 96

bares Licht gerufen hat" (1 Petr 2,9).

1.3 Orden und Missionsgesellschaften

Solange es Orden und ordensähnliche Institute gibt, nahmen sie sich der Ausbreitung des christlichen Glaubens an. Papst Paul VI schrieb enthusiastisch: "Wer ist imstande, den gewaltigen Beitrag zu messen, den die Ordensleute für die Evangelisierung geleistet haben und immer noch leisten! Durch ihre Ganzhingabe im Ordensstand sind sie im Höchstmaß frei und willens, alles zu verlassen und hinzugeben, um das Evangelium zu verkünden bis an die Grenzen der Erde. Sie sind voller Unternehmungsgeist und ihr Apostolat ist oft von einer Originalität, von einer Genialität gekennzeichnet, die Bewunderung abnötigen. Sie geben sich ganz an ihre Sendung hin: Man findet sie oft an der vordersten Missionsfront, und sie nehmen größte Risiken für Gesundheit und Leben auf sich. Ja, wahrhaftig, die Kirche schuldet diesen Ordensleuten viel."[27] Die III. Vollversammlung des lateinamerikanischen Episkopates in Puebla übernahm den letzten Satz dieses Zitates und fügte von sich aus hinzu: "Es ist ein Grund zur Freude für uns Bischöfe, die Anwesenheit und die dynamische Wirkkraft so vieler Ordensleute feststellen zu können, die in Lateinamerika ihr Leben wie auch bereits in der Vergangenheit ganz dem Verkündigungsauftrag widmen" (Nr. 722), und: "Das Ordensleben insgesamt stellt die besondere Art der Evangelisierung dar, die den Ordensleuten eigen ist" (725).

Die Missionsgeschichte ist zu einem guten Teil Geschichte der Orden. [28] Als im 19. Jahrhundert zahlreiche Kongregationen und ordensähnliche Gemeinschaften für spezielle kirchliche Aufgaben erstanden,

---

27 EN 69
28 In einem gewissen Sinn waren bereits die Anachoreten und Cönobiten des Orients Missionare. Das nördliche Europa ist zum guten Teil durch Ordensleute, vor allem die Benediktiner, missioniert worden. Die Conquista-Mission wurde durch Augustiner, Dominikaner, Franziskaner, Jesuiten u. a. getragen. Vgl. *M. Heimbucher*, Die Orden und Kongregationen der katholischen Kirche. 2 Bde (Paderborn 1965[3]); *B. Danzer*, Die Benediktinerregel in Übersee (St. Ottilien 1929) 275 S. Auf den nicht geringen Einfluß der Frauen wurde man recht spät aufmerksam. *A. Väth* schrieb das Büchlein: Die Frauenorden in den Missionen (Aachen 1920) 130 S.; *G. Fangauer*, Stilles Frauenheldentum: Frauenapostolat in den ersten drei Jahrhunderten (Münster 1922) 128 S.; *Fr. Schwager*, Frauennot und Frauenhilfe in den Missionsländern (Steyl 1924[2]) 126 S. In systematischer Weise beschäftigte sich *S. Kasbauer* mit der Frage: Die Teilnahme der Frauenwelt am Missionswerk: Eine missionstheoretische Studie. MAT 11 (Münster 1928) 200 S. Über die einzelnen Orden und Genossenschaften gibt es zahlreiche Monographien.

wurden auch solche für die "auswärtigen Missionen" gegründet, die Oblaten von der Unbefleckten Jungfrau Maria (1816 durch Eugène de Mazenod), die Söhne vom Unbefleckten Herzen Mariä (1849 in Spanien, 1862 in Belgien), die Missionare vom Heiligsten Herzen Jesu (1854 in Frankreich), die Söhne vom Heiligsten Herzen Jesu (1867 in Italien), die Priester vom Heiligsten Herzen Jesu (1877 in Frankreich). Wenn diese (und andere) Genossenschaften auch anfangs für die "innere Mission" geschaffen wurden, so griffen sie doch sehr bald auf die äußere Mission über. Die "äußere Mission" von vornherein hatten im Auge: das Mailänder Seminar für auswärtige Missionen (1850), das Lyoner Seminar für afrikanische Missionen (1856), die St. Josephs-Missionsgesellschaft von Mill Hill (1866), die Kongregation der Weißen Väter (1868), die Gesellschaft des Göttlichen Wortes (1875), die Missionare von Mariannhill (1909), die Maryknoller Missionare (1911) u. a.

Seit der Mahnung der Enzyklika Rerum Ecclesiae, daß auch die kontemplativen Orden Niederlassungen in den nichtchristlichen Ländern errichten möchten, schalteten sich auch diese stärker in die große Bewegung des "Ite in mundum universum" ein. Der Papst, Pius XI, sprach darin die Überzeugung aus: "Es ist erstaunlich, welche Fülle himmlischer Gnaden diese Einsiedler Euch und Euren Arbeiten erwirken." [29] Benediktiner und Benediktinerinnen, Zisterzienser und Zisterzienserinnen, Klarissen, Karmelitinnen, Dominikanerinnen, Schwestern von der Heimsuchung, Redemptoristinnen, Kamaldulenserinnen, die Kleinen Schwestern und Brüder Jesu u. a. folgten der Aufforderung. In Afrika gibt es heute nahezu 200 Klöster des beschaulichen Lebens. Das Missionsdekret des Zweiten Vatikanischen Konzils formulierte ganz allgemein: "Die religiösen Institute des kontemplativen und aktiven Lebens hatten und haben bisher den größten Anteil an der Evangelisierung der Welt" [30], und das Dekret über das Ordensleben sprach von der "geheimnisvollen apostolischen Fruchtbarkeit" der kontemplativen Orden. [31]

Auf evangelischer Seite haben wir im 19. Jahrhundert eine ganz ähnliche Erscheinung, die Gründung immer neuer Missionsgesellschaften, die mehr als ein Jahrhundert hindurch fast sämtliche Missionsarbeit trugen und auch heute ihre Bedeutung nicht verloren haben.

Als "Vater der modernen Mission" [32] im evangelischen Raum be-

29 AAS 18 (1926) 79
30 AG 40
31 Perfectae Caritatis 7
32 Vgl. *S. Neill*, A History of Christian Mission (Harmondsworth 1965[2]) 261. Neill macht aber eine Einschränkung: "Er stand, und er wußte, daß es so war, in der Reihe achtenswerter Vorgänger, Erbe vieler Pioniere der Vergangenheit." (ebd.)

zeichnet man oft den englischen Baptisten William Carey (1761–1834), Sohn eines Webers, der bei der Gründung der Baptist Missionary Society entscheidend mitwirkte und 1793 selber nach Indien ging. Mit der Gründung der baptistischen Missionsgesellschaft hörte die Mission auf, Privatangelegenheit einzelner Personen oder pietistischer Gruppen zu sein. Die Verantwortung wurde nun von straff organisierten Missionsgesellschaften übernommen. 1795 erstand die London Missionary Society, zu der Missionare wie Robert Morrison (China), John Williams (Südsee), Robert und Mary Moffat (Afrika) und David Livingstone gehörten. 1796 entstanden zwei schottische Missionsgesellschaften, 1797 die Niederländische Missionsgesellschaft, 1799 die Englische Kirchenmission usw., 1815 die Basler Missionsgesellschaft, 1821 die Dänische Missionsgesellschaft, 1824 die Berliner Missionsgesellschaft, 1828 die Rheinische Missionsgesellschaft, 1842 die Norwegische Missionsgesellschaft, 1959 die Finnische Missionsgesellschaft. An deutschen Missionsgründungen kamen hinzu: die Goßnersche Mission, die Norddeutsche und die Leipziger Mission, die Hermannsburger Mission, die Schleswig-Holsteinische Mission, die Neukirchener Mission, die Neuendettelsauer Mission.[33] Die Liste ist nicht erschöpfend. Es ist ein Phänomen jener Zeit. Überall entstanden Gemeinschaften, die kein anderes Ziel verfolgten, als die Botschaft Jesu Christi allen Völkern zu bringen.

Wenn K.S. Latourette das 19. Jahrhundert als das "große Jahrhundert" der "Ausbreitung des Christentums" bezeichnete,[34] kommt das eigentliche Verdienst dafür den "Missionsgesellschaften" zu. Auf das Jahrhundert zurückblickend, urteilte er: "Es entstand nun eine Organisation nach der andern für die Ausbreitung des Christentums, mehr als je zuvor in der Geschichte der Kirche. Sie entstanden spontan und an verschiedensten Orten. Sie verdankten ihre finanzielle Unterstützung nicht dem Staat, auch nicht wenigen Fürsten oder reichen Einzelpersonen, wie es vorher oft der Fall war, sondern den Gaben von Hunderttausenden, vor allem aus den niederen Schichten. Das Christentum breitete sich durch freiwillige Bewegungen und Organisationen des Volkes aus. Frauen und Laien beteiligten sich mehr als bevor. Etwas Derartiges gab es vorher nie, weder in der Geschichte des Christentums noch einer an-

33 Außer *S. Neill* (die deutsche Ausgabe besorgte *N.P. Moritzen,* Erlangen 1974) und der schon zitierten Missionsgeschichte von *Warneck* vgl. *H.-W. Gensichen,* Missionsgeschichte der neueren Zeit. Die Kirche in ihrer Geschichte 4 T (Göttingen 1976[3]) 66 S.; *G. Rosenkranz,* Die christliche Mission: Geschichte und Theologie (München 1977) 513 S.; dazu *K.S. Latourette* (siehe folgende Anmerkung)

34 A History of the Expansion of Christianity. Bd IV–VI The Great Century (New York – London 1941)

dern Religion."[35] Auch der Uppsalabericht stellte fest: "Die Missionsgesellschaften waren die Antwort einer früheren Generation auf den Ruf, das Evangelium bis an die Enden der Erde zu tragen."[36]

1.4 Ortskirche und Mission

H.-W. Gensichen schrieb zum Verhältnis von Missionsgesellschaften und Kirche: "Die herkömmlichen Trägerstrukturen der Mission, zumal die der Missionsgesellschaften, implizieren ein zweifaches Dilemma: Nolentes volentes tendieren sie darauf, an der 'Basis' die Kluft zwischen missionarischer und missionierender Gemeinde offen zu halten; sie führen überdies an der 'Front' zu der Gefahr, neben der dort schon bestehenden Kirche eine zweite, nicht gemeinde-gebundene Trägerstruktur zu schaffen und mehr oder weniger künstlich in Funktion zu halten."[37] Gensichen lehnt "Pauschalurteile" und Lösungen "im Handstreich" ab, bejaht aber neue Ansätze. Einen solchen sieht er im Stellvertretungsgedanken — er verweist hier auf das Buch von N. Klaes, "Stellvertretung und Mission"[38], — und vor allem in einer besseren Zuordnung von institutioneller Kirche und Missionsgesellschaften. Die Missionsgesellschaften dürften sich nicht als "Para- oder Schattenkirchen" verstehen (van Leeuwen), sondern als "pars pro toto" in dem Sinne, daß sie das Ganze vertreten, aber nicht das Ganze sein wollen (Orchard). So sehr Gensichen "Dienstgruppen neuer Art", wie sie sich in Gemeinden herausbilden, befürwortet, meint er doch: "Selbst eine ganz und gar missionarisch strukturierte Einzelgemeinde könnte schon im eigenen Bereich nicht ohne die Kompetenz, Mobilität, Schlagkraft und Anpassungsfähigkeit auskommen, die allein die ad-hoc-Gruppe aufbringen kann."[39]

1.4.1 Situation innerhalb der katholischen Kirche

Spannungen, wie sie hier aufscheinen, liegen in der Natur der Sache und sind auch im katholischen Raum feststellbar, an der "Heimatbasis" in dem Sinn, daß Bischöfe vielfach meinten, von ihrer missionarischen Verpflichtung dispensiert zu sein, da dies die Aufgabe der Missiongesellschaften sei, an der "Front" in dem Sinne, daß das Verhältnis der Ordensobern zu den "Missionsobern" immer neuer Klärung bedurfte. Das Zweite Vatikanische Konzil hat diesbezüglich Weisungen gegeben, die

---

35 AaO IV 108f.
36 *Goodall*, Bericht aus Uppsala 134
37 Glaube für die Welt 174
38 Essen 1968, 118 S.
39 Glaube für die Welt 177

für die Zukunft der Kirche von entscheidender Bedeutung sein können.

1. Durch die Erklärung, daß die ganze Kirche ihrem Wesen nach missionarisch ist, kann sich keiner mehr, am allerwenigsten die Bischöfe, der missionarischen Verpflichtung entziehen. Für die letzteren wurde dies eigens unterstrichen durch die Feststellung: "Alle Bischöfe haben, als Glieder des in der Nachfolge des Apostelkollegiums stehenden Episkopates, nicht nur für eine bestimmte Diözese, sondern für das Heil der ganzen Welt die Weihe empfangen."[40] Von einer k o l l e k t i v e n Verantwortung des Episkopates für die Ausbreitung des Gottesreiches hatte bereits Pius XI gesprochen,[41] die enge Verknüpfung von Konsekration und missionarischer Verpflichtung aber, wie sie hier deutlich wird, ist neu. Das Konzil gibt gleichzeitig sehr konkrete Anweisungen. Um seine Diözesanen missionarisch animieren zu können, muß der Bischof den missionarischen Geist und den missionarischen Eifer seiner ganzen Herde gleichsam in sich selber verkörpern. Er regt an, vor allem die Kranken und Notleidenden, zu Gebet und Buße an. Er fördert die Missionsberufe. Er unterstützt die Missionsgesellschaften und die sogenannten Missionswerke. Er gibt selbst Diözesanpriester für die Missionsarbeit frei. Er sorgt sich um die Studenten, Praktikanten und Arbeiter aus den Missionsländern. Das Konzil empfiehlt sogar einen Missionszins der einzelnen Diözesen. In AG 40 wird den Missionsorden bescheinigt werden, daß sie "bisher den größten Anteil an der Evangelisierung der Welt" geleistet haben und ihr Werk "unverdrossen" fortsetzen sollten; so genügt es an dieser Stelle, die Bischöfe zu mahnen, sie zu unterstützen.

2. Die Rolle der "Missionsbischöfe" wurde durch die Erklärungen des Konzils erheblich gestärkt. Während es bis dahin die Regel war, daß der Missionsbischof die missionarisch-pastorale Arbeit einem religiösen Institut anvertraute (Jus commissionis) und damit praktisch ein gutes Stück seiner Autorität aus der Hand gab, sprach das Konzil vom Missionsbischof eindeutig als dem "Leiter und einigenden Zentrum im diözesanen Apostolat"; an ihm läge es, die missionarische Tätigkeit "voranzutreiben, zu lenken und zu koordinieren", ohne freilich die "spontane Initiative" anderer, d. h. der Missionsinstitute, zu behindern.[42] Diese Doppelsicht blieb für alle postkonziliaren Bestimmungen maßgebend; auf der einen Seite sollte der Bischof Oberherr des gesamten öffentlichen kirchlichen Lebens sein, auf der andern Seite aber sollten die

40 AG 38
41 Vgl. Enz. "Rerum Ecclesiae", AAS 18 (1926) 68f.
42 Vgl. AG 30

einzelnen klösterlichen Gemeinschaften ein Recht auf ihr Eigenleben behalten. Die Notae directivae vom 14.5.1978 [43] beschrieben in irgendwie abschließender Weise die gegenseitigen Beziehungen zwischen Bischöfen und Ordensleuten, (wobei die Bischöfe fast ausschließlich Einheimische, die Ordensleute aber vielfach noch Ausländer waren). Nach A. Scheuermann geht es dabei vor allem um "die Verstärkung der Stellung des Bischofs als des Hauptes der Diözese, die Zusammenfassung der kirchlichen Seelsorger- und Apostolatskräfte, die geistliche Neubelebung der Ordensmentalität, die stärker denn je mitgetragen sein soll von der Bereitschaft, in irgendeiner Form an der Sendung der Kirche mitzuarbeiten". [44] Der neue CIC sieht das Verhältnis nicht anders. In Can. 678 § 3 heißt es: "Bei der Regelung der Apostolatswerke der Ordensleute ist es erforderlich, daß die Diözesanbischöfe und die Ordensoberen im Meinungsaustausch vorgehen." Diese Bestimmung trägt dem Rechnung, daß den Ordensleuten, die Mitglieder der "Familie der Diözese" sind, [45] echte Autonomie zukommt, [46] daß der Bischof aber für alles, was das Apostolat betrifft, volle Verantwortung trägt; [47] die Ordensleute sind diesbezüglich "Mitarbeiter" des Bischofs. Während man vor dem Konzil guten Grund hatte, von einem eigenen "Missionsrecht" zu sprechen, fällt es aufgrund der neueren Entwicklung schwer, ein eigenes Missionsrecht vom allgemeinen Recht der Kirche zu unterscheiden; die Grundprinzipien sind hüben und drüben die gleichen.

3. Der Bischof, obwohl Vorsteher einer bestimmten "Ortskirche", ist seit dem II. Vaticanum weit stärker gehalten, sich als Glied der weiteren Gemeinschaft der Kirche zu sehen, als dies früher der Fall war. So im Rahmen der Bischofskonferenzen. Wie die Dekrete über die Hirtenaufgabe der Bischöfe, die christliche Erziehung und die Ausbildung der Priester spricht auch das Missionsdekret über eine diesbezügliche Aufgabe der Bischofskonferenzen. Diese haben zwar nicht jurisdiktionelle Vollmachten über die einzelnen Bischöfe, doch sollen schwerwiegendere Fragen und dringende Probleme in ihnen besprochen werden. Die Bischofskonferenzen sollen um gerechtere Verteilung des Personals und der Mittel bemüht sein. Sie sollen für bestimmte Aufgaben überdiözesane Institutionen schaffen, z. B. Seminarien, höhere und technische

---

43 Mutuae Relationes, AAS 70 (1978) 473—506
44 Bischöfe und Ordensleute: Zum Dokument vom 14.5.1978. In: Ordenskorrespondenz 20 (1979) 42f.
45 Christus Dominus 34
46 Ebd. 35.3
47 Ebd. 36

Schulen, Zentren für Pastoral, Katechetik, Liturgik und Kommunikationsmedien.[48] Diese Mahnung hat inzwischen reiche Frucht gezeigt. Das Bedürfnis, den vielfältigen Problemen heute gemeinsam entgegenzutreten, ist erheblich gewachsen. Die Gründung einer europäischen, asiatischen, lateinamerikanischen, eventuell auch afrikanischen Bischofskonferenz geht über den traditionellen Begriff der "Bischofskonferenzen" bereits weit hinaus.

4. Auf universalkirchlicher Ebene sind vor allem die römische Bischofssynode und die Kongregation für die Evangelisierung der Völker zu nennen. Das jüngste Konzil hat die Befugnisse der "Missionskongregation" nicht beschnitten, vielmehr bestimmt: "Für alle Missionen und die gesamte missionarische Tätigkeit soll nur eine einzige Kongregation zuständig sein, nämlich die 'Zur Verbreitung des Glaubens'; ihr steht es zu, die missionarischen Belange auf der ganzen Welt, die Missionsarbeit und die Missionshilfe, zu leiten und zu koordinieren, unbeschadet jedoch des Rechtes der Orientalischen Kirchen." [49] Es wird ihr ein großer Aufgabenkatalog zugeteilt, gleichzeitig aber unterstrichen, daß sie nicht ein reines Instrument der Verwaltung, sondern "ein Organ dynamischer Steuerung sei, das sich wissenschaftlicher Methoden und zeitgemäßer Arbeitsinstrumente bedient und dabei den heutigen theologischen, methodologischen und missionspastoralen Forschungsergebnissen Rechnung trägt." [50] Eine beachtenswerte Neuerung schuf das Konzil, indem es — nach mühsamen Verhandlungen — bestimmte, daß dem Zentralrat der Kongregation nicht nur Kardinäle angehören sollten, sondern "Bischöfe aus der ganzen Welt, nach Anhören der Bischofskonferenzen, wie auch Leiter der Institute und der Päpstlichen Missionswerke", und nicht nur mit beratender, sondern entscheidender Stimme.

5. Das Konzil ließ keinen Zweifel darüber, daß die oberste Instanz auch des Missionswerkes der Papst sei. Das wird ausdrücklich in AG 29 gesagt, ergibt sich aber auch aus zahlreichen anderen Texten. Eine sehr deutliche Aussage findet sich im Dekret über die Hirtenaufgabe der Bischöfe, wo es heißt: "In dieser Kirche besitzt der römische Bischof als Nachfolger des Petrus, dem Christus seine Schafe und Lämmer zu weiden anvertraute, aufgrund göttlicher Einsetzung die höchste, volle, unmittelbare und universale Seelsorgsgewalt."[51]

48 Vgl. AG 31
49 AG 29. Das neue Kirchenrecht spricht nur über die römische Kurie im allgemeinen, nicht über die einzelnen Kongregationen.
50 Ebd.
51 Christus Dominus 2

1.4.2 Entwicklung im evangelischen Raum

Die vielen Initiativen im 19. und 20. Jahrhundert weckten notwendigerweise das Bedürfnis nach Zusammenarbeit und Koordinierung. So forderten bereits zu Beginn des 19. Jahrhunderts die Bibelgesellschaften Europas und Amerikas engere ökumenische Zusammenarbeit. Im Jahre 1846 rief die "Evangelische Allianz", ein "Bruderbund des Gebetes gegen den Unglauben", zum gemeinsamen Gebet für die Einheit auf. 1855 bildete sich der Christliche Verein Junger Männer (CVJM) und 1894 der Junger Frauen (CVJF). Der Reformierte Weltbund erstand 1875. 1881 fand die Erste Methodistische Konferenz statt, 1882 die Lambeth-Konferenz der anglikanischen Kirchen. 1891 kam der Rat der Kongregationalisten zum ersten Mal zusammen. Die Bildung der evangelisch-lutherischen Konferenz von 1869 führte 1901 zum Lutherischen Einigungswerk und 1947 zum Lutherischen Weltbund. [52]

Für die Zusammenarbeit auf missionarischem Sektor kamen von dem 1895 gegründeten Christlichen Studenten-Weltbund kräftige Anstöße. Dieser stand unter der dynamischen Leitung von J.R. Mott (1865–1955), der als Holzfäller begann, im CVJM seine geistliche Formung erhielt und im Jahre 1900 das viel beachtete Buch veröffentlichte: Die Evangelisation der Welt in dieser Generation.[53] J.R. Mott wurde die Seele der Weltmissionskonferenz von Edinburgh 1910, die er selber als "die bemerkenswerteste Versammlung, die jemals im Interesse der Evangelisation der Welt gehalten wurde", bezeichnete. Sie war zwar nicht die erste, aber doch die bis dahin größte Missionskonferenz, mit 1200 Delegierten als Vertreter von 150 Missionsgesellschaften nichtkatholischer und nichtorthodoxer Kirchen. Ihr wichtigstes Ergebnis war die Gründung eines Fortsetzungsausschusses, der sich um die Bildung von Regional- und Nationalkonferenzen bemühen sollte und 1921 zur Gründung des Internationalen Missionsrates (IMR) führte; dieser ging im Jahre 1961 als Kommission für Weltmission und Evangelisation (CWME) in den Weltrat der Kirchen (WCC resp. ÖRK) über. Ihr Publikationsorgan ist die Zeitschrift International Review of Missions (seit 1912). Die acht bereits im 2. Kapitel skizzierten Ökumenischen Missionskonferen-

---

52 Vgl. *R. Rouse/S.C. Neill* (Hrsg.), Geschichte der ökumenischen Bewegung (Göttingen 1958) 525 S.

53 Literatur zu J.R. Mott: *B. Mathews,* John R. Mott, World Citizen (London 1934); *ders.,* Addressees and Papers of J.R. Mott, 6 Bde (New York 1946); *R.C. Mackie* u. a., Layman Extraordinary (London 1965); *G. Wegener,* John Mott, Weltbürger und Christ (Wuppertal 1965); *H. Hopkins,* John R. Mott, 1865–1955: A Biography (Grand Rapids 1980); *ders.,* The Legacy of John R. Mott. International Bulletin of Missionary Research 5 (1981) 70–73

zen sind ein Spiegelbild der Entwicklung des Missionsgedankens in diesem Jahrhundert. Ph. Potter sagte in Melbourne: "Das war eine lange Pilgerfahrt von Edinburgh nach Melbourne — und das darf sie auch sein, weil bedeutende Ereignisse stattgefunden haben, sowohl im Leben der Völker und Nationen als auch in den Kirchen durch die missionarische Bewegung. Was an dieser Zeitperiode bemerkenswert ist, ist die außerordentliche Kühnheit, der Mut, die Rücksichtnahme, der Glaube, die Hoffnung und Liebe, die von all denen gezeigt wurden, die in dieser großen Bewegung engagiert waren."[54]

Im Grunde ging es in den Diskussionen seit der Missionskonferenz in Whitby 1947 um die Frage der Beziehungen zwischen den sogenannten jungen Kirchen Asiens und Afrikas und den westlichen Missionsorganisationen, anders ausgedrückt, um die legitime Trägerschaft der Mission. Es war eigentlich ein logischer Prozeß. Die jungen Kirchen in Asien und Afrika wuchsen, wurden immer selbständiger und übernahmen selber Missionsverantwortung in ihrer Umwelt. Das hatte zur Folge, daß die westlichen Organisationen ihre Monopolstellung verloren, ja teilweise vollkommen in Frage gestellt wurden. Der eigentliche Wendepunkt wurde die Missionskonferenz in Bangkok, wo die drei richtungweisenden Antworten formuliert wurden:

1. Westliche Missionsorganisationen und Kirchen müssen zusammen mit den jungen Kirchen in Asien und Afrika "in Partnerschaft" missionarische Verantwortung wahrnehmen.

2. Mission ist der Auftrag des auferstandenen Herrn an seine ganze Kirche und kann deshalb nicht Privatunternehmen von "Missionsfreunden" bleiben. Träger der Mission ist also die Kirche — genauer die örtliche Kirche in ihrer jeweiligen Situation.

3. Mission in einer säkularen, von der technischen Zivilisation bestimmten Welt kann nicht mehr ausschließlich als geographische, kulturelle und religiöse Grenzüberschreitung beschrieben werden, sondern (in den Worten von Mexico City): "Die christliche Gemeinschaft muß erkennen, daß Gott sie in die säkulare Welt sendet. Christen müssen ihren Platz ausfüllen, wo immer sie hingestellt sind — im Büro, in der Fabrik, in der Schule oder in der Landwirtschaft, im Kampf um den Frieden und eine gerechte Ordnung in den Beziehungen zwischen den verschiedenen sozialen und rassischen Bereichen."[55]

Der Prozeß des Umdenkens für die traditionellen Missionsgesellschaften war nicht immer leicht. Schwieriger war es, die von der verän-

---

54 *M. Lehmann-Habeck*, Dein Reich komme (Frankfurt a. M. 1980) 85
55 Vgl. *G. Hoffman*, Von Bangkok nach Melbourne. In: *M. Lehmann-Habeck* aaO 15f.

derten Situation geforderten neuen Strukturen zu finden. Daß ausländische Missionare nicht mehr eine Führerrolle in den jungen Kirchen erwarten können, ist von allen erkannt und anerkannt. Daß ihre Mithilfe aber auch heute noch ihre Bedeutung hat, wird vor allem von den Leitern der jungen Kirchen betont. Am 12.11.1979 formulierte die Delegiertenversammlung der Basler Mission ihre Grundsätze und Richtlinien neu. Darin heißt es:

Nr. 5 "Dem missionarischen Auftrag verpflichtet, versteht sich die Basler Mission als eine Gemeinschaft, die eng mit ihren Partnern in Übersee und in der Heimat zusammenarbeitet."

Nr. 8 "Wir anerkennen die Aufgabe, die aus der Arbeit früherer Missionare entstandenen Kirchen in echter Partnerschaft zu begleiten und wo nötig zu unterstützen. Andererseits haben wir (auch bei neuen Partnerkirchen) darauf hinzuwirken, daß diese Kirchen zur Selbständigkeit und zur Unabhängigkeit geführt werden. In regelmäßigen Konsultationen mit diesen Kirchen setzen wir uns dafür ein, daß das Evangelium auch in jene Regionen und Bereiche gebracht wird, wo es noch nicht oder nicht mehr bekannt ist (Apg 1,8; 16,6—10; Röm 15,18—21, 28—29)."[56]

2. VOLLZUG DER MISSION

Man kann über "Vollzug der Mission" nicht sprechen, ohne sich darüber zu vergewissern, daß der eigentlich Handelnde Gott ist und alles menschliche Tun nur begleitendes Tun ist. Th. Ohm drückte das so aus: "Was die Glaubensboten und ihre Helfer in der Mission oder für die Mission erreichen, tun und erreichen sie nur, weil ihr Wirken vom Wirken Gottes verursacht, begleitet und getragen, weil es von Gott vorbereitet, unterstützt und nachbereitet wird. Gott ist es, der die Welt bekehrt, die Menschen und Völker heimholt, die Kirche von den Himmeln herabsteigen läßt und die, welche 'foris' sind, in seiner Kirche sammelt."[57] Dasselbe, wenn auch in sehr verschiedenen Worten, sagte J. Jeremias: "Die Mission ist ein Stück Enderfüllung, Tatbeweis Gottes für die Inthronisation des Menschensohnes, sich schon jetzt realisierende Eschatologie. Sie ist Mitwirkendürfen an der gnadenweise geschenkten Vorweggabe der Stunde des Gottesheils, das Jesaias schildert: Die Heiden am Tische Gottes beim heiligen Mahl (25,6), die Hülle über ihren Augen zerrissen

---

56 Basler Mission 1980: Grundsätze und Richtlinien für die achtziger Jahre (Faltblatt)
57 Machet zu Jüngern alle Völker 501

(25,7), der Tod vernichtet auf ewig (25,8)."[58] Nur unter dieser Voraussetzung haben die Ausführungen des nun folgenden Kapitels ihren Sinn, erhalten sie allerdings ihren vollen Sinn.

2.1 Samenkörner des Wortes Gottes

Es war nie so, daß der Missionar in eine absolut Gott-ferne Welt kam. Schon der Missionar Paulus wußte von göttlicher Offenbarung unter den "Heiden": "Was man von Gott erkennen kann, ist ihnen offenbar; Gott hat es ihnen offenbart" (Röm 1,19). Nach Apg 14,17 bezeugt sich Gott dadurch, daß er gut zu den Menschen ist: "Er gab euch vom Himmel her Regen und fruchtbare Zeiten; mit Nahrung und Freude erfüllte er euer Herz." Justin der Märtyrer war überzeugt, daß schon lange vor der Menschwerdung des Logos dieser die griechischen Weisen erleuchtet habe. [59] Klemens von Alexandrien hielt die Philosophie der Griechen für eine "Vorschule Christi", so wie es das Gesetz für die Juden war. [60] Minucius Felix bezeichnete die Philosophen der Vorzeit als Christen.[61] Origenes sah in der Lehre der Christen die Vollendung der Weisheit der hellenistischen Denker. [62] Augustinus schrieb: "Die Sache, die jetzt christliche Religion heißt, war schon bei den Alten da und fehlte nicht von Anbeginn des Menschengeschlechtes; von Christus an begann sie, die schon da war, den Namen der christlichen Religion zu tragen."[63]

Diese positive Sicht der Religionen trat wohl bald, und zwar bis ins 12. und 13. Jahrhundert hinein, zurück, aber im Zuge der Auflösung der mittelalterlich-christlichen Kultureinheit wurde sie wieder aktuell. Thomas von Aquin, Ramón Llull, Roger Bacon und andere, später Nikolaus Cusanus, Erasmus von Rotterdam und andere sahen keine Schwierigkeiten darin, den Werten in der nichtchristlichen Welt und ihrer Religionen nachzuspüren und sie als Werte anzuerkennen. Als "Samenkörner des Wortes Gottes" bezeichnete man sie, oder "logoi spermatikoi", wie die Väter sich ausdrückten: Ahnungen, Analogien, Wahrheiten und Werte, die in den Religionen, noch vor der Verkündigung des Evangeliums und praktisch unabhängig von ihr, vorhanden sind und in Gebet, Opfern, Verlangen nach Läuterung und Heil ihren Ausdruck fin-

58 Jesu Verheißung für die Völker 63
59 Apol. II, 8
60 Strom. I, 3—7
61 Octavius c. 20
62 Vgl. *Eusebius*, Hist. eccl. VI, 19
63 Retract. I, 13, 3

104

den.[64]

Wenn Gott das Heil aller Menschen will (vgl. 1 Tim 2,4) und wenn es wahr ist, daß es kein Heil "an Christus vorbei" gibt, muß es "Heilselemente" wenigstens in der vorchristlichen Welt, logischerweise aber auch in der nichtchristlichen Welt nach der Menschwerdung des Logos geben, und "nichtchristliche Welt" kann in diesem Kontext nur "nichtchristliche Religionen" bedeuten. K. Rahner geht soweit, von einer "Legitimität" nichtchristlicher Religionen zu sprechen. Er entwickelt seinen Gedankengang in folgenden zwei Stufen.[65]

1. Die konkreten nichtchristlichen Religionen enthalten nicht nur Elemente einer natürlichen Gotteserkenntnis, vermischt mit erbsündlicher und weiter darauf und daraus folgender menschlicher Depravation, sondern auch übernatürliche Momente aus der Gnade, die dem Menschen wegen Christus von Gott geschenkt wird. Das bedeutet nicht, daß polytheistische Elemente und andere Verirrungen übersehen werden sollten und man nicht dagegen protestieren darf; das Christentum hat das immer getan und die Hl. Schrift auch. Das bedeutet aber auch nicht, daß es nicht auch echte religiöse Elemente in den Religionen gibt; schon das Alte Testament kannte fromme, gottgefällige Heiden; Paulus geht in der Areopagrede von einer positiven Sicht der Religionen aus. Der theologische Grund dafür liegt einfach darin, daß Gott nach christlicher Überzeugung ernsthaft das Heil aller Menschen will, und zwar zu allen Zeiten, auch in der nachparadiesischen Zeit und außerhalb der Grenzen des Christentums überhaupt. "Und dieses so gewollte Heil ist Heil Christi, ist das Heil der übernatürlichen, den Menschen vergöttlichenden Gnade, das Heil der Visio beatifica, ist ein Heil, das wirklich all den Menschen zugedacht ist, die zu Millionen und Abermillionen in vielleicht einer Million Jahren vor Christus lebten und auch seit Christus doch in Volksgeschichten, Kulturen und Epochen vom größtem Umfang lebten, die dem Gesichtskreis der neutestamentlichen Menschen noch ganz entzogen waren" (144f.). Christus und seine Ganzhingabe am Kreuz sind etwas so Ungeheuerliches, daß man es sich unmöglich vorstellen kann, daß die unzähligen Menschen außerhalb des "amtlichen und öffentlichen Christentums" alle verworfen sein sollten.

2. Die nichtchristlichen Religionen haben in der Heilsprovidenz Gottes

---

64 Vgl. *H.R. Schlette*, Die Religionen als Thema der Theologie. QD 22 (Freiburg – Basel – Wien 1963) 22f.

65 Vgl. Das Christentum und die nichtchristlichen Religionen. In: Schriften zur Theologie V, 143–154

einen positiven Sinn und können deshalb nicht von vornherein als illegitim betrachtet werden. Legitim heißt hier, daß Gott die Religionen zur Vermittlung des Heils benutzt und sie positiv in seinen Heilsplan "einkalkuliert". Wie die alttestamentliche Religion trotz aller Vorläufigkeit und Verderbbarkeit für die Israeliten "die von Gott gewollte, heilshaft für die Israeliten providentielle, die legitime Religion" war (149), können auch die übrigen Religionen als legitim bezeichnet werden, da in ihnen die Beziehung zum Absoluten "thematisch" geworden ist und die übernatürliche Gnadenhaftigkeit des Menschen zum Gestaltungsmoment des konkreten Lebens wird. Nicht das Depravierte ist in den Religionen das Entscheidende — das gilt auch für das Juden- und Christentum in ihrer konkreten Gestalt —, sondern die echten religiösen Akte, die um des wahren Gottes willen vollzogen werden und die selbst im Rahmen des polytheistischen Systems möglich sind. Wegen der sozialen Grundverfaßtheit des Menschen ist es unvorstellbar, daß der einzelne Mensch seine Verbundenheit mit Gott in einer "absolut privaten Innerlichkeit" findet; näher liegt es, daß sie in der "faktischen, sich ihm anbietenden Religion seiner Umwelt" zuteil wird. "Die Eingebettetheit der individuellen Religionsausübung in eine gesellschaftliche, religiöse Ordnung gehört zu den Wesenszügen wahrer, konkreter Religion" (151). Es geht sicher nicht an, die nichtchristlichen Religionen "als ein Konglomerat aus natürlicher theistischer Metaphysik und menschlicher verkehrter Interpretation und Institutionalisierung" der "natürlichen Religion" zu betrachen: "Die konkreten Religionen müssen Momente übernatürlicher, gnadenhafter Art an sich tragen und in i h r e r Praxis konnte der vorchristliche Mensch (den es vermutlich bis auf unsere Tage gibt, wenn auch diese Tage h e u t e allmählich aufhören) die Gnade Gottes erreichen" (153). So sehr all das Gesagte wahr sei, warnte Rahner ausdrücklich davor, a l l e Elemente einer Religion für legitim zu erachten, eine j e d e Religion für legitim zu halten, eine jede Religion f ü r s i c h s e l b e r als erlaubt zu betrachten; vielmehr habe jeder Mensch die Pflicht zu prüfen, w e l c h e Religion "nach seinem Gewissen hic et nunc der im ganzen richtigere und so für ihn in concreto einzig erlaubte Weg des Gottfindens sei".

Soweit Rahner. Er ist oft angegriffen worden. Wenn man auf das Ganze der Geschichte der Theologie zurückblickt, wird man kaum sagen können, daß seine Aussagen über die nichtchristlichen Religionen, und noch weniger die des Zweiten Vaticanum, so revolutionär sind, wie oft dargestellt wird. Daß Gott das Heil allen Menschen anbietet, betrachtet die katholische Kirche als Glaubenslehre. Wiederholt haben Konzilien und Päpste erklärt, daß es ein Irrtum sei, daß "außerhalb der Kirche keine Gnade gewährt wird".[66] Als der amerikanische Jesuit Feeney die Ansicht vertrat, daß die explizite Zugehörigkeit zur römisch-katholischen Kirche heilsnotwendig sei, wurde das vom Hl. Offizium mit Berufung auf die tridentinische Lehre vom Votum Sacramenti ausdrücklich verworfen.[67] Das Zweite Vatikanische Konzil stellte die Lehre über die Kirche unter das weltumfassende Thema: "Christus ist das Licht der Völker"[68] und anerkannte, daß auch außerhalb des Gefüges der Kirche "Elemente der Heiligung und der Wahrheit zu finden sind, die als der Kirche Christi eigene Gaben auf die katholische Einheit drängen".[69] Das Missionsdekret sagt vorsichtig: "Dieser umfassende Plan Gottes für das Heil des Menschengeschlechtes wird nicht allein auf eine gleichsam in der Innerlichkeit des Menschen verborgene Weise verwirklicht, ebenso nicht bloß durch Bemühungen, auch religiöser Art, mit denen die Menschen Gott auf vielfältige Weise suchen, ob sie ihn vielleicht berühren oder finden möchten, wiewohl er nicht ferne ist von einem jeden von uns."[70] Das Dekret über die Offenbarung sagt über die "vorchristliche" Zeit: "Gott, der durch das Wort alles erschafft (vgl. Jo 1,3) und erhält, gibt den Menschen jederzeit in den geschaffenen Dingen Zeugnis von sich (vgl. Röm 1,19f.). Da er aber den Weg übernatürlichen Heiles eröffnen wollte, hat er darüber hinaus sich selbst schon am Anfang den Stammeltern kundgetan. Nach ihrem Fall hat er sie wiederaufgerichtet in Hoffnung auf das Heil, indem er die Erlösung versprach (vgl. Gn 3, 15). Ohne Unterlaß hat er für das Menschengeschlecht gesorgt, um allen das ewige Leben zu geben, die das Heil suchen durch Ausdauer im guten Handeln (vgl. Röm 2,6f.)."[71]

Wer eine kontinuierliche Heilsoffenbarung Gottes, wie sie hier dargestellt ist, annimmt, wird keine ernstliche Schwierigkeit haben mit der Erklärung des Konzils über das Verhältnis der Kirche zu den nichtchristlichen Religionen. Schwieriger hatten es damit viele Kreise der protestantischen Theologie. Der Deutsche Evangelische Missions-Rat erklärte am 4.1.1967 nach gründlichen Vorstudien: "Wir können aber nicht verschweigen, daß wir die Sicht, in der die römisch-katholische Kirche sich selbst versteht und aus der sie ihr Verhältnis zur Welt und zu den Religionen in den Konzilsdokumenten bestimmt, nicht teilen und mit dem Evangelium von der Rechtfertigung des Sünders nicht in Einklang bringen können. Die Darstellung der nichtchristlichen Religionen in den

66 So Clemens XI gegen Paschasius Quesnel. Denzinger 1379
67 Denzinger-Schönmetzer 3872
68 LG 1
69 LG 8
70 AG 3
71 Dei Verbum 3

Konzilsdokumenten ist einseitig. Sie wird der Wirklichkeit nicht gerecht, weil sie von der Hinordnung der Religionen auf die Kirche bestimmt ist, die im Verständnis der natürlichen Offenbarung ihre Begründung hat."[72]

In allen neueren Stellungnahmen zu den nichtchristlichen Religionen protestantischerseits spielt das "Evangelium von der Rechtfertigung des Sünders" eine erhebliche Rolle. H.G. Fritzsche, der aus seiner Kenntnis der Religionen und ihrem Vergleich mit dem Christentum durchaus gemeinsame Themen, gemeinsame Feststellungen, gemeinsame Antworten sah, bleibt theologisch im Rahmen der Karl Barthschen Christologie: Wenn sich in den nichtchristlichen Religionen Elemente christlicher Offenbarung finden, sind sie nur "von der Bibel her" erklärbar: *"ursprünglich* aus Natur und Geschichte heraus gibt es keine Offenbarung Gottes";[73] selbst die ostasiatischen Erlösungsreligionen seien, da sie Christus nicht haben, "Gesetzeswerke" und "psychologische Religionen". C.H. Ratschow glaubt in den Religionen eine wirkliche und aktive "Gegenwart Gottes" zu erkennen; diese sei "das zentrale Geschehen in den Religionen: Das ist Gott! Sein Hervortreten, Seine Präsenz, Sein Heil und Seine Versöhnung sind das Subjekt und der Kern allen religiösen Tuns. Das erste Bewegende in allen Religionen ist die Unwiderstehlichkeit des Gottes".[74] Er ist auch der Meinung, daß "alle Religionen als Religionen Erlösungs-Religionen sind".[75] In der überraschenden Parallelität des christlichen Glaubens und nichtchristlicher Glaubensbekenntnisse sieht er die Möglichkeit eines wirklichen Dialogs. Trotzdem aber vermag er aus "christologischer Überlegung" heraus[76] eine theologisch positive Wertung der Religionen nicht zu bejahen, da sie eben Selbstrechtfertigung durch Gesetzeserfüllung sind und nicht durch Glaube. Auch W. Pannenberg sieht "Gottes Gegenwart" in der Geschichte der Religionen. Er erkennt sie in der allgemeinen "Fraglichkeit" des Menschen, in seiner Weltoffenheit, in seiner Suche nach Wirklichkeit und Ganzheit: "Die in der jeweiligen Erfahrung der Wirklichkeit im Hinblick auf ihre Ganzheit — als Weltbegegnende Macht, die als die einende Einheit jenes Ganzen in Erscheinung tritt, ist die Wirklichkeit, mit der es die Religionen zu tun haben und die — wenn sie sich personhaft manifestiert — allein 'Gott' heißen darf."[77] Hier sieht er die Voraussetzung für Dialog. Jesus Christus ist die "endgültige Offenbarung Gottes, sofern in ihm das

72 EMZ 24 (1967) 36
73 Lehrbuch der Dogmatik 1 (Göttingen 1964) 296
74 Die Religionen und das Christentum (Berlin 1967) 105
75 Die Möglichkeit des Dialogs angesichts des Anspruchs der Religionen. In: Evangelische Mission — Jahrbuch 1970, 111
76 Die Religionen und das Christentum 128
77 Grundfragen systematischer Theologie (Göttingen 1967) 285f.

Ende der Geschichte erschienen ist, in seiner eschatologischen Botschaft, wie durch seine Auferweckung von den Toten".[78] Das unlösbare Problem für ihn aber liegt darin, wie der Mensch aus seiner "Fraglichkeit" herauskommen kann v o r dem "Ende", d. h., bevor Christus sich offenbart: "Das Problem liegt nur darin, ob die Fraglichkeit des Daseins sich erst von der Antwort in der Offenbarung her enthüllt oder ob sie allgemein zugänglich ist. Nicht nur Bultmann, auch Tillich und Ebeling möchten an dem für Barth entscheidenden Gesichtspunkte festhalten, daß die Fraglichkeit des menschlichen Daseins und aller endlichen Wirklichkeit überhaupt erst von der göttlichen Antwort her in ihrem wahren Sinn zu verstehen ist."[79]

Im ganzen ist die Beurteilung der Religionen seitens der protestantischen Theologen und Missiologen kritischer als die der Katholiken. G. Rosenkranz lehnt den Begriff "logos spermatikos" als ein "lebensgefährliches Symptom" ab.[80] W. Holsten betont das "Christus allein" und "durch Glaube allein" so stark, daß für Offenbarung und Heil in den Religionen kaum Raum bleibt.[81] Missiologen wie G.F. Vicedom, H.-W. Gensichen und H. Bürkle sprechen wohl grundsätzlich positiv über die Religionen und befürworten den "Dialog", über H e i l s offenbarung i n den Religionen aber sprechen sie sich unklar aus. Den Rahnerschen Begriff "anonymer Christen" lehnen aus (theologischen und) praktischen Gründen fast alle ab. H. Bürkle zitiert in diesem Zusammenhang eine Richtigstellung Ghandis, der am 28.7.1925 sagte: "Ich bin ... kein Christ — und ich bin hier, um Ihnen in aller Bescheidenheit zu sagen, daß der Hinduglaube, so wie ich ihn verstehe, meine Seele vollständig befriedigt und mein ganzes Wesen ausfüllt."[82]

Die Diskussion ist weder auf protestantischer noch auf katholischer Seite zum Abschluß gelangt. Das Apostolische Schreiben Evangelii Nuntiandi spricht in erhebenden Worten über die nichtchristlichen Religionen und die "Samenkörner des Wortes Gottes" in ihnen, statuiert dann aber ernüchternd: "Unsere Religion stellt tatsächlich eine echte und lebendige Verbindung mit Gott her, was den übrigen Religionen nicht ge-

---

78 Die Offenbarung Gottes in Jesus von Nazareth. In: *J.M. Robinson/J.B. Cobb*, Theologie der Geschichte (Zürich — Stuttgart 1967) 159
79 Die Frage nach Gott. In: Grundfragen systematischer Theologie 371
80 Wege und Grenzen der religionswissenschaftlichen Erkenntnis. In: Religionswissenschaft und Theologie (1964) 21
81 Vgl. Das Kerygma und der Mensch (München 1953) 43—55
82 Missionstheologie 59. Eine gründliche Studie der diesbezüglichen protestantischen Theologie wurde vorgelegt von *P. Knitter*, Towards a Protestant Theology of Religions: A Case Study of Paul Althaus and Contemporary Attitudes. Marburger Theologische Studien 11 (Marburg 1974) 273 S.

lingt, auch wenn sie sozusagen ihre Arme zum Himmel ausstrecken."[83] Das Genfer Dokument *Mission and Evangelism: An Ecumenical Affirmation* sagt sehr deutlich, daß Jesus Christus das Heil ist, läßt aber die Frage, "in welcher Weise die Anhänger verschiedener religiöser Überzeugungen Zugang zu diesem Leben haben", offen.[84]

2.2 Dialog

Wo grundsätzlich guter Wille vorhanden ist, besteht die Möglichkeit des Dialogs. Dieser ist leichter von Herz zu Herz, warum aber nicht auch von Gruppe zu Gruppe, von Anhängern einer religiösen Gemeinschaft zur andern, von Religionsgemeinschaft zu Religionsgemeinschaft? Wenn Religion die Objektivation religiöser Erfahrung einer Gemeinschaft ist — in der trotz aller Verirrungen Gott mit seiner Gnade gegenwärtig ist — ist immer die Voraussetzung für Dialog gegeben. Das gilt schon vor der Berührung einer "Religion" mit dem Christentum, das gilt um so mehr, wenn, wie z. B. in Japan, 51 % aller Familien eine Bibel besitzen und 53,5 % der Universitätsstudenten und 73 % der Studentinnen sich als "Sympathisanten" des Christentums bezeichnen. Papst Johannes XXIII suchte in seiner Enzyklika Pacem in terris (1963) bewußt den Dialog mit "allen Menschen guten Willens". Papst Paul VI begann sein Pontifikat mit der Dialog-Enzyklika Ecclesiam Suam (1964). Das Zweite Vatikanische Konzil bekannte sich zum Dialog mit andern Weltanschauungen und Ideologien (Gaudium et Spes) und auch mit den nichtchristlichen Religionen (Nostra Aetate und Dignitatis humanae). Die Teilnehmer an der Zweiten Vollversammlung der Vereinigung asiatischer Bischofskonferenzen (Kalkutta 1978) erklärten: "Wir betonen noch einmal die Bedeutung des Dialogs mit andern asiatischen religiösen Traditionen. Die Spiritualität, die die Religionen unseres Kontinentes auszeichnet, betont die tiefere Kenntnis von Gott und dem eigenen Selbst in Sammlung, Schweigen und Gebet, in der Offenheit zum andern, in Mitleid, in Gewaltlosigkeit und Großzügigkeit. Diese und andere Gaben können sehr viel zu unserer eigenen Spiritualität beitragen, die dadurch in ihrer Christlichkeit bereichert werden kann."[85]

Die theologische Begründung des Dialogs ergibt sich aus dem im letzten Abschnitt Gesagten. Wiewohl in jedem einzelnen Menschen und auch in jeder konkreten Gemeinschaft Verderbnis ist, ist Gott den Menschen nicht fern, er liebt sie, er sucht sie, er begleitet sie mit seiner Gna-

83 EN 53
84 Nr. 42
85 FABC Papers Nr. 25, 7f.

110

de, er gibt ihnen — die Weise kennt er allein — die Chance zum "Gehorsam des Glaubens". Sobald das Wort des Glaubens gesagt ist, sind sie Gerechtfertigte, sind sie der Gnade der Kindschaft teilhaftig, sind sie nicht nur der Berufung nach, sondern in Wirklichkeit "Kinder Gottes", unsere Brüder, uns tiefer verbunden als Familienbande verbinden können; zwar nicht bewußt, aber doch wirklich, zwar nicht in sichtbarer Gemeinschaft, aber doch lebensmäßig mit uns verbunden. Ghandi lehnte es aber ab, der sichtbaren Gemeinschaft der Kirche anzugehören, und in diesem Sinne war er nicht "Christ"; aber war er deshalb nicht in der Gnade? Es ist ein altes christliches Axiom: Wer das Seine tut, dem versagt Gott nicht sein Heil. In diesem Sinne dürfte zu verstehen sein, was ein Genfer Dokument über die "theologische" Einordnung von Menschen anderer Religionen und Ideologien sagte: "Christen, die sich um ehrlichen Dialog mit Menschen anderer Glaubensüberzeugungen und Ideologien bemühen, kommen nicht an der ernsten Frage vorbei, welchen Platz diese Menschen im Handeln Gottes in der Geschichte einnehmen. Sie stellen diese Fragen nicht theoretisch, sondern möchten wissen, was Gott wohl tun mag im Leben von hunderten Millionen Menschen, die mit Christen zusammenlebend ihre Gemeinschaft suchen, aber auf verschiedenen Wegen. Darum soll man den Dialog mehr mit den Menschen suchen, die anderen Glaubensüberzeugungen und Ideologien angehören, und weniger mit theoretischen und unpersönlichen Systemen."[86]

Dialog wird oft mißverstanden. Buddhisten, Hindus und Muslime werfen uns vor, daß wir sie auf Umwegen "bekehren" wollen, nachdem der Weg der direkten Verkündigung nicht geglückt ist. Nicht gerade die schlechtesten Christen klagen uns an, daß wir durch Dialog den Glauben verwässern und daß der "Dialog" das Mandatum des Herrn, alle Völker zu Jüngern zu machen, immer mehr in den Hintergrund drängt. Es muß auch zugegeben werden, daß Dialog schwer ist. Er setzt Kenntnis voraus, die Fähigkeit zuzuhören, Geduld, Lernbereitschaft, auch einen kritischen Sinn. Es ist nicht wenig, was das eben zitierte Genfer Dokument vom Dialogierenden fordert: [87]

a. Reue: Wir wissen, wie leicht Gottes Offenbarung in Jesus Christus mißdeutet werden kann, wie wenig unser Tun ihr entspricht, wie oft wir uns als Eigentümer der göttlichen Wahrheit ausgeben, wo wir sie doch in Wirklichkeit unverdienterweise als Gnade empfangen.

b. Demut: Wir finden auch in anderen Religionen und Ideologien

---

86 Guidelines on Dialogue with People of Living Faith and Ideologies (Geneva 1979) 11
87 Ebd. 12

eine Spiritualität, Hingabe, Mitleid und eine Weisheit, die uns davon abhalten sollte, von oben herab über andere zu urteilen. Wir sollten wissen, daß gutgemeinte Ausdrücke wie "anonyme Christen", "die Gegenwart Christi", der "unbekannte Christus" für die andern unverständlich und beleidigend sind.

c. Freude: Wir sind es nicht selber, die verkündigen: Jesus Christus ist bereits von vielen anderen erkannt als Prophet, Heiliger, Lehrer, Vorbild, von den Christen freilich bekannt als Herr und Erlöser, als der treue Zeuge und als der, der da kommen wird.

d. Redlichkeit: In der Haltung der Reue und demütiger Freude teilen wir andern unsere eigenen Erfahrungen mit und hören von ihren Überzeugungen und Ansichten. Das bedeutet Offenheit und Ausgesetztheit, die Bereitschaft, verwundet zu werden, wie auch Jesus Christus selber verwundbar war.

Die innere Wahrhaftigkeit des Dialogs und die Überzeugung, daß der Name Jesu allen verkündet werden müsse, sind keine Widersprüche. Der Respekt für die Überzeugung des andern schließt nicht aus, daß man sich einer "Sendung" verpflichtet weiß. Im Grunde kann sich die Kirche — und darum auch der einzelne Missionar — dem Auftrag, alle Völker zu Jüngern zu machen, nicht entziehen. Es gehört zum Wesen der Kirche, Zeichen des Heils für die ganze Welt zu sein, so kann sie nicht anders, als dieses Zeichen zu sein, allerdings in Demut, in der Gestalt, in der Jesus selber erschien: zu dienen und nicht bedient zu werden. Dialog ist eine Form der Kommunikation und als solcher absichtlos, christlicher Dialog kann aber nie vollkommen "neutral" sein. Er schließt jegliche Art von Zwang aus, den Gebrauch unredlicher Mittel, Verlockung, Überredung u. a. Er ist aber mehr als ein Gespräch über irgendwelche neutrale Themen. Er ist auch mehr als bloßer "Dialog der Kulturen". Er ist religiöser Dialog von der Überzeugung getragen, daß Christus einem jeden Menschen etwas bedeuten kann, daß das formelle Ja zu Christus und der Eintritt in die Gemeinschaft der Christus-Gläubigen bereichern, daß sie Teilnahme an der Fülle sind, die Jesus Christus den Menschen ist. Christlicher Dialog kann nicht davon abstrahieren, "apostolischer Dialog" zu sein. Ein Ofen, der glüht, entzündet. Dialogale Haltung ist immer und überall gefordert, christlicher Dialog aber ist bereits eine Form des Zeugnisses und der Verkündigung. Christlicher Dialog ist eine Form missionarischer Kommunikation und als solche "Teil der Kommunikation Gottes mit der Welt".[88]

88 *J.A. van Wyk*, Kommunikasie as sendingprobleem. In: Sendingwetenskap Vandag 105. Hier sei noch einmal auf die in Kap. IV Anm. 47 angeführte Literatur aufmerksam gemacht. Darüber hinaus: *H.J. Margull/S.J. Samartha* (Hrsg.), Dia-

So alt wie die Kirche selber ist die Erfahrung, daß die Liebe ein Zeugnis ist. Auf das "Sie lobten Gott und waren beim ganzen Volk beliebt" folgt der weitere Satz: "Und der Herr fügte täglich ihrer Gemeinschaft die hinzu, die gerettet werden sollten" (Apg 2,47). Als Gottesliebe, die zur Menschenliebe wird, ist Liebe absichtslos, sie will sich einfach verströmen, will gut sein, will helfen. Das "Mich erbarmt des Volkes" (Mt 15,32) sprach die Menschen immer an, regte zum Nachdenken an, riß Schleier von den Augen. Das Missionsdekret Ad Gentes setzte die Norm: "Wie Gott sich uns mit ungeschuldeter Liebe zugewandt hat, so sind auch die Gläubigen in ihrer Liebe auf den Menschen selbst bedacht und lieben ihn mit der gleichen Zuwendung, mit der Gott den Menschen gesucht hat" (AG 12). Gott ist Motiv und Norm der Liebe, christliche Liebe ist nichts anderes als die Ausweitung der Erlöserliebe Gottes in die Menschheit hinein. Gerade darum ist die Liebe Zeichen und Zeugnis.

Wer die Geschichte der Mission vorurteilsfrei betrachtet, wird feststellen: Trotz mancher Irrwege und menschlicher Fehlhaltungen ist die Geschichte der Mission als Ganze eine Geschichte der Liebe. Jesus selber heilte Krankheiten und Gebrechen, und Matthäus leitet die Wahl der Zwölfe mit dem Hinweis ein: "Als er die vielen Menschen sah, hatte er Mitleid mit ihnen" (Mt 9,36). Für Petrus bedeutete es ein Zeichen göttlicher Gegenwart in Jesus Christus, "wie dieser umherzog, Gutes tat und alle heilte, die in der Gewalt des Teufels waren" (Apg 10,38). Die Jünger haben den Herrn richtig verstanden, wenn sie die Liebe als das Hauptgebot des Christentums erkannten. Nach 2 Kor 3,2 soll die Gemeinde ein Brief sein, der nicht nur gelesen, sondern auch verstanden wird. "Seht wie sie einander lieben", stellten neutrale Beobachter verblüfft fest. Gerade die Missionare spürten, wie dringend die Christusferne Welt der Liebe bedarf, und arbeiteten in der ambulanten Krankenpflege, in der Betreuung von Alten, Gebrechlichen und an den Rand Gedrückten, in Apotheken, Krankenhäusern und Asylen verschiedener Art. Es ist ein Mißverständnis des Wesens des Christentums, wenn man

log mit den andern Religionen (Frankfurt a. M. 1972) 186 S.; *R. Friedli*, Fremdheit als Heimat: Auf der Suche nach einem Kriterium für den Dialog mit den Religionen (Fribourg 1974) 214 S.; *S.J. Samartha*, Courage for Dialogue: Ecumenical Issues in Interreligious Relationship (Geneva 1981) XIII + 157 S.; *A. Bsteh*, Mission und Dialog. In: Theologisch-Praktische Quartalschrift 132 (1984) 263–272; *J. Slomp*, Islammission: Bekehrungsintention oder Dialog? In: ZMiss 9 (1983) 165–174; *B.D. Kateregga/D.W. Shenk*, Islam and Christianity in Dialogue (Nairobi 1980) XX + 182 S.

heute vielfach die Lazarusgeschichte und die Erzählung vom barmherzigen Samaritan, gerade in sehr bedürftigen Ländern der Dritten Welt, als nicht zeitgemäß ablehnt.

Freilich sind heute die Augen sehr geschärft für das, was nur eine Karikatur der Liebe ist. Wer sich für ein Almosen von den Forderungen der sozialen Gerechtigkeit freikaufen will, handelt nicht barmherzig, sondern höchst ungerecht. Wer nur ein "Almosen" gibt, obwohl er angesichts dringender Not viel mehr tun könnte, kann sich von Schuld nicht freisprechen. Wer Werke persönlicher Frömmigkeit tut, wo akute fremde Not ihn fordert, handelt gegen den Sinn des Christentums. Wer Liebe übt mit dem ausschließlichen Motiv, neue Kirchenmitglieder zu gewinnen, mag korrekt handeln, aber es ist nicht Liebe.

Für institutionalisierte Liebe sind heute verschiedene Termini in Brauch: *Diakonia, zwischenkirchliche Hilfe, Caritas, Entwicklungshilfe, Gerechtigkeit und Dienst.* Darin kommen verschiedene Aspekte zum Ausdruck, aber allgemein gesprochen handelt es sich dabei um die soziale Seite des Christentums. Niemand zweifelt daran, daß diese wesentlich zum Christentum gehört, mag ihre Zuordnung auch verschieden interpretiert werden. Letzteres wird deutlich in den Schemata: Verkündigung, Gemeinschaft und Dienst; Zeugnis, Dienst und Einheit; integrales Missionsverständnis u. a. Inzwischen dürfte allgemein in den Kirchen bejaht werden, was die Gemeinsame Synode der Bistümer in der BRD (1975) in die Worte faßte: "Das Heil Christi bezieht sich daher nicht allein auf ein innerliches oder jenseitiges Leben. Es muß zugleich den ganzen Menschen und seinen gesamten Lebensbereich hier auf Erden umfassen. Doch kann es sich nicht in einer rein innerweltlichen Sinnerfüllung des menschlichen Lebens und der menschlichen Gesellschaft erschöpfen. Erst in der Verherrlichung Gottes findet der Mensch die eigentliche Sinnerfüllung seines Lebens. Das Heil meint stets die Gemeinschaft mit Gott und gleichzeitig die durch Christus ermöglichte Einheit der Menschen untereinander."[89] Deutlicher noch, weil konkreter, sagt es die Erklärung des WCC: "Eine Verkündigung, die den Armen der Erde die Verheißungen der Gerechtigkeit des Gottesreiches vorenthält, ist eine Karikatur christlichen Verständnisses von Gerechtigkeit, wenn Christen sich für Gerechtigkeit einsetzen, ohne auf die Verheißungen des Reiches hinzuweisen."[90] In der Theorie sind einseitige Kontrastierungen von "Vertikalismus" und "Horizontalismus", wie sie vor allem nach dem Kongreß von Uppsala (1968) vertreten wur-

89 Missionarischer Dienst in der Welt. In: Gemeinsame Synode der Bistümer in der BRD I, 824–825 (2.1.2)
90 Mission and Evangelism: An Ecumenical Affirmation. IRM 71 (1982) 441

den, weitgehend überwunden, in der Praxis spielen sie je nach Situation und persönlicher Haltung auch heute noch eine große Rolle.

2.3.1 Entwicklungshilfe

Entwicklungshilfe als Dienst am Menschen fällt durchaus in den Bereich der Mission; es hieße die Kirche in die "Sakristei" zurückdrängen, wollte man ihr die Kompetenz dafür absprechen und von ihr fordern, sich aus all dem herauszuhalten. Die Kirche wird selbstverständlich die diesbezüglichen Bemühungen der Staaten und privater Organisationen nicht behindern, sie vielmehr unterstützen, vielfach aber ist ihre Mitarbeit von der Situation her schlechterdings gefordert und oft genug ist ihre Mithilfe ein notwendiges Korrektiv. Nach längerem Experimentieren hat sich der kirchliche Entwicklungsdienst Normen gegeben, die auf längere Sicht hilfreich sein können und vor allem eine ungesunde Bettlermentalität auf seiten der Empfänger vermeiden.[91] Sie betonen Partnerschaft und wollen Hilfe zur Selbsthilfe sein. Sie verlangen Eigenleistung, und man teilt nicht willkürlich Geschenke aus. Die kirchliche Entwicklungshilfe arbeitet im allgemeinen durch vermittelnde Körperschaften im Lande selber.

So sehr die Normen der Entwicklungshilfe Anerkennung verdienen, ist es wichtig zu betonen, daß das "Arme-Lazarus-Ethos" (H. Gollwitzer) nicht aussterben sollte. R. Bultmann betonte, daß "Almosengeben" und soziale Gerechtigkeit das gleiche bedeuten,[92] und D. Bonhoeffer nennt das Almosen "den Ruf aus der Entzweiung, aus dem Abfall, zur Versöhnung, zur Einheit, zum Ursprung, zu dem neuen Leben, das allein in Jesus ist".[93] Als das Bischöfliche Hilfswerk "Misereor" gegründet wurde, sagte Kardinal Frings: "Bei dem hier zu gründenden Werk geht es nicht um ein Mittel der Mission, sondern um die Teilnahme an der Leibsorge des Herrn. Es geht nicht darum, den Gefahren auf politischem oder religiösem Gebiete zu begegnen, also auch nicht um eine Aktion, um dem Bolschewismus zuvorzukommen, sondern schlicht um die Betätigung der christlichen Barmherzigkeit."[94] Mit gleicher Motivierung begannen die Aktion "Brot für die Welt", die ökumenische Aktion "Brüderlich teilen", die vielen Fastenaktionen rund um den Erdkreis. Mit zunehmender Armut in der Welt wächst auch wieder das Verständnis für

---

91 Solche sind zusammengestellt in: *W. Kurrath* (Hrsg.), Damit die Hoffnung lebt ... : 20 Jahre Fastenaktion Misereor (Aachen 1978) 26—28

92 Vgl. "eleos" in ThWNT II, 474—483

93 Ethik 142ff.

94 In: *W. Kiefer/H.T. Risse*, Misereor: Ein Abenteuer der christlichen Liebe (Mainz 1962) 16

"Hungerhilfe". Es gibt Notsituationen, in denen nur das "Almosen" hilft.

Dennoch kann das Prinzip *Hilfe zur Selbsthilfe* nicht groß genug geschrieben werden. So unentbehrlich "kurative" Hilfen in konkreten Situationen sind, man wird von vornherein auf "konstruktive" Maßnahmen bedacht sein müssen oder auf "strukturelle Wirksamkeit", wie man in der entwicklungspolitischen Diskussion sagt. Das macht es notwendig, daß die Ausbildung von landeseigenen Führungskräften von vornherein gefördert wird, daß die jeweiligen Empfängergruppen mitwirken, daß die sogenannten Entwicklungsländer selber die Schwerpunkte setzen, daß man auf dem aufbaut, "was der Partner tun will, vorausgesetzt, er hat das notwendige fachliche Wissen, um seine Pläne auch zu verwirklichen,"[95] daß das Entwicklungsprojekt im Lande selber integriert werden kann. Karl Osner, der seit 1959 im Bereich der kirchlichen Entwicklungshilfe und seit 1962 im Bundesministerium für wirtschaftliche Zusammenarbeit tätig ist, forderte "integrale Programme" und setzte dabei voraus, daß diese "von der Bevölkerung getragen und durchgeführt werden, sei es, daß Menschen einer Ansiedlung sich im Sinn der sozialen Gemeinde beteiligen, auch wenn sie noch nicht organisiert, noch 'informell' sind ... oder sei es, daß der Entwicklungsprozeß von sozialen Gruppierungen, Selbsthilfegruppen im urbanen Bereich oder von Bauernbewegungen mitgetragen wird".[96]

Wie solche Hilfe zur Selbsthilfe konkret aussieht, schildert Jeffrey Pereira, zuständig für Entwicklungsfragen in Dacca (Bangladesh), in einem Beitrag "Wir sind wählerische Bettler".[97] Bangladesh, mehr als andere Länder ein Katastrophenland, wurde 1970 von einem Monsum heimgesucht, der 700.000 Menschen obdachlos machte. 1971 erfolgte ein politischer Umbruch, der 7 Millionen Menschen nach Indien fliehen ließ. 1974 kam eine neue Flutwelle, die 17 von 19 Distrikten überschwemmte. Die Hilfe für diese heimgesuchte Bevölkerung vollzog sich in fünf Stufen. In der ersten Phase ging es darum, zur Behebung der größten Not Behelfslager zu errichten und die Leute mit Nahrung, Kleidern, Gerät und Medikamenten zu versorgen. Die zweite Phase war ein Obdachprogramm: Man rodete den Dschungel und bereitete den Boden für einfache Unterkünfte aus Bambus, Hundzahngras und Eisenblech. In der dritten Phase ging es um Produktion: Um den selbstbewußten Bauern das Gefühl zu geben, daß sie allmählich wieder selber für ihre

95 *K. Osner*, Starthilfe für eine gerechtere Welt. In: *W. Kurrath* (Hrsg.), Damit die Hoffnung lebt ... 100
96 Ebd. 103f.
97 In: Damit die Hoffnung lebt ... 137—150

täglichen Belange aufkommen konnten, erhielten sie nun für ihre Arbeit beim Straßen-, Deiche- und Brückenbau bares Geld ausgezahlt. In der vierten Phase gab man ihnen, damit sie in ihrem Beruf neu anfangen konnten, ein Startkapital, das sie aber, um nicht "eine nationale Almosenempfänger-Mentalität zu züchten", zur Hälfte wieder zurückzahlen mußten. An letzter Stelle stand dann ein langfristiges Entwicklungsprogramm, das Bewußtseinsbildung, Mobilisierung der vorhandenen Kräfte, partnerschaftliches Handeln, ein gutes mitmenschliches Klima und geeignete Ausbildungs- und Beratungsprogramme zum Inhalt hatte. Pereira faßt seine Erfahrungen in der Feststellung zusammen: "Gemeinsamer Wille wird nur durch die direkte Beteiligung der Menschen vor Ort erreicht, und das ist gleichzeitig wirkungsvolle Garantie für die erfolgreiche Weiterführung eines Projektes oder einer Hilfspolitik, selbst wenn diejenigen, die ursprünglich den Anstoß für ein Projekt gaben, in der Folge ausscheiden." [98]

Gerade auf dem Sektor der Entwicklungshilfe ist ökumenische Zusammenarbeit möglich und erstrebenswert. Um diese zu fördern, erstand schon vor der Vollversammlung von Uppsala die Kommission Sodepax, eine Kommission des Weltrates der Kirchen und der katholischen Kirche für Gesellschaft, Entwicklung und Friede. Die Erwartungen daran waren hoch geschraubt. Auf den Kongressen in Beirut (1968) und Montreal (1969) ging es um das Grundverständnis der Kommission. Während Beirut als "paternalistisch und gönnerhaft" kritisiert wurde, ging es in Montreal um Begriffe wie Humanisierung und Befreiung wie auch um die Forderung, sozio-politische Strukturen zu ändern. Es wurde u. a. ein ökumenischer Weltfonds für Entwicklungshilfe vorgeschlagen. Praktisch aber entwickelte sich Sodepax in der Hauptsache zu einem Konsultationsforum für Fragen wie "Theologie und Entwicklung" und "Hunger nach Gerechtigkeit", für eine zielstrebige Kommunikationsstrategie, für die Planungen der zweiten Entwicklungsdekade, für eine Reform des Weltwährungssystems usw. Gerade die Geschichte von Sodepax zeigt, daß eine als notwendig erkannte ökumenische Zusammenarbeit in der Durchführung auf ernste Schwierigkeiten stoßen kann.[99] Sodepax leitete einen "Integrationsprozeß" ein, aber — so dürfte richtig beobachtet sein: "Vielleicht vollzieht sich der in Gang gesetzte Integrationsprozeß in den kommenden Jahren nicht mehr so sehr zwischen den beiden Zentren in Genf und Rom, sondern verlagert sich stärker auf

---

98 Ebd. 148f.
99 Vgl. *K.H. Rudersdorf*, Das Entwicklungskonzept des Weltkirchenrates: Entstehung und Entwicklung des Konzepts der Entwicklungsförderung im Weltrat der Kirchen. SSIP-Schriften 22 (Saarbrücken 1975) 261—275

die jeweiligen nationalen und lokalen Ebenen." [100] Letzteres ist sicher zu befürworten, ersteres aber sollte ebenso im Auge behalten werden.

2.3.2 Gerechtigkeit und Frieden

Im Gespräch über *Gerechtigkeit* sollte der biblische Befund nicht unbeachtet bleiben. Im Alten Testament bedeutet Gerechtigkeit die Treue Gottes gegenüber seinem Bundesvolk, die in seiner Barmherzigkeit gründet, auf das Heil der Menschen zielt und sich gerade in der Not bewährt. Die Option Gottes für die Benachteiligten und an den Rand Gedrückten tritt bereits im Alten Testament zutage, wird aber besonders deutlich in der Lehre Jesu. In seine Nazaret-Rede legt er auf seine Sendung zu den Armen, Gefangenen und Zerschlagenen besonderes Gewicht (Lk 4,18f.), die Bergpredigt wurde sein eigentliches ethisches Programm.

Die Begriffe *kommutative, distributive* und *legale* Gerechtigkeit finden erst vom biblischen Verständnis her Tiefe und Motivation. Der Begriff der distributiven Gerechtigkeit, die vor allem den Herrscher angeht, wurde durch die Enzyklika Quadragesimo anno (1931) um den Begriff der *sozialen* Gerechtigkeit erweitert, so daß fortan nicht mehr so sehr gilt: "Jedem das Seine", sondern: "Jedes sozial-ethisch unverzichtbare Verhalten ist von Rechts wegen auch geboten" (O. v. Nell-Breuning). Der Aspekt der zwischenmenschlichen Solidarität, der hier herausgestellt wird, fand in der Enzyklika Populorum Progressio (1967) auf die Beziehungen der Völker zueinander Anwendung.

Die ökumenische Diskussion spitzte sich auf der Genfer Konferenz für Kirche und Gesellschaft (1966) zu. Über die rein "schützende Funktion" des Rechtes hinaus forderte man die "schöpferische" Funktion, d. h., es sollten durch Rechtssetzung gerechtere Strukturen geschaffen werden. Damit war nicht marxistischer Klassenkampf gemeint, wohl aber eine klare Stellungnahme gegen die Ausbeutung der Ärmeren

---

100 Ebd. 274. Es würde zu weit führen, die reiche Literatur zum Thema Entwicklungshilfe hier anzuführen, darum nur einige Hinweise: *K. Rennstich*, Mission und wirtschaftliche Entwicklung; *H. Zwiefelhofer* (Hrsg.), Entwicklung heißt: Befreiung und Gerechtigkeit (München 1983) 311 S.; *S. Baumgartner/F. Merz*, Entwicklungshilfe: Themen — Thesen — Aktionen (Aachen 1969) 120 S.; *A. Skriver*, Das Konzept der Hilfe ist falsch: Entwicklung in Abhängigkeit (Wuppertal 1977) 114 S.; *J.P. Agarval/M. Dippl/H.H. Glismann*, Wirkungen der Entwicklungshilfe: Bestandsaufnahme und Überprüfung für die zweite Entwicklungsphase (Köln 1984) 172 S. Als Überleitung zum folgenden Abschnitt: *K. Müller*, Kirchliche Entwicklungshilfe, ein Beitrag zu Gerechtigkeit und Frieden. In: *B. Mensen* (Hrsg.), Gerechtigkeit und Frieden (St. Augustin 1984) 59—80

durch die Herrschenden und sozial Starken. Es reifte auch immer mehr die Erkenntnis, daß viele heutige Wirtschaftsstrukturen geradezu ungerecht sind und eine neue Wirtschaftsethik notwendig wird. Die Fragen sind bis heute nicht ausdiskutiert. Zu viele theologische und ökonomische Axiome und Implikationen müssen gegeneinander abgewogen werden. Daß die Fragen aber gerade unter missionarischer Rücksicht brennend sind, liegt auf der Hand. Es genügt heute nicht mehr, den Blick der Menschen auf das Jenseits zu lenken — etwa mit dem so tröstlichen Wort Gregors des Großen: "Seinen Schöpfer zu schauen, ist der Mensch geschaffen, auf daß er seine Herrlichkeit suche und in der Festfeier seiner Liebe Wohnung nehme"[101] — die heutige Situation verlangt persönliches und gemeinschaftliches Engagement.

Das Wort *Friede* ist heute ein Reizwort und ideologisch schillernd wie kaum ein anderes. So vielschichtig das alttestamentliche Wort "Schalom" ist, so bedeutet es doch Ganzsein und Heil und wird bei den Propheten zum eschatologisch verheißenen Heil und zum weltumfassenden Frieden der Völker. Die Prophezeiung erfüllt sich in Jesus Christus, der "Ursakrament des Friedens Gottes" und "Sakrament des Friedens Gottes unter den Menschen" ist.[102] Jesus preist die Friedensstifter selig (Mt 5,9). Er predigt die Feindesliebe (Mt 5,44). Durch seinen Tod riß er die trennende Wand zwischen Juden und Heiden nieder (Eph 2,14). In ihm, der Frieden gestiftet hat durch sein Blut, will Gott alles versöhnen (Kol 1,20). Von ihm stammt allerdings auch das Wort: Nicht den Frieden zu bringen, bin ich gekommen, sondern das Schwert (Mt 10,34).

In allen Kirchen ist Friede heute ein zentrales Thema. "Angesichts der über alle Maßen gesteigerten Zerstörungskraft moderner Rüstung gewinnt der Ruf nach Frieden seine besondere Dringlichkeit", schrieb die Deutsche Bischofskonferenz.[103] Es ist bedrückend, daß in der Dritten Welt seit dem letzten Weltkrieg 130 Kriege geführt wurden, die 30 bis 35 Millionen Menschen das Leben gekostet haben.[104] Die Päpste ließen keinen Anlaß vorübergehen, zum Frieden aufzurufen. Der Ökumenische Rat der Kirchen befaßte sich auf fast allen Versammlungen mit dem Thema des Krieges, der Massenvernichtungsmittel, der Abrüstung, des Waffenverzichts, des Wettrüstens, des Militarismus. Die Denkschrift "Frieden wahren, fördern und erneuern" (1981) will — ähnlich wie

101 Patrologia Latina 75, 821 C
102 *D. Emeis*, Christus unser Friede. In: *P. Gordan*, Gerechtigkeit, Freiheit, Friede, 235 und 237
103 Gerechtigkeit schafft Frieden: Wort der Deutschen Bischofskonferenz zum Frieden (18.4.1983) 5
104 Ebd.

"Gerechtigkeit schafft Frieden" — eine grundlegende theologische Stellungnahme sein. Es wirkt sich katastrophal auf die Dritte Welt aus, wenn die Ausgaben für Militärbudgets auf Weltebene i. J. 1956 152 Milliarden Dollar und 1980 über 700 Milliarden Dollar betrugen und der Anteil der Dritten Welt im gleichen Zeitraum von 9 % auf 16 % stieg; um den Preis eines modernen Panzers könnte man Schulzimmer für 30.000 Kinder bauen, und um den Preis eines Unterseebootes vom Typ Trident den Unterricht für 16 Millionen Kinder in Entwicklungsländern bezahlen! [105]

Mit dem Thema Gerechtigkeit und Friede ist das der *Menschenrechte* eng verbunden. Die fundamentale Gleichheit aller Menschen erfordert fundamentale Gleichheit der Rechte. Die jüdisch-christliche Lehre von der Gottebenbildlichkeit des Menschen begründet die Würde und Unverletzlichkeit seiner Person und läßt individuelle Not, Massenelend, Folter, Einschränkung von Meinungs- und Glaubensfreiheit, Rassismus u. a. widersinnig erscheinen. Auf katholischer Seite beschäftigten sich die Enzyklika Pacem in terris (1963, Johannes XXIII) und die Pastoralkonstitution Gaudium et Spes (1965, 2. Vatikanisches Konzil) eingehend mit dem Thema der Menschenrechte, für den Ökumenischen Rat der Kirchen war es seit seiner Gründung ein brennendes Thema. Bei der Schlußakte der Konferenz für Sicherheit und Zusammenarbeit in Europa (1975, Helsinki), bei der es weitgehend um die Menschenrechte ging, arbeiteten Katholiken und Protestanten mit.

Den Menschenrechten zuwider ist die Ideologie des *Rassismus*, die sich im Apartheiddenken als Theologie darstellte, die aber in Verbindung mit der Idee des Kolonialismus und Imperialismus auch für die Mission im allgemeinen nachhaltige Bitterkeiten geschaffen hat. Wenn man das diesbezügliche heutige Feingefühl auch nicht zum Maßstab früherer Jahrhunderte machen darf, so muß doch bedacht werden, daß Superioritätsdenken auf längere Sicht immer schädlich ist. Die kolonisierenden Völker waren den kolonisierten Völkern wirtschaftlich, militärisch und zivilisatorisch tatsächlich überlegen und fühlten sich als Kulturträger und "Kulturbringer"; ist es verwunderlich, daß die Missionare, im selben Boot schwimmend, in ähnlicher Weise empfanden? Vielfach hat die Mission dadurch gefehlt, daß sie nicht zeitig genug das Übel erkannte, aber oft genug ist sie auch, zum eigenen Nachteil, gegen die Auswüchse des Kolonialismus vorgegangen und eher als staatliche Instanzen hat sie begriffen, daß rassistisches Denken weder mit den "Menschenrechten" noch mit dem Evangelium vereinbar ist.

Eigentlich war das Bemühen der römischen Propaganda alle Jahr-

---

105 Nach *A. Peccei*, Die Zukunft liegt in unserer Hand (Wien 1981) 108

hunderte hindurch ein zäher Kampf gegen jede Form des "Kolonialismus". Die Gründungsakte der Propaganda vom 22.6.1622 (Inscrutabili Divinae Providentiae) ist in ihrer betont religiösen Zielsetzung eins der geschichtsmächtigsten Dokumente des Apostolischen Stuhles geworden. Immer wieder hatte die Kongregation zu warnen: "Was ist absurder als Frankreich, Spanien, Italien oder irgendein anderes Land Europas in China einzuführen? Nicht dies, sondern den Glauben sollt ihr bringen!" "Bringt keine politischen Unterwühlungen in jene Gegenden, weder der Spanier noch der Franzosen noch der Türkei noch der Perser oder anderer; rottet diese vielmehr, soweit ihr könnt, in der Wurzel aus."[106] Auf dem Hintergrund der von Papst Alexander VI verliehenen Patronatsrechte an Portugal und Spanien und dem Staatsabsolutismus jener Zeit waren es sehr schwierige und ungleiche Auseinandersetzungen, Siege und Rückschläge, Krompromißbereitschaft und Unbeugsamkeit; die Erfahrungen des 19. Jahrhunderts aber und vor allem das 20. Jahrhundert brachten die grundsätzliche und faktische Unabhängigkeit des Missionswerkes von der Staatsmacht. Nicht zuletzt waren es die bitteren Folgen nationalistischer Haltungen aus dem 1. Weltkriege, die Benedikt XV zu den ernsten Ermahnungen veranlaßten: "Die Euch übertragene Sendung ist geradezu göttlich und weit über die Armseligkeit menschlicher Rücksichten erhaben ... Begreift daher, daß zu jedem von Euch der Herr gesagt hat: 'Verlaß dein Volk und dein Vaterland!' und denkt daran, daß Ihr nicht ein Menschenreich auszubreiten habt, sondern das Reich Christi."[107] Schwierig war es vor allem, die Idee des einheimischen Klerus bzw. der einheimischen Hierarchie durchzusetzen. Es bedurfte eines energischen Pius XI, der den Diskussionen dadurch ein Ende bereitete, daß er 1926 persönlich im Petersdom sechs chinesische Bischöfe weihte. Hand in Hand gingen die Diskussionen über Anpassung, Adaptation, Akkommodation, neuerdings unter dem Namen Akkulturation und Inkulturation, die heute aber mehr ein praktisches denn ein theoretisches Problem sind.

Die protestantische Mission hatte sich mit den gleichen Zeitphänomenen auseinanderzusetzen. Obwohl die Weltmissionskonferenz in Jerusalem (1928) noch von "führenden Rassen" sprach, hatte schon vorher der Prozeß des Umdenkens begonnen, nicht zuletzt auch aufgrund der Erfahrungen des voraufgegangenen Weltkrieges. Die europäischen Völker erkannten das Widersprüchliche in ihrem Denken, die sogenannten einheimischen Völker gewannen ihr Selbstbewußtsein zu-

106 Schreiben an die Apostolischen Vikare "Ad Exteros" von 1659. In: Collectanea S. Congr. de Propaganda Fide I, 43
107 Enz. "Maximum Illud", AAS 11 (1919) 446

rück und lehnten jeglichen "Paternalismus" ab. Die eben genannte Jerusalemer Konferenz empfahl bereits die Schaffung nationaler Christenräte, vor allem in Asien, und bereitete Material vor für die Behandlung der Rassenfrage im Völkerbund. Die 2. Weltkonferenz für Praktisches Christentum (Oxford 1937) erklärte ausdrücklich: "Die Kirche muß daher allen Rassenhochmut und allen Rassenkampf als Auflehnung gegen Gott bedingungslos bekämpfen. Vor allem darf es im kirchlichen Leben und im Gottesdienst keine Schranken geben, die in der Rasse oder der Hautfarbe begründet liegen."[108] Im Ökumenischen Rat der Kirchen wurden die Gespräche erschwert durch die Haltung der weißen Christen in Südafrika, doch war die Diskussion nicht aufzuhalten. In der Zentralausschußsitzung 1969 (Canterbury) kam es sogar zu einem eigentlichen Programm zur Bekämpfung des Rassismus und gleichzeitig zur Bildung eines Sonderfonds: "Die Kirchen, die von den rassenausbeuterischen Wirtschaftssystemen profitiert haben, sollen unverzüglich — und ohne sich paternalistische Kontrollmechanismen vorzubehalten — einen bedeutenden Anteil ihrer Finanzmittel an Organisationen rassisch unterdrückter Gruppen oder Hilfsorganisationen für die Opfer der Rassendiskriminierung überweisen."[109] Das "Antirassismus-Programm" als solches wurde fast allgemein bejaht, zu Auseinandersetzungen aber kam es, als durch den Fonds auch solche Organisationen humanitär unterstützt wurden, die ihren Kampf mit militärischen Mitteln führten.

2.3.3 Befreiung

Der Mensch von heute unterliegt zahlreichen Zwängen; kulturelle, politische, rassische, soziale und wirtschaftliche Zwänge; psychische Zwänge; religiöse Zwänge. Sie sind ein "Widerspruch gegen die Ehre des Schöpfers",[110] der den Menschen nach seinem Bild und Gleichnis schuf (Gen 1,27). Die Menschen spüren den Widerspruch um so mehr, je tiefer sie sich als Kinder Gottes erfahren. Dem messianischen Volk "eig-

---

108 Zitiert nach: Ökumene-Lexikon (Frankfurt a. M. 1983) 999
109 Ebd. Vgl. *E. Adler*, Ökumene im Kampf gegen den Rassismus — ein erster Anfang: Programm des ÖRK zur Bekämpfung des Rassismus. epd dokumentation 14 (1975); *D. Kitagawa*, Rassenkonflikte und christliche Mission: Eine kritische Untersuchung der rassischen und völkischen Spannungen in Afrika, Asien und Amerika (Wuppertal 1968) 164 S.; *E. Heiniger*, Ideologie des Rassismus: Problemsicht und ethische Verurteilung in der kirchlichen Sozialverkündigung (Immensee 1980) 380 S.; *B. Rogers*, Race — No Peace without Justice: Churches Confront the Mounting Racism of the 1980s (Geneva 1980) 132 S.; *A.J. van der Bent* (Hrsg.), World Council of Churches' Statements and Actions 1948—1979 (Geneva 1980) 69 S.
110 GS 27

net die Würde und die Freiheit der Kinder Gottes, in deren Herzen der Heilige Geist wie in einem Tempel wohnt", sagte das Zweite Vatikanische Konzil. [111] "Daher ist der Mensch nicht mehr bereit, die erdrückende Not mit ihren Folgen, Tod, Krankheiten und Entwürdigungen, passiv hinzunehmen", schrieb Kardinal Ratzinger. "Selbst die noch analphabetischen Bevölkerungsgruppen", so meint er, "wissen heute, daß die Menschheit, dank der bewundernswerten Entwicklung der Wissenschaften und der Technik, auch bei beständigem Bevölkerungswachstum in der Lage sein wird, jedem menschlichen Wesen das Minimum an Gütern zu sichern, die die Würde der Person erfordert";[112] er spricht vom "Skandal der himmelschreienden Ungleichheiten zwischen Reichen und Armen"[113] und vom berechtigten "Vorwurf der Ausbeutung und des ökonomischen Kolonialismus" seitens der Dritten Welt: [114] "Die Sehnsucht nach Befreiung entspricht, wie der Ausdruck selber nahelegt, einem Grundthema des Alten und Neuen Testaments."[115]

Das neue Bewußtsein, das in diesen absolut unverdächtigen Aussagen sichtbar wird, ist der tiefste Grund für die neuen theologischen Entwürfe, die in und ohne Zusammenhang mit dem Konzil entstanden: Politische Theologie, Theologie der Hoffnung, Theologie der Revolution, Theologie der Befreiung, Theologie der Christen für den Sozialismus, Kirche für das Volk. Es sprechen sich in ihnen messianisch-eschatologische Hoffnungen aus, sie sind Modelle von Kirche und Gesellschaft für die Zukunft, sie verstehen sich als Grundmodelle für das erlösende Handeln Gottes und glauben sich so im israelitischen Kampf um Befreiung aus der Knechtschaft wiederzufinden. Theologisch sind sie insofern bedeutungsvoll, als hier eine ganz andere Art, Theologie zu treiben, sich durchsetzt: Man geht statt von theologischen Grundsätzen von der Analyse der Situation aus, reflektiert sie theologisch und sucht nach Möglichkeiten, sie pastoral umzusetzen. Das war der theologische Ansatzpunkt der Lateinamerikanischen Bischofskonferenz in Medellín (1968), im Grunde aber auch der von der Konzilskonstitution Gaudium et Spes und der Enzyklika Pauls VI Populorum Progressio. O.G. de Cardedal erkennt darin die Überwindung einer "dualistischen Anthropologie" und meint: "Dieses notwendige 'Hier und heute', durch das Kirche sich ereignet, indem sie die jeweiligen Werte, Hoffnungen und Probleme aufnimmt, und das für die Kirche als ordnende und dienende Kraft in der

111 LG 9
112 Instruktion der Kongregation für die Glaubenslehre über einige Aspekte der "Theologie der Befreiung" vom 6.8.1984. I, Art. 4 und 5
113 Ebd. I, Art. 6
114 I, Art. 7
115 III, Art. 4

Welt kein zufälliges, sondern ein unabdingbares Element ist, hat bewirkt, daß sich plötzlich alle nationalen und lokalen Probleme verwandelt haben, ohne daß eine Scheidung zwischen intern-kirchlichen und äußerlichen gesellschaftlichen Problemen möglich wäre."[116]

Die sogenannte "Theologie der Befreiung" hat in Lateinamerika ihren Usprung; Autoren wie J.L. Segundo S.J. und H. Assmann legen sogar Wert darauf, dieses ausdrücklich festzustellen. Sie griff aber bald nach Nordamerika und Europa über und wurde sehr bald ein überkonfessionelles Thema. Es ist richtig, was T. Rendtorff und H.E. Tödt schrieben: "Die stärksten Impulse zur Präzisierung dessen, was man eine Theologie der Revolution nennen kann, sind von südamerikanischen Christen ausgegangen, freilich unter der inspirierenden Beteiligung des nordamerikanischen Theologen Richard Shaull, der lange Zeit in Lateinamerika gelebt hat."[117] Auf der Weltkonferenz für Kirche und Gesellschaft (Genf 1966) waren die eigentlichen Sprecher Lateinamerikaner oder gute Kenner Lateinamerikas, sie wollten aber für die ganze Christenheit sprechen: "Lateinamerika ... kann nicht nur für sich selbst, sondern für die ganze Christenheit zum Ferment einer neuen Geschichtsauffassung westlichen Ursprungs sowie einer neuen Gottesidee werden, die der christlichen Offenbarung im Grunde näher stehen. Und die beiden Aufgaben könnten zu einer einzigen Aufgabe werden."[118] Zu den ersten Systematikern der Befreiungstheologie auf katholischer Seite gehört der Limaer Priester G. Gutiérrez Merino.

Es würde zu weit führen, hier auf die Berge von Literatur einzugehen, die in den letzten 20 Jahren über das Thema Befreiung in seinen verschiedensten Schattierungen geschrieben worden sind, positiv und negativ. Die Reaktionen auf das eben genannte Dokument der Glaubenskongregation waren Anerkennung und Ablehnung. Man sollte aber bedenken, daß Kardinal Ratzinger im Vorwort ausdrücklich schreibt: "Die Kongregation für die Glaubenslehre beabsichtigt nicht, das weite Thema der christlichen Freiheit und der Befreiung vollständig zu behandeln. Sie nimmt sich vor, dies in einem späteren Dokument zu tun, das — in positiver Ausrichtung — alle Reichtümer ins rechte Licht stellt, sowohl in der Lehre als auch in der Praxis."

Vielleicht genügt es, hier noch auf die positiven Aspekte einer "Befreiungstheologie" hinzuweisen, wie sie O.G. de Cardedal zusammenge-

116 Befreiungstheologie in einer Zeit kirchlichen Umbruchs. In: *K. Lehmann* (Hrsg.), Theologie der Befreiung 97
117 Theologie der Revolution: Analysen und Materialien (Frankfurt a. M. 1968) 8
118 *J.L. Segundo*, Teología abierta para el laico adulto (Buenos Aires 1969—1971) Bd III, 51

124

stellt hat. [119]

a. Wir können nicht umhin anzuerkennen, daß die bürgerliche Kultur und liberalkapitalistische Wirtschaft auf die Kirche tatsächlich Einfluß ausgeübt haben, daß dadurch die Volkskulturen Schaden erlitten und die Völker unfähig wurden, ihr eigenes Schicksal zu gestalten.

b. Kultur und Politik sind für die Kirche notwendige Mittel, die eigene Identität zu erlangen, sie verfälschen aber die Kirche, wenn diese sie nicht durch Umgestaltung in ihrer Bedeutung verwandelt.

c. Wir müssen alle dualistischen Verhaltensweisen, d. h. eine einseitige Beziehung des Christen auf das Geistliche, das Ewige und die Transzendenz überwinden, um so zu einem einheitlicheren und geschlosseneren Bild vom Menschen, von der Geschichte und der Kirche zu gelangen.

d. Da in der heutigen Situation der Menschheit sowohl Reden wie Schweigen, Handeln wie Unterlassen der Kirche politisch ausgenutzt werden, ist eine unpolitische Haltung der Kirche und ihrer Institutionen als falsch abzulehnen; vielmehr muß die Kirche, damit ihr nicht falsche Absichten unterschoben werden können, sich selber eine politische Identität geben.

e. Die Kirche muß die vielfältigen Arten der Unterdrückung, die das Wort des Evangeliums als frohe Botschaft von der Befreiung der Armen und Gefangenen unglaubwürdig machen, aufdecken und es in aller Offenheit sagen, daß — zumal in einem mehrheitlich katholischen Erdteil, der fast ausschließlich unter Militärdiktaturen und unter wirtschaftlicher Unterdrückung leidet — Gottesliebe und Gotteshaß mit dem Haß auf den Nächsten und seiner Versklavung unvereinbar sind.

f. Wir müssen wieder zu einem dynamischen kirchlichen Bewußtsein zurückfinden, das von der Utopie des künftigen Reiches lebt und das alle geschichtlichen Erfolge und Entwürfe relativiert. Das hat eine gewisse Autonomie des gläubigen Bewußtseins, schöpferisches Christsein, Eigeninitiative, Freiheit des Geistes, Bewältigung der konkreten Situation aus dem Geiste heraus zur Folge.

g. Wir müssen erkennen, daß neue geschichtliche Situationen nicht auf frühere Verstehensmodelle zurückführbar sind, vielmehr aus der Gegenwart und der täglichen Beobachtung heraus aufgenommen und in das praktische Handeln übersetzt werden müssen: "Im Gegensatz zu einem statischen und einförmigen Bild der Geschichte haben uns diese Einsichten heilsam ihre überraschende

119 AaO 126—129

Neuheit vor Augen geführt: Die Kontinuität weist Sprünge und Brüche auf; nur mit ihnen gibt es Dauerhaftigkeit und Homogenität des menschlichen Lebens, in dem Kampf und Konflikt eine unleugbare entwickelnde und maieutische Funktion erfüllen."[120]

2.3.4 Option für die Armen

Die Armut ist heute zum Weltproblem geworden.[121] Die Nord-Süd-Kommission stellte Notprogramme für die Jahre 1980—1985 auf und nannte diese ein Programm zum Überleben.[122] Papst Johannes Paul II sagte, daß sich "die Zonen des Elends mit ihrer Last an Angst, Enttäuschung und Bitterkeit unaufhörlich weiter ausdehnen".[123] Die Feststellung von S. McNamara, dem ehemaligen Präsidenten der Weltbankgruppe, daß 750 Millionen Menschen in der Welt "absolut arm" seien, ist in keiner Weise zu hoch gegriffen. Während in den meisten Industrieländern die von den einzelnen verzehrte Kalorienzahl das gesunde Maß weit überschreitet, steht den Menschen in 75 Entwicklungsländern nicht die zu einem gesunden Leben notwendige Mindestkalorienzahl zur Verfügung. Hunger, Krankheit und Unwissenheit sind erschreckende Übel in den nichtindustrialisierten Ländern. Der 6. Kongreß des Ökumenischen Rates der Kirchen (Vancouver 1983) warnte davor, sich der Friedensfrage zu bedienen, um den Problemen der Ungerechtigkeit, der Armut, des Hungers und des Rassismus aus dem Wege zu gehen. P. Arrupe, der ehemalige Generalsuperior der Jesuiten, stellte die besorgte Frage: "Wie werden in 30 Jahren, wenn die Zahl der Menschen 6 Milliarden erreicht haben wird, 5 Milliarden sich damit abfinden, daß sie ihrer natürlichen Rechte beraubt sind — besonders wenn die Zahl der Atommächte über die Kontrolle hinausgewachsen sein wird?"[124]

Die Kirchen sind bezüglich des Problems der Armut in der Welt sehr feinfühlig geworden. Angesichts all der Not und des Elends der gegenwärtigen Welt konnten sie die Warnungen und Mahnungen des Alten

120 Ebd. 129. Spezielle Literatur: *H. Bettscheider* (Hrsg.), Theologie und Befreiung (St. Augustin 1974) 123 S.; *P. Hünermann/G.D. Fischer* (Hrsg.), Gott im Aufbruch (Freiburg 1974) 204 S.; *J. Miguez Bonino*, Theologie im Kontext der Befreiung (Göttingen 1977) 158 S.; *K. Rahner* u. a. (Hrsg.), Befreiende Theologie (Stuttgart 1977) 176 S.; *M. Arias*, Mission and Liberation: The Jubilee — a Paradigma for Mission Today. IRM 73 (1984) 33—48; *P. Erdozain*, Archbishop Romero: Martyr of Salvador (New York 1981) XXVI + 102 S.
121 Vgl. *K. Müller*, World Poverty Today. Verbum 22 (1981) 3—18
122 Das Überleben sichern: Bericht der Nord-Süd-Kommission 1980
123 Redemptor Hominis 16
124 Ein neuer Dienst in der Welt. Ordenskorrespondenz 19 (1978) 131

und Neuen Testamentes nicht überhören. "Wer sich der Armen erbarmt, gibt dem Herrn ein Darlehen" (Spr 19,17); "Weh euch, die ihr reich seid" (Lk 6,24). Mußte ihnen das Wort des Herrn nicht zu denken geben: "Der Geist des Herrn ist über mir; denn der Herr hat mich gesalbt. Er hat mich gesandt, damit ich den Armen eine gute Nachricht bringe; damit ich den Gefangenen die Entlassung verkünde und den Blinden das Augenlicht; damit ich die Zerschlagenen in Freiheit setze und ein Gnadenjahr des Herrn ausrufe" (Lk 4,18f.)? In den Konzilsdokumenten fand das Thema Armut nicht den Widerhall, den sich manche Prälaten gewünscht hätten; beim Kongreß der Lateinamerikanischen Bischöfe in Medellín (1968) und vor allem in Puebla (1979) aber wurde es zu einem beherrschenden Thema.

Medellín ging von der lateinamerikanischen Realität aus: von den "ungeheuren sozialen Ungerechtigkeiten", von dem "unmenschlichen Elend", von den Ungerechtigkeiten, die die Mehrzahl der Völker "in einer schmerzhaften Armut" halten.[125] Diese Situation erfordere eine "arme Kirche":

— die den ungerechten Mangel der Güter dieser Welt und die Sünde, die ihn hervorbringt, anklagt;

— die die geistige Armut als Haltung der geistigen Kindschaft und Öffnung zu Gott predigt und lebt;

— die sich selbst zur materiellen Armut verpflichtet: "Die Armut der Kirche ist eine unveränderliche Größe in der Heilsgeschichte".[126]

Medellín spricht von dem "besonderen Auftrag des Herrn", den Armen das Evangelium zu verkünden, und folgert daraus, daß die Sorge um die Armen, Bedürftigen, an den Rand Gedrückten "wirklichen Vorrang" verdiene[127] und "Solidarität" mit ihnen bedeute: "Diese muß sich in der Anklage der Ungerechtigkeit und Unterdrückung konkretisieren, im christlichen Kampf gegen die unerträgliche Situation, die der Arme häufig erleiden muß, in der Bereitschaft zum Dialog mit den für diese Lage verantwortlichen Gruppen, um ihnen ihre Pflichten begreiflich zu machen."[128]

Puebla machte sich die Beschlüsse von Medellín, die "eine klare und prophetische, vorrangige und solidarische Option für die Armen zum Ausdruck" brachten, voll zu eigen. Es bedauerte zwar die Mißdeutungen des Geistes von Medellín, die Unkenntnis der Beschlüsse und die Feindseligkeiten gegen sie, sagte aber ganz klar: "Wir bestätigen die

125 Dokumente von Medellín. 14, Abschnitt 1
126 Ebd. 14, 5
127 Ebd. 14, 9
128 Ebd. 14, 10

Notwendigkeit der Umkehr der gesamten Kirche im Sinne einer vorrangigen Option für die Armen mit Blickrichtung auf deren umfassende Befreiung."[129] Es stellte fest, daß die Not der Menschen zwar noch zugenommen habe, daß sich aber in der Mentalität des Episkopates und in zahlreichen Kreisen von Laien, Ordensangehörigen und Priestern vieles geändert habe, daß die Armen Mut gefaßt und begonnen hätten, sich selber zu organisieren; daß das zwar zu vielfachen Konflikten und ideologischen Verdächtigungen geführt habe, aber nicht davon dispensiere, sich noch mehr zu engagieren: "Der Dienst an den Armen erfordert in der Tat eine ständige Umkehr und Läuterung aller Christen, damit eine immer vollständigere Identifizierung mit Christus, der arm war, und mit den Armen verwirklicht wird."[130]

Es kann nicht verwundern, daß die Diskussion nicht im katholischen Raum verblieb, sondern sehr bald auf die Ökumene übergriff. Sie lief parallel mit den Auseinandersetzungen um die Basisgemeinschaften, die Theologie der Befreiung, den Versammlungen der Dritte-Welt-Theologen. Der Genfer Rat der Kirchen, und insbesondere die Missionskommission (CWME), beschäftigte sich mit den Fragen. Die Melbourner Missionskonferenz (1980) versuchte klare Antworten zu geben. Auch Melbourne geht aus vom biblischen Befund und verweist darauf, daß Gott sich in Jesus mit den Armen und Unterdrückten identifiziert habe, daß Jesus, obwohl er reich war, um unseretwillen arm wurde, daß das der Kirche übergebene Evangelium diese fortdauernde Sorge Gottes um die Armen neu aufnehmen müsse, daß Jesu Entscheidung für die Armen uns Vorbild und Herausforderung sein müsse. Konkret sei das für die Armen Hoffnung, für die Reichen aber Aufruf zur Buße, was bedeute:

— auf die Sicherheit von Reichtum und materiellem Besitz zu verzichten, die tatsächlich Götzendienst ist;
— die ausbeuterische Macht als eine dämonische Erscheinungsform von Reichtum aufzugeben;
— sich von Gleichgültigkeit und Feindseligkeit gegenüber den Armen der Solidarität mit den Unterdrückten zuzuwenden.[131]

Ähnlich oder gar schärfer nahm das Genfer Dokument "Für eine mit den Armen solidarische Kirche" Stellung (1980, ökumenische Entwicklungskommission). Auch die Erklärung der Lausanne-Gruppe "Eine evangelikale Verpflichtung zu einem einfachen Lebensstil" (1980,

---

129 Die Evangelisierung Lateinamerikas in Gegenwart und Zukunft: Dokument der III Generalkonferenz des lateinamerikanischen Episkopats in Puebla. Beide Zitate aus Nr. 1134
130 Ebd. Nr. 1140
131 Vgl. *M. Lehmann-Habeck*, Dein Reich komme 128

Hoddesdon, England) sprach die Überzeugung aus, daß das Evangelium "im besonderen die Frohe Botschaft für die Armen" sei. In den theologischen Reflexionen des Westens sind die Stellungnahmen weniger deutlich, aber auch in den Kirchen des Westens wächst immer mehr das Bewußtsein von der Notwendigkeit, die christliche Botschaft in Solidarität mit den Armen in der eigenen Gesellschaft und der Dritten Welt zu leben. Um die "Option der Kirche für die Armen" und die Diskussionen um die Theologie der Befreiung besser zu verstehen, mag der Hinweis auf ein Wort von Kardinal A. Lorscheider nützlich sein; er schreibt: "Die große Auseinandersetzung findet also nicht so sehr über den Glauben an sich statt, denn es bestehen auch nicht die geringsten Anzeichen, daß die Transzendenz, die Gott uns offenbart hat, verneint wird. Die Auseinandersetzung geht um die Anwendung des Glaubens auf das konkrete Leben des Volkes und was der Glaube zu einer Praxis beitragen kann, die die anti-evangelische Situation in eine evangelische Situation transformieren muß."[132]

2.4 Verkündigung des Evangeliums

Verkündigung

Der Auftrag des Herrn ist eindeutig. Gehet und v e r k ü n d e t ! Man kann den Verkündigungsauftrag nicht auf bloßes Zeichensein und (unverbindlichen) Dialog reduzieren; das ist gegen den Sinn der Botschaft und das ausdrückliche Mandat. Gott sprach sein Wort in die Menschheit hinein, und dieses Wort will gehört und verstanden sein. Der Auferstandene sagte es den Jüngern ausdrücklich: "Verkündet das Evangelium allen Geschöpfen" (Mk 16,15). Petrus und Johannes bezeugten vor dem Hohen Rat: "Wir können unmöglich schweigen über das, was wir gesehen und gehört haben" (Apg 4,20). Für den neubekehrten Sau-

---

132 *A. Lorscheider*, Parteinahme für die Armen (München 1984) 36. Weitere Literatur: *J. de Santa Ana*, Gute Nachricht für die Armen: Die Herausforderung der Armen in der Geschichte der Kirche (Wuppertal 1979) 144 S.; *J. Nissen*, Poverty and Mission: New Testament Perspectives on a Contemporary Theme (Leiden 1984) 208 S.; *L. Boff*, Pobreza, obediencia y realización personal en la vida religiosa (Bogota 1975) 62 S.; *S. Galilea*, ¿Los pobres nos evangelizan? (Bogota 1977) 67 S.; *K. Blaser*, Christliches und marxistisches Verständnis der Armen. ZMiss 6 (1980) 199—212; *S. Jacob*, Responding to the Gospel Imperative. IRM 69 (1980) 451—466; *J. Verkuyl*, De rijke man en de arme Lazarus en de God van Lazarus in hun onderlinge relatie. In: *J. Verkuyl*, Preken en preekschetsen (Kampen 1980) 96—106. Reicher Stoff findet sich auch in der Literatur über die Vorbereitung, Durchführung und Reflexion der Melbournekonferenz.

lus war es eine Selbstverständlichkeit, "mutig und offen im Namen Jesu" aufzutreten und von Jesus Zeugnis zu geben (Apg 9,27). Wenn Paulus den Ehrennamen "Apostel" für sich in Anspruch nahm, verstand er sich als "Herold" (praeco), d. h. als amtlichen Ausrufer einer Frohbotschaft. Er ist Diener der Frohbotschaft (Röm 3,5; Kol 1,23). Er nennt sich "Verkünder, Apostel und Lehrer" des Evangeliums (2 Tim 1,11). Er ist nicht gesandt zu taufen, sondern die Frohbotschaft zu verkünden (1 Kor 1,17).

Das Wort keryssein kommt im Neuen Testament 65mal vor und bedeutet nicht "predigen" (wie Luther gewöhnlich übersetzte), sondern "ein Ereignis ausrufen", "proklamieren". Es geht nicht so sehr um eine neue Lehre, um eine neue Ethik oder eine neue Liturgie, sondern um die Tatsache, daß die Erwartung der Propheten erfüllt und die Zeit der Gottesherrschaft angebrochen ist, daß Gottes universale Machtergreifung Wirklichkeit geworden ist. Es ist der "dramatische, die Erfüllung schaffende Heroldsdienst",[133] den die Synoptiker und das paulinische Schrifttum meinen, anders als Johannes, der von martyrein spricht und von dem Zeugnis geben will, "was von Anfang her war, was wir gehört haben, was wir mit unsern Augen geschaut haben, was wir sahen und unsere Hände betasteten" (1 Jo 1,1), oder konkreter: Zeugnis geben will von ihm, von Jesu Wesen und Person (Jo 1,15; 5,31—39; 8,13—18; 10,25; 15,26), darüber, daß Jesus Sohn Gottes ist (1,34), daß er ewig ist (1,15), daß der Vater ihn gesandt hat (5,36f.), daß er für das Heil der Welt gesandt ist (1 Jo 4,14), daß er das Licht der Welt ist (Jo 8,12), daß er die Wahrheit ist und für die Wahrheit Zeugnis gibt (5,33).

Sowohl bei keryssein als auch bei martyrein geht es nicht um das Zeugnis, Zeugnis des Lebens allein, sondern um Proklamation, um Bezeugen, um ein aktives Tun, um Bekenntnis mit der Bereitschaft selbst zum Martyrium. So verstanden es die Schriften des Neuen Testamentes, so auch die Christen der ersten christlichen Jahrhunderte, so die Missionare aller Zeiten. Heute herrscht diesbezüglich größere Zurückhaltung; warum wohl? Zum Teil liegt es sicher an der konkreten historischen Situation — angesichts der intransigenten Haltung mancher Religionsgruppen würde "Proklamation" eher zum Polarisieren als zum Nachdenken führen —, zum größeren Teil aber wohl wegen mangelnder Glaubensüberzeugung auf unserer Seite. Wer das Christusereignis in seiner ganzen Größe erfahren hat, sollte sich eigentlich gedrängt fühlen, dieses Ereignis "auszurufen", er sollte es wie der Völkerapostel als Notwendigkeit empfinden, es zu proklamieren; es sollte uns wie dem Völkerapostel eine Last sein: Weh mir, wenn ich das Evangelium nicht verkündete!

133 ThWNT III, 702: Unter dem Stichwort "keryssein" (*G. Friedrich*)

Das Evangelium auszurufen, das ist unser Auftrag und unsere Aufgabe. Ob die Hörenden die Botschaft annehmen oder sie ablehnen, ist unserer Macht entzogen. Das ist eine Entscheidung, die der einzelne vor Gott und seinem Gewissen trifft, in einem guten Sinne auch: die dem einzelnen von Gott geschenkt wird. Es widerspricht dem Sinn des Glaubensaktes, ihn erzwingen zu wollen. Das "compelle intrare", auf das man sich zeitweilig berief (vgl. Mt 22,9f.), ist eine aus dem Zusammenhang gerissene Interpretation und ein aufgegebener Standpunkt. Den Vätern des II. Vatikanischen Konzils bereitete die philosophische These, daß nur die Wahrheit ein Recht habe, nicht aber der Irrtum, ernste Schwierigkeiten, und es bedurfte des persönlichen Bemühens des Papstes, daß die Abstimmung zur Erklärung über die "Religionsfreiheit" zustande kam und letztendlich ein gutes Ergebnis erzielte (2308 Ja-, 70 Neinstimmen bei 8 ungültigen). In der Erklärung über die Religionsfreiheit heißt es nun: "Das Vatikanische Konzil erklärt, daß die menschliche Person das Recht auf religiöse Freiheit hat. Diese Freiheit besteht darin, daß alle Menschen frei sein müssen von jedem Zwang sowohl von seiten Einzelner wie gesellschaftlicher Gruppen, wie jeglicher menschlichen Gewalt, so daß in religiösen Dingen niemand gezwungen wird, gegen sein Gewissen zu handeln, noch daran gehindert wird, privat und öffentlich, als einzelner und in Verbindung mit andern — innerhalb der gebührenden Grenzen — nach seinem Gewissen zu handeln." [134] Damit fiel auch die von einer kleineren Gruppe vertretene Auffassung, daß der Staat katholisch sein müsse, wenn die Mehrheit seiner Menschen katholisch ist, daß das gleiche Recht für Vertreter anderer Glaubensbekenntnisse aber nicht gelte. [135]

Bekehrung

Die Freiheit der Gewissensentscheidung bestimmt unser Verhalten zur Frage der Bekehrung. Daß die Kirche diese nicht erzwingen kann, ist nach dem Gesagten klar. Muß sie deswegen aber diesbezüglich vollkommen "neutral" bleiben; kann sie überhaupt neutral bleiben, oder muß sie nicht, vom Wesen der Botschaft her gesehen, diese mit-intendieren, diese von vornherein im Auge haben, sie wünschen, ein erwünschtes Ziel darin sehen?

Bekehrung im neutestamentlichen Verständnis ist Abkehr von der Sünde und Hinkehr unter den Gehorsam des Glaubens in Jesus Christus,

134 Dignitatis Humanae 2
135 Zum Verlauf der Diskussion vgl. *K. Rahner/H. Vorgrimler*, Kleines Konzilskompendium (Freiburg i. Br. 1966²) 655–659

eine zunächst innerlich vollzogene "Metanoia", aber gleichzeitig eine "Hinzufügung" in die Gemeinschaft der Gläubigen (vgl. Apg 2,47). Als das Christentum zur Zeit Konstantins Staatsreligion wurde, war der Anschluß an die Gemeinschaft der Kirche durchaus nicht immer identisch mit der inneren Umkehr. So begann man die beiden Elemente voneinander zu lösen und reservierte den Begriff "Bekehrung" für die existentielle Hinkehr zu Christus, wie etwa Paulus, Augustinus, Pascal u. a. sich "bekehrten". Für Luther bestand die "Bekehrung" in der für ihn beglückenden Erkenntnis von der Rechtfertigung des Sünders durch die Gnade allein. Neuere Bewegungen — Pietismus, Methodismus, die Erweckungen des 19. Jahrhunderts, die evangelikalen Gruppen — machen die persönliche Erfahrung der Bekehrung zum entscheidenden Kriterium des Christseins.

Wenn wir im Kontext der Mission von "Bekehrung" sprechen, meinen wir die erste, grundsätzliche, entscheidende Hinkehr zu Christus (und der Gemeinschaft der Gläubigen). Von solcher Bekehrung spricht die Missionstheologie, wenn sie — "unbeschadet des wesentlich ganzheitlichen Charakters der Bekehrung"[136] — folgende Momente unterstreicht:

a. Bekehrung ist primär Handeln Gottes und nicht dessen, der verkündet oder hört. Gott wirkt die Bekehrung, wie er den Glauben wirkt. Bevor der Mensch sich entscheiden kann, muß Gottes Gnade ihm zuvorkommen. Das Bemühen des Missionars ist nur begleitendes Bemühen, der eigentlich Handelnde ist Gott. Gott gebraucht seine Werkzeuge wie er will. Er mag das Geschick des Missionars nutzen, aber oft genug knüpft er an seine Ohnmacht an. Gottes Allmacht erweist sich in der Ohnmacht des Menschen.

b. Bekehrung bedeutet eine wirkliche Wende. Der Mensch steht nicht mehr unter dem Joch der Sünde, im Gefängnis des Gesetzes, in der Verhaftung an die Welt, vielmehr hat sich an ihm "durch den Glauben an Jesus Christus" erfüllt, was denen verheißen ist, "die an ihn glauben" (vgl. Gal 3,22). Der Bekehrte lebt aus der Verheißung, auf die Zukunft hin. So sehr er in der Welt bleibt und sich ihr verpflichtet fühlen muß, lebt er in der Erwartung der eschatologischen Vollendung. Die Hoffnung prägt wesentlich sein Leben und sein Leiden.

c. Bekehrung bedeutet eine "neue Schöpfung": das Alte ist vergangen, Neues ist geworden (2 Kor 5,17). Das trifft zunächst den einzelnen, nicht ein Kollektiv. Der einzelne ist ein von Gott Ange-

---

136 *H.-W. Gensichen*, Glaube für die Welt 112. Die folgenden Punkte sind ebenfalls zusammengestellt nach *Gensichen*, aaO 112—121

sprochener, ein Gerufener. Der einzelne muß sich öffnen, muß das Jawort sprechen, muß sich Jesus Christus überlassen, sich unter sein Gesetz stellen, das ein Gesetz der Liebe und der Freiheit ist. "Das alles kommt von Gott", betonte der hl. Paulus, "der uns durch Christus mit sich versöhnt hat" (2 Kor 5,18).

d. Bekehrung als Neuschöpfung bedeutet auch Wandlung des Gewissens, nach Gensichen des Gewissens "nicht als etwas, das der Mensch hat, sondern das er ist, sofern er immer und unausweichlich verantwortlich ist", des Gewissens, dessen Spezifisches es ist, "daß in ihm der barmherzige Gott spricht, der bereit ist, auch ein verletztes Gewissen zu heilen".[137]

e. Bekehrung ist zugleich Abwendung von alten Bindungen und Verpflichtungen, Kulten und Philosophien, eine neue "das Leben beherrschende Haltung", ein "ständiges Sich-beziehen auf Gottes Heilstat",[138] kein endgültiger, aber doch totaler Gehorsamsakt, der je nach Individualität und Umständen Stufen, Grade und Differenzierungen zuläßt und auch durch Ermüdung, Abstumpfung und Rückfall verdrängt werden kann.

f. Bekehrung geschieht nicht schablonenhaft, da Gottes Geist weht, wo er will und wie er will. Die Präsenz christlicher Gemeinde, das beispielhafte Verhalten eines Christen u. a. können Mittel der Bekehrung sein, entscheidend aber ist die Begegnung mit dem Wort. So will die Verkündigung des Wortes die Grenze zwischen Unglaube und Glaube durchbrechen, die Menschen zu "Gläubigen" machen, sie "bekehren" und für sie "Heilsvermittler" sein. In diesem Sinn erwartete Paulus von seiner Verkündigung die "Rettung" der Zuhörer (Röm 11,14; 1 Kor 9,22; 1 Thess 2,14; 1 Kor 10,33) und die "Gewinnung" von "möglichst vielen" (1 Kor 9,19). "Bekehrungen" machen zu wollen, ist also nicht ohne weiteres "Proselytenmacherei", vielmehr geht es um Heil in Jesus Christus: "Was wir empfangen haben, ist die Gemeinschaft mit Gott durch Jesus Christus, und das ist unser Heil. Zugleich heißt solche Gemeinschaft aber Mitteilung und Teilhabe an den Segnungen und an den Aufgaben des Königreiches Gottes."[139]

Taufe

Mit dem Verkündigungsauftrag verband der Herr den Auftrag zur

---

137 AaO 114
138 *R. Bultmann* in: ThWNT VI, 219f.
139 *H. Berghof*, Theologie des Heiligen Geistes (Neukirchen-Vluyn 1968) 44

Taufe (Mt 28,19). Der Taufauftrag erinnert an die Taufe Jesu. Der Bezug auf den universalen Machtanspruch des erhöhten Herrn und der ausdrückliche Verweis auf Vater, Sohn und Heiligen Geist zeigen, daß die Taufe etwas mit Heil zu tun hat, mit Heil in Jesus Christus als Teilnahme an seiner Sohnschaft. Mit der Taufe sind Nachfolge Jesu und Gehorsam gegen die Kirche, wie derselbe Text sagt, eng verbunden. Jüngerschaft Jesu bedeutet also Anerkennung des Machtanspruchs Jesu, Verpflichtung auf seinen Weg, Einbindung in sein Reich. Petrus hat den scheidenden Meister richtig verstanden, wenn er in seiner ersten "Missionspredigt" forderte: "Kehret um! Jeder von euch lasse sich taufen auf den Namen Jesu zur Vergebung der Sünden; dann werdet ihr die Gabe des Heiligen Geistes empfangen" (Apg 2,38). "Gott hat uns errettet durch das Band der Wiedergeburt und der Erneuerung im Heiligen Geiste", heißt es in Tit 3,5.

Auch nach Röm 6,1—14 ist die Taufe primär eine Übereignung an Jesus Christus. Wir werden "auf Christus Jesus" getauft. Wir werden durch die Taufe mit ihm auf den Tod begraben und wie er durch die Herrlichkeit des Vaters von den Toten auferweckt. Das bedeutet, daß unser alter Mensch mitgekreuzigt wurde, daß wir nicht weiter Sklaven der Sünde sind, daß wir als neue Menschen leben, daß wir "mit ihm leben werden". Die Taufe nimmt also in das Christusgeschehen real hinein und bedeutet Gemeinschaft und Leben mit ihm. Es ist ein großes Wort, wenn es in Gal 3,27 heißt: "Ihr alle, die ihr auf Christus getauft seid, habt Christus angezogen."

Wer den biblischen Sachverhalt zugrunde legt, wird an der Sinnhaftigkeit der Taufe, ja an ihrer Notwendigkeit nicht zweifeln. Man sieht auch spontan, daß die Taufe mehr ist als bloße Bestätigung der Bekehrung, mehr als ein persönlicher Weiheakt, mehr als rein äußere Eingliederung in die Gemeinschaft der Gläubigen, am allerwenigsten ein magisches Geschehen. Glaube und Taufe gehören zusammen, ein objektives Geschehen und persönlicher Mitvollzug (sei es in eigener Person oder stellvertretend), Ruf des gnädigen Gottes und gläubige Antwort des Menschen, ein "Sakrament". G.F. Vicedom hält, selbst für Europa, eine "rechte Taufverkündigung" für notwendig. Diese müsse den Bezug des Sakramentes zum Glauben herstellen, denn "der Glaube empfängt das Sakrament". Er folgert daraus: "So wird die Frage nach einer rechten Taufpraxis zur Frage nach der Verantwortlichkeit des Amtes: einer Bürde, die der Missionar mit den jungen Kirchen ständig zu tragen hat; und zu einer Frage nach der rechten Verkündigung, die in dem Bewußtmachen der Taufe ihr Ziel hat. Jede Verkündigung kann ja nur das entfalten, was Gott den Menschen in der Taufe zugesprochen hat."[140]

140 Die Taufe unter den Heiden (München 1960) 8f.

Die Taufdarstellung des Römerbriefes und das Taufverständnis der Urkirche erinnern deutlich an die außerchristliche Initiation. Letztere besteht nach M. Eliade in einer "Gesamtheit von Riten und mündlichen Belehrungen, die Änderung des religiösen und sozialen Lebens des vor der Einweihung Stehenden zum Ziele haben."[141] Er fährt dann fort: "Die meisten Initiationsprüfungen umfassen auf mehr oder weniger erkennbare Weise einen rituellen Tod, auf den eine Auferstehung oder Wiedergeburt folgt. Das zentrale Erlebnis jeder Initiation wird durch die Zeremonie dargestellt, die den Tod des Neophyten und seine Rückkehr zu den Lebenden symbolisiert. Aber er kommt als neuer Mensch ins Leben zurück, der eine andere Seinsweise auf sich genommen hat."[142]

Der Durchgang durch den Tod und das Wiedergeborenwerden zum Leben des Auferstandenen ist eins der häufigsten Motive der alten Tauftheologie. Justin der Märtyrer schreibt, daß der Täufling "neu geboren wird in einer Art Wiedergeburt".[143] Hippolyt nennt die Taufe "Bad der Wiedergeburt".[144] Tertullian sagt, daß wir "im Wasser geboren werden".[145] Cyrill von Jerusalem schreibt: "Von der Sünde getötet, steigst du hinab; in Gerechtigkeit zu neuem Leben erweckt, kommst du heraus";[146] der Hirte des Hermas: "Tot tauchen sie in das Wasser ein, lebend steigen sie wieder heraus";[147] und schließlich Augustinus: Der Getaufte soll "gerade so wie Christus durch seine Auferstehung aus dem Grabe, durch sein Bad der Wiedergeburt zum Leben gelangen".[148] Die verschiedenen Riten wie Immersion, Ablegen der Kleider, Auflösen der Haare, Ablegen des Schmuckes, Anlegen des weißen Kleides, Exsufflation und Salbung von Nase, Stirn und Brust sollen ein Symbol darstellen, was innerlich geschieht: Die Taufe soll "Tod und Wiedergeburt nicht nur sein, sondern auch erlebt machen".[149]

Die Liturgiekonstitution des II. Vaticanum erklärte: "In den Missionsländern soll es erlaubt sein, außer den Elementen der Initiation, die in der christlichen Überlieferung enthalten sind, auch jene zuzulassen, die sich bei den einzelnen Völkern im Gebrauch befinden, sofern sie im

---

141 Das Mysterium der Wiedergeburt (Zürich 1961) 10
142 Ebd. 13
143 Apologia 61
144 Apostolische Überlieferung 21
145 De Baptismo I, 3
146 Catechesis III, 12
147 Similitudines IX, 16, 4
148 Enchiridion XIII, 42
149 *A. Antweiler*, Religion als Einweihung. In: *C.J. Bleeker* (Hrsg.), Initiation: Contribution to the Theme of the Study Conference of the International Association for the History of Religious held at Strasburg, 17.–22.9.1964 (Leiden 1965) 240

Sinne von Art. 37—40 dieser Konstitution dem christlichen Ritus angepaßt werden können."[150] Die Gottesdienst-Kongregation verdeutlich-
te: "Die Bischofskonferenzen sollen beurteilen, ob Elemente der Initiation, die bei einigen Völkern vorgefunden werden, dem christlichen
Taufritus angepaßt werden können, und sie sollen entscheiden, ob diese
in ihn aufgenommen werden sollen."[151] Es wird nicht möglich sein,
alle Elemente der außerchristlichen Initiation in den christlichen Taufritus zu übernehmen. Vielfach werden es die Leute gar nicht wollen.
Vieles ist zu sehr verknüpft mit vor- und unchristlichen religiösen Auffassungen und magischen Vorstellungen. Manches verletzt das Schamge-
fühl. Anderes aber ist durchaus geeignet, das Taufgeschehen verständ-
licher und zum nachhaltigen Erlebnis zu machen. O. Bischofberger, der
sich darüber Gedanken machte, nennt als solche Elemente: Stärkere Be-
tonung des Ritus der Kleiderablegung und des Anlegens des neuen Ge-
wandes, die Übertragung eines neuen Namens als Symbol der Geburt
des neuen Menschen, die Rasur des Hauptes als Zeichen des Bruchs mit
dem alten Leben, die Einführung der eigentlichen Immersion, Anpassung der Salbungen an die traditionelle Initiation, Übernahme überlie-
ferter Segens- und Gebetsformeln, den feierlichen und freudigen Empfang der Initiierten als Neugeborene und in die Gemeinschaft Aufge-
nommene, die Feier eines eigentlichen Festes. "Die christliche Initiation
sollte nicht weniger eindrücklich gestaltet werden als die traditionelle",
sagt Bischofberger.[152] Er stützt sich auf B. Luykx, wenn er sagt, daß
eine ganzheitliche und existentielle Zustimmung zum neuen Leben leichter möglich ist, wenn sie im Rahmen vertrauter ritueller Handlungen
vollzogen wird, zumal für Afrikaner, die viel Sinn für Festlichkeit und
Feierlichkeit, für Dramatik und auch für das Übernatürliche haben.[153]

2.5 Sammlung des Gottesvolkes

In Apg 2,47 heißt es: "Der Herr fügte täglich ihrer Gemeinschaft die

---

150 Sacrosanctum Concilium 65
151 Zitiert nach *O. Bischofberger*, Die Idee der Wiedergeburt zu neuem Leben in
    der christlichen Taufe und in der traditionellen afrikanischen Situation. NZM
    27 (1971) 248. Mit der Thematik beschäftigten sich auch: *J. Kuhl*, Neue afrika-
    nische Initiationsriten und ihre Bedeutung: Versuche in jungen katholischen af-
    rikanischen Kirchen. Verbum 18 (1977) 265—279; *J.F. Thiel*, Initiationsriten
    als Übergangsriten Tod und Auferstehung bezeichnend. Ebd. 291—303; *H. Bett-
    scheider*, Afrikanische und christliche Initiation: Theologische Begründung.
    Ebd. 304—318
152 Ebd. 250
153 Ebd.

hinzu, die gerettet werden sollten." "Gläubig werden" und "eine Gemeinschaft bilden" (vgl. Apg 2,44) gehören zusammen. Sie sind persönliche Entscheidung und Gottes Tat. Gott respektiert die Grundkonzeption des Menschen auf Gemeinschaft hin auch im neuen Leben der Gotteskindschaft. Das Missionsdekret des II. Vatikanischen Konzils stützt sich auf 1 Petr 2,9, wenn es sagt: "Wenn er (der Heilige Geist) die an Christus Glaubenden im Schoß des Taufbrunnens zu neuem Leben gebiert, dann sammelt er sie zu dem einen Gottesvolk, das ein auserwähltes Geschlecht, eine königliche Priesterschaft, ein heiliger Stamm, ein Volk von ihm zu eigen genommen ist."[154]

2.5.1 Kirche als Gemeinschaft

Wenn von "Kirche" gesprochen wird, muß man zunächst an Gemeinschaft denken, und zwar an eine vom Geist Gottes gewirkte, in die "Fülle Gottes" (Eph 3,19) hinein versammelte Gemeinschaft. Wie sehr in christlicher Gemeinschaft menschliche und göttliche Elemente einander durchdringen, zeigt sich zutiefst in der Tatsache, daß nach dem Zeugnis der Hl. Schrift Gottes- und Nächstenliebe eine Einheit bilden. Die Gegenwart Jesu in christlicher Gemeinde wird besonders deutlich in der Eucharistiefeier, die alle Christgläubigen um den Tisch des Herrn vereinigt, damit sie in Gemeinschaft von seinem Fleisch und Blut zu sich nehmen. "Alle sollen eins sein" (Jo 17,21), sprach der Herr in seinem Abschiedsgebet, und er fügte hinzu: "Wie du, Vater, in mir bist und ich in dir bin, sollen auch sie in uns sein, damit die Welt glaubt, daß du mich gesandt hast" (Jo 17,21). Es geht um das deuterojesajanische Schema der Versammlung auch der Heiden, wenn der Auferstandene für die Wiederherstellung des Reiches Israel die Kraft des Heiligen Geistes verspricht und die Zwölf als Zeugen sendet bis an die Grenzen der Erde (Apg 1,8). Begriffe wie Jüngerschaft, Volk Gottes, messianisches Volk, neues Gottesvolk, Leib Christi usw. deuten auf den Gemeinschaftscharakter der Kirche hin. Das II. Vatikanische Konzil gebrauchte die Worte des Bischofs Cyprian, wenn es die Kirche charakterisierte als "das von der Einheit des Vaters und des Sohnes und des Heiligen Geistes her ge-

---

154 AG 15. Zu diesem Kap. vgl. *J. Ratzinger*, Das neue Volk Gottes: Entwürfe zur Ekklesiologie (Düsseldorf 1969) 424 S.; *P. Zingg*, Das Wachsen der Kirche: Beiträge zur Frage der lukanischen Redaktion und Theologie (Göttingen 1974) 345 S.; *J. Hainz*, Koinonia: "Kirche" als Amt bei Paulus (Regensburg 1982) 294 S.; *F. Hahn* (Hrsg.), Einheit der Kirche: Grundlegung im Neuen Testament. Mit Beiträgen von F. Hahn, K. Kertelge und R. Schnackenburg. QD 84 (Freiburg 1979) 132 S.

einte Volk".[155] Von den 3000 Bekehrten des Pfingsttags heißt es: "Sie hielten fest an der Lehre der Apostel und an der Gemeinschaft, am Brechen des Brotes und an den Gebeten" (Apg 2,42).

Der Begriff der Gemeinschaft ist für afrikanische (und andere) Völker fundamental. "Keiner ist ein isoliertes Individuum", sagte Jomo Kenyatta. [156] Jeder wird als Glied einer Gemeinschaft geboren, und keiner kann sich ihr entziehen. Die Gemeinschaft umfaßt die Lebenden wie auch ihre Vorfahren. Die Religion wird in Gemeinschaft gelebt, ja die Gemeinschaft gründet in der Religion. Nicht um personale Würde geht es diesen Menschen in erster Linie, sondern darum, einer Gemeinschaft anzugehören und von ihr getragen zu werden. "Die Kirche in Obervolta hat sich entschieden, sich als eine Familie zu verstehen", sagte A. Tatianma Sanon, Bischof von Bobo Dioulasso. Damit wollte er andere Charakterisierungen der Kirche nicht ausschließen, aber er findet: Familie ist "der Ort der Überlieferung von Menschlichkeit, von Teilen, Nehmen, Lernen, Schenken, Lehren, von Förderung und Wärme und von einer Lebensdichte und einem Geist der Liebe", so daß kein anderes Bild der Kirche für Afrika geeigneter sei als dieses. Selbstverständlich müsse es in der Kirche eine Hierarchie geben, wie ja auch jede menschliche Organisation "gegliedert" sei, aber dies müsse dann eine "Hierarchie des brüderlichen Dienstes sein, auf die schon Jesus hinwies, als er sagte, nur der könne der Erste sein, der Diener aller ist". [157]

2.5.2 Kirche als "Volk Gottes"

Gemeinschaft gibt es nicht ohne Ordnung der Dienste, ohne bestimmte Funktionen, ohne "Strukturen"; das gilt auch für die von Christus gestiftete Gemeinschaft der Kirche. Kirche ist in spezifischer Weise "Volk Gottes". Es ist ein theologisches Mißverständnis, wenn man unter "Volk Gottes" (laos) nur die Laien versteht, "Volk Gottes" ist vielmehr die Gemeinschaft der Glaubenden schlechthin. Die Bezeichnung "Volk Gottes" geht zurück auf das alttestamentliche "Volk Jahwes" und besagt, daß, wie sich Israel aufgrund der Errettung am Schilfmeer und des Bundesschlusses in besonderer Weise als Schöpfung und Eigentum Gottes verstand, auch die Kirche ihre Existenz Gott verdankt und in besonderer Weise ihm angehört. Wie das "Volk Jahwes" aber das "Zwölf-Stämme-Volk" war, das auf den 12 Stammvätern aufruhte, ist

155 LG 42
156 Vgl. Anm. 16 dieses Kapitels
157 Nach *K. Harteng/R. Hohmann*, 2021 — Kirche auf dem Weg ins dritte Jahrtausend (Aachen 1984) 87f.

auch die Kirche hierarchisch gegliedert, irgendwie eine "Restitution der 12 Stämme",[158] d. h., "Die Zwölf sind zunächst einmal 'Einsammler' und dann Herrscher der 12 Stämme".[159] K. Mörsdorf, über die Lehre des Konzils über die Kirche reflektierend, schrieb: "Die hierarchische Struktur der Kirche ist ein das Gottesvolk formendes Prinzip, und es hat seinen theologischen Ort in der Sakramentalität der Kirche. Die Kirche ist das von Jesus Christus für alle Menschen aufgerichtete Zeichen des Heiles, 'in Christus gleichsam Sakrament, d. h. Zeichen und Werkzeug für die innerste Vereinigung mit Gott wie für die Einheit der ganzen Menschheit' (LG 1)."[160]

Es ist hier nicht der Ort, eine umfassende Ekklesiologie zu entfalten. Zuviele Fragen spielen da hinein, die Frage des Papsttums, der Kirchenämter überhaupt, der Kirchenverfassung, des Lehramtes, der Unfehlbarkeit, der Apostolischen Sukzession, der Sakramente. Den evangelischen Christen fällt es im allgemeinen schwerer, in all diesen Fragen auf einen gemeinsamen Nenner zu kommen, als der katholischen Kirche oder den orthodoxen Christen. Sie finden sich aber mehr daheim im Vokabular des II. Vatikanischen Konzils als in der vorkonziliaren, mehr juridischen Sprache. Die Genfer Erklärung über Mission und Evangelisation betont die Notwendigkeit, daß die Botschaft vom Reiche Gottes "in den Leib Christi, die Kirche" "inkorporiert" werde, daß die Kirche vom Heiligen Geist gegründet und unterhalten werde, daß die Kirchen "ein Zeichen für die Welt" seien, daß sie sich darin Christus zum Vorbild nehmen: "So ist christliche Mission die Tätigkeit des Leibes Christi in der Geschichte der Menschheit — eine Fortsetzung von Pfingsten. Diejenigen, die durch Bekehrung und Taufe das Evangelium Jesu annehmen, gewinnen Anteil am Leben des Leibes Christi und schöpfen aus einer historischen Tradition."[161]

Gerade unter der Rücksicht der Mission sollte man dem pneumatischen Aspekt der Kirche großen Wert beimessen. Mehr noch als das Zweite Vatikanische Konzil tat das Paul VI in dem sich auf die Römische Bischofssynode von 1974 stützenden Schreiben Evangelii Nuntiandi. Da heißt es sehr deutlich: "Ohne das Wirken des Heiligen Geistes wird die Evangelisierung niemals möglich sein."[162] Zur Begründung dafür verwies der Papst auf den Herrn selber, auf den der Heilige Geist bei der Taufe herabkam und der von sich sagte: "Der Geist des Herrn ruht auf mir"

158 *K. Berger* in: Sacramentum Mundi II, 1128
159 Ebd.
160 Ebd. 690
161 In: IRM 71 (1982) 436
162 EN 75

(Lk 4,18). Desgleichen auf die junge Kirche, die vom Heiligen Geist aufgebaut wurde. Er fuhr fort: "Die Methoden der Evangelisierung sind sicher nützlich, doch können auch die vollkommensten unter ihnen das verborgene Wirken des Heiligen Geistes nicht ersetzen"; der Hl. Geist ist es, "der jeden antreibt, das Evangelium zu verkünden, und er ist es auch, der die Heilsbotschaft in den Tiefen des Bewußtseins annehmen und verstehen läßt. Doch könnte man genausogut sagen, er sei das Ziel der Evangelisierung; er allein bewirkt die Neuschöpfung, die neue Menschheit, zu der die Evangelisierung führen soll; Einheit in der Vielheit, welche die Evangelisierung in der christlichen Gemeinschaft verwirklichen will. Durch ihn dringt das Evangelium bis in das Innerste der Welt, denn er ist es, der die Zeichen der Zeit — Zeichen Gottes — erkennen läßt, welche die Evangelisierung entdeckt und innerhalb der Geschichte zur Geltung bringt". [163]

2.5.3 Autochthone Kirchen

Daß wir die abendländische Kirche nach Asien oder Afrika verpflanzen wollen, ist ein längst aufgegebener Standpunkt. Eher schüttet man heute das Kind mit dem Bade aus, indem man von einem fast absoluten Gesetz der Indigenisierung spricht. Selbstverständlich hat jedes Volk ein Recht auf eigene Ausdrucksformen seiner religiösen, religiös-christlichen Erfahrung, auf eine aus dem eigenen Volk gewachsene Leitung, auf die Entfaltung des eigenen Potentials. Das sollte man aber nicht ein absolutes Recht nennen. Gerade das Christentum sollte Zeichen dafür sein, daß die universale Solidarität des Mensch- und Christseins stärker ist als jeglicher Nationalismus und Individualismus, daß das Christentum wesentlich Austausch ist, daß alle bereit sein müssen zum Geben und Empfangen, daß die Verantwortlichkeit aller Kirchen für alle Kirchen christliches Strukturprinzip sein und als solches in Erscheinung treten sollte. "Einheimische" Teilkirchen ja, aber nie im exklusiven Sinn; man muß immer bereit sein, sich selbst zu "überschreiten".

Da Mission ein Kommunikationsprozeß ist, ist es zunächst notwendig, *den Menschen*, dem man die Botschaft sagt, *sehr ernst zu nehmen*. Gott tut das. Er sandte seinen Sohn als Botschaft und Boten, aber durch

---

163 Ebd. Als Wirkung des Hl. Geistes darf man auch die kirchlichen Basisgemeinschaften betrachten, die vor allem in Missionsländern und in Missionssituationen erstehen. Die Römische Bischofssynode beschäftigte sich eingehend mit dem Thema. EN bezeichnet als ihre "grundlegende Berufung": "Als Hörer des ihnen verkündeten Evangeliums und als bevorzugte Adressaten der Evangelisierung werden sie dann ihrerseits unverzüglich zu Verkündern des Evangeliums" (Art. 58).

den Hl. Geist wirkt er in den Herzen der Menschen, bereitet sie vor, erwärmt sie, weckt Verständnis und schließlich die Einsicht: "Brannte uns nicht das Herz in der Brust, als er unterwegs mit uns redete und uns den Sinn der Schrift erschloß?" (Lk 24,32). Der Missionar, der verkündet, spricht nicht zu einer tauben Wand. Er hat Menschen vor sich, die guten Willen haben, die Einsicht besitzen, in denen Gott durch ihr Gewissen und die religiöse Tradition, in der sie groß wurden, von Jugend auf wirksam ist, die zwar von der Erfüllung in Jesus Christus noch nicht oder nur ungenügend wissen, aber im Tiefsten der Seele doch empfänglich sind. So meint es wohl H. Bürkle, wenn er, gegen R. Bultmann, die Forderung stellt, daß der Kommunikationsvorgang nicht von der Basis der religiösen Natur des Menschen getrennt werden darf.[164] Er stützt sich auf die Gedankengänge Paul Tillichs, wenn er sagt: "Der Vermittlungsvorgang an Menschen anderer Religionen hängt davon ab, daß der Bereich des Wortes seine integrierte Funktion behält. Keinesfalls darf er das Ganze des Kommunikationsvorganges für sich in Anspruch nehmen. Wo dies geschehen würde, müßten weite Kommunikationsfelder auf seiten der Adressaten der christlichen Botschaft brach liegen bleiben."[165] Gerade hierin sieht er den Vorteil einheimischer Prediger. Sie kennen die Erfahrungsbereiche ihrer Hörer, schöpfen aus ihnen und führen von ihrer christlichen Erfahrung her wieder zu ihnen zurück. Sie interpretieren das Leben der Leute aus der Erfahrung des neuen Lebens in Christus. Ihre Predigten sind wie die synoptischen Evangelien "berichtende und erzählende" Theologie, die unmittelbar verstanden wird. Es genügt also nicht, die Frohbotschaft lediglich in eine andere Sprache zu übersetzen; sie muß "zugleich in den Gesamtzusammenhang seiner (des Empfängers) Geschichte und seiner gegenwärtigen Glaubenserfahrung übersetzt" werden.[166]

Von hier aus erkennt man spontan, daß *Akkommodation* und *Adaptation* mehr sind als Mittel leichterer Kontaktgewinnung. Das erkannte bereits Thomas Ohm, wenn er von einer Dreiteilung des Akkommodationsvorganges, von Akkommodation, Assimilation und Transformation sprach.[167] Alle drei Aspekte sind wichtig: Anpassung, die deshalb möglich ist, weil wir aufgrund unserer gemeinsamen menschlichen Natur eine natürliche Veranlagung dafür besitzen, aufeinander zuzugehen; Assimilation, da die Kirche durchaus fähig ist, die Reichtümer anderer in sich aufzunehmen, ja diese zu ihrer eschatologischen Erfüllung gera-

164 Missionstheologie 87
165 Ebd.
166 Ebd. 88
167 *Th. Ohm,* Machet zu Jüngern alle Völker 700

dezu braucht; Transformation, weil alles, was es an Wahrem, Gutem und Schönem in der Welt gibt, "in irgendeiner Weise auf eine höhere Stufe erhoben werden und so irgendwie dem Heil dienen" kann.[168]

H.-W. Gensichen berichtet von Graf Zinzendorf, daß dieser anfangs ganz "christlich" reden, sich "satt am Lamm" erzählen wollte, daß er aber bald zu der Einsicht kam, daß man die Sprache und die Kultur der Menschen kennen müsse, um "Liebe und Eingang in deren Herzen" zu finden.[169] Es ist die gleiche Erfahrung, die auch Franz Xaver machte, der in Indien noch zu bloßen "Götzendienern" sprach, in Japan aber die Erfahrung machte, daß die japanische Kultur mehr ist als bloßer Götzendienst. Gensichen hält diese Einsicht für korrekt, da es "unbefriedigend" wäre, um der Identität der Botschaft willen lediglich "konservierte Information" zu treiben, daß es aber genauso falsch wäre, "das Gegenüber lediglich in dem zu bestätigen, was es von sich aus weiß und besitzt".[170] Nach eingehender Prüfung der Problematik kommt er zu der Erkenntnis: "So wird es dabei bleiben, daß missionarische Kommunikation sich zwischen den beiden Polen der bloßen Anpassung an die vorfindliche Kultur und der radikalen Erneuerung und Umzentrierung der Kultur bewegt, in der Gewißheit, daß das Evangelium die Kultur nicht unberührt läßt, daß andererseits alle Umgestaltung, die von Dauer ist, nur aus der Kultur selbst heraus geschehen wird — auch da, wo diese bereits durch andere Einflüsse in eine Krise geraten ist."[171]

Seit dem Apostolischen Schreiben Catechesi Tradendae[172] hat sich, wie bereits erwähnt, im katholischen Raum und teilweise darüber hinaus der Terminus *Inkulturation* eingebürgert. Der Autor, Papst Johannes Paul II, meint, daß in dieser sprachlichen Neubildung "sehr deutlich die einzelnen Elemente des großen Geheimnisses der Inkarnation zum Ausdruck" kommen. Es gehe darum, "die Kraft des Evangeliums ins Herz der Kultur und der Kulturen" einzupflanzen. Dafür sei es notwendig, diese Kulturen und ihre wesentlichen Elemente kennenzulernen, deren bezeichnendste Ausdrucksformen zu beherrschen, ihre Werte und Reichtümer zu achten. Auf diese Weise "kann sie diesen Kulturen die Erkenntnis des verborgenen Geheimnisses nahebringen und ihnen helfen, aus ihrer eigenen lebendigen Überlieferung heraus originelle Ausdrucksformen christlichen Lebens, Feierns und Denkens hervorzubringen". Wiederholt setzt der Papst die neue Wortprägung in Parallele zu "Inkarnierung" des Evangeliums, wie er auch von Umgestaltung, Er-

168 *Th. Ohm,* aaO 702
169 Glaube für die Welt 187
170 Ebd. 188
171 Ebd. 198f.
172 AAS 71 (1979) 1277—1340

neuerung und Korrektur der Kulturen spricht. In diesem Kontext findet sich auch die Bezeichnung "apostolischer Dialog" im Unterschied zu bloßem "Dialog der Kulturen".[173] Daß gerade dieser Papst hohen Respekt für die Kulturen hat, zeigt sich u. a. in seiner Ansprache vor den Mitgliedern der Bibelkommission vom 26.4.1979, wo er ausführt: Wenn Gott sich der Kulturen bediente, um sie zum "Fahrzeug" des Wortes Gottes zu machen, müssen große Werte in ihnen liegen, etwas, was schon im Keim vom Göttlichen Logos kommt; gerade das berechtige die Kirche dazu, sich in ihrer Verkündigung der gegenwärtigen kulturellen Ausdrucksformen zu bedienen und sie so an der Würde des Göttlichen Wortes teilnehmen zu lassen.[174]

Die Frage des *einheimischen Missionspersonals* ist heute nur noch von historischem Interesse. Es hat sich inzwischen die Auffassung allgemein durchgesetzt, daß zu dem "Reifestand christlichen Lebens",[175] der eine "Missionskirche" zur "mündigen" Kirche macht, auch das landeseigene Personal gehört: Katechisten, Lehrer, Laieneliten überhaupt, Ordensleute, Priester, Bischöfe. Das heißt nicht, daß ausländische Laienmissionare nicht mithelfen sollten oder daß der gesamte Klerus und die gesamte Hierarchie "Einheimische" sein müssen; die Internationalität kann auch hier eine Bereicherung sein. Das heißt aber wohl, daß es gegen den Sinn der Mission und der Kirche ist, wenn man die Einheimischen grundsätzlich zu Führungsaufgaben nicht zuläßt, wie es in der kolonialen Ära vielfach der Fall war. Nur zwei Dinge seien hier noch eigens genannt:

a. Eins der erfreulichsten Zeichen unserer Zeit ist, daß selbst die jungen Kirchen heute missionarisch geworden sind, ja daß man bereits von einer neuen Missionsära spricht in dem Sinne, daß die jungen Kirchen Missionare aussenden. Inder arbeiten in Neuguinea und Afrika, Filipinos in Indonesien und Lateinamerika, Ghanaer in Botswana, Japaner in Brasilien usw. Koreanische und philippinische Krankenpflegerinnen helfen in Deutschland aus. Da ist Christentum im Tiefsten verstanden. Während man in Europa darüber nachdenkt, ob die Zeit der "Sendung" nicht endgültig vorüber sei, entdecken die jungen Kirchen, daß das Mandatum Christi, zu allen Völkern zu gehen, auch ihnen gegeben ist. Es ist ein Zeichen der Jugend und Frische, das Missionscharisma in sich zu verspüren, der Vergreisung aber, wenn man meint, sich auf sich selber zurückziehen zu sollen. Es ist ein Zeichen der Hoff-

173 Nr. 53
174 Vgl. AAS 71 (1979) 606—609
175 AG 6, Anm. 17

nung auch für uns, wenn wir den Missionselan der jungen Kirchen heute erfahren.

b. Das Missionsdekret Ad Gentes spricht die Mahnung aus, schon in der Periode der Pflanzung der Kirche die Entwicklung des Ordenslebens zu fördern, nicht nur deshalb, weil es für die missionarische Tätigkeit wertvolle und unbedingt notwendige Dienste leistet, sondern auch, weil es als solches "durch die in der Kirche vollzogene, innigere Weihe an Gott lichtvoll das innerste Wesen der christlichen Berufung darstellt".[176] Auffallender noch ist die Empfehlung des beschaulichen Lebens in den jungen Kirchen mit der Begründung: "Das beschauliche Leben gehört eben zur vollen Anwesenheit der Kirche und muß deshalb überall bei den jungen Kirchen Eingang finden."[177] Wie bereits die Mahnung Pius XI in Rerum Ecclesiae,[178] fand auch dieser Aufruf begeisterte Aufnahme, und viele kontemplative Klöster folgten dem Ruf. Auch dies ist ein Zeichen der Hoffnung, die Erkenntnis nämlich, daß menschliches Tun zwar wichtig, aber doch nicht letztlich entscheidend ist. Entscheidend ist das Tun Gottes, und darum haben die geistlichen Mittel den Vorrang. Es sind wiederum die Väter des Zweiten Vatikanischen Konzils, die die Überzeugung aussprachen: "Die Institute des kontemplativen Lebens sind durch ihre Gebete, Bußwerke und Entsagungen von größter Bedeutung für die Bekehrung der Seelen, da Gott es ist, der auf die Bitte hin Arbeiter in seine Ernte schickt (vgl. Mt 9,38), die Nichtchristen für die Botschaft des Evangeliums öffnet (vgl. Apg 16,14) und das Wort des Heiles in ihren Herzen Frucht bringen läßt (vgl. 1 Kor 3,7)."[179]

176 AG 18
177 Ebd.
178 Vgl. den Anfang dieses Kapitels: Orden und Missionsgesellschaften (1.3)
179 AG 40

Sechstes Kapitel

LAST UND LEHREN DER GESCHICHTE

Literatur:

P. *Althaus*, Um die Reinheit der Mission. In: *F. Wiebe* (Hrsg.), Mission und Theologie (Göttingen 1953) 48—60

H.R. *Boer*, Pentecost and Missions (Grand Rapids 1961)

C. *Burchard*, Erfahrungen multikulturellen Zusammenlebens im Neuen Testament. In: *J. Micksch* (Hrsg.), Multikulturelles Zusammenleben: Theologische Erfahrungen (Frankfurt 1984) 24—41

J. *Burckhardt*, Weltgeschichtliche Betrachtungen, hrsg. von *R. Marx* (Leipzig)

O. *Costas*, Mission Out of Affluence. Missiology 1 (1973) 405—423

H. *Gründer*, Christianisierung und Kolonialismus: Bemerkungen zur Rolle der Religion im westlichen Expansionismus der Neuzeit. In: Kolonialismus und Kolonialreiche, Teil I. Zeitschrift für Kulturaustausch 34 (1984) 257—266

J. *Höffner*, Kolonialismus und Evangelium (Trier 1972[3])

E. *Jansen Schoonhoven*, De betekenis van Johann Georg Hamann voor de zendingstheologie. In: Variaties op het thema zending (Kampen 1974) 61—75

H.-D. *Kahl*, Compellere Intrare. In: *H. Beumann* (Hrsg.), Heidenmission und Kreuzzugsgedanke in der deutschen Ostpolitik (Darmstadt 1963) 177—274

M. *Kähler*, Schriften zur Christologie und Mission, hrsg. von *H. Frohnes* (München 1971)

O. *Köhler*, Corpus Christianum. Theologische Realenzykopädie VIII (Berlin 1981) 206—216

J. *Kremer*, Weltweites Zeugnis für Christus in der Kraft des Geistes: Zur lukanischen Sicht der Mission. In: *K. Kertelge* (Hrsg.), Mission im Neuen Testament. QD 93 (Freiburg u. a. 1982) 145—163

H.-J. *Prien*, Die Geschichte des Christentums in Lateinamerika (Göttingen 1978)

L. *Rütti*, Westliche Identität als theologisches Problem. ZMiss 4 (1978) 97—107

J. *Schmidlin*, Katholische Missionsgeschichte (Steyl 1924)

P. *Schütz*, Zwischen Nil und Kaukasus (München 1930)

Th. *Sundermeier*, Das Kreuz in japanischer Interpretation. Evangelische Theologie 44 (1984) 417—440

R. *Wittram*, Das Interesse an der Geschichte (Göttingen 1958)

1. "VERGANGENHEITEN SIND UNS EINGEPFLANZT ..." (R.M. RILKE)

Mission lebt nie von ihrem Auftrag allein. Sie lebt auch davon, wie dieser Auftrag in der Geschichte wahrgenommen worden ist. Nur billiger Zynismus kann sich damit vertrösten, aus der Geschichte sei nur das zu lernen, daß man nichts aus ihr lernen könne. Das Gegenteil ist richtig: "Wer die Geschichte vergißt, ist gezwungen, sie zu wiederholen" (George Santayana). Billiger Zynismus wäre es freilich auch, die Missionsgeschichte, als Teil der Kirchengeschichte, mit Goethe pauschal als "Mischmasch von Irrtum und Gewalt" zu erklären und darum zu ignorieren. Wie in aller Geschichte, so geht es auch in der Kirchen- und Missionsgeschichte um einen wesentlichen Aspekt des Menschseins — das Leben in und mit der Dimension des Nicht-Verfügbaren, dessen, das nicht machbar und manipulierbar ist, sondern das eher einem allererst widerfährt und das doch zugleich verantwortliche Handeln in der Gegenwart fordert und ermöglicht. So hat es Jakob Burckhardt für die gesamte Weltgeschichte postuliert: "Nur aus der Betrachtung der Vergangenheit gewinnen wir einen Maßstab der Geschwindigkeit und Kraft der Bewegung, in welcher wir selber leben"; nur so können wir hoffen, daß wir "nicht bloß klug für ein andermal, sondern weise für immer werden".[1]

Auch in der Kirchen-, auch in der Missionsgeschichte liegen Irrtum und Wahrheit, Last und Lehre dicht beieinander und ineinander, auf eine für uns letztlich nicht voll durchschaubare Weise: "Alles von Gott gewirkt, nichts vom Menschen ohne Bruch verwirklicht. Auch auf den größten Zeiten ..., auch dort, wo sich die Fülle des Lichts ergießt, ruhen tiefe Schatten, und auch in der Dunkelheit des Niedergangs fehlt nirgends das Licht der Verheißung."[2] *Beides* brauchen wir, wenn die Geschichte in einem erweiterten Horizont unser Bewußtsein auf die Probe stellen soll: Die Erkenntnis dessen, was sich im Lauf der Zeit zwischen Christus und seine Gemeinde gestellt hat, wie auch dessen, was die Freiheit des Evangeliums zur Wirkung gebracht hat und verpflichtende Kraft für nachfolgende Generationen besitzt. Nur mit einem solchen dialektischen Verständnis der Geschichte werden wir auch der Wirklichkeit der Kirche gerecht, die gerade inmitten ihrer Geschichtlichkeit und Weltlichkeit als Gottes Volk auf Erden existiert, das der Vollendung im kommenden Gottesreich entgegengeht. Um in diesem Sinn Last und Lehren der Geschichte als unentbehrliche Wegweisung auch für das gegenwärtige missionarische Handeln der Christenheit kenntlich zu machen, sollen die folgenden Überlegungen an drei Aspekten orientiert sein, die bereits im historischen Bekenntnis der Kirche vorgegeben sind:

Last und Lehren gemäß dem zweiten, dem ersten und dem dritten Artikel des Credo, oder — mit Rückgriff auf die Kapitel III—V dieser Einführung — im Hinblick auf den *Grund,* das *Ziel* und das *Werk* der

---

1   Weltgeschichtliche Betrachtungen 16, 10
2   *Wittram,* Interesse an der Geschichte 142f.

Mission.

2. DER GRUND DER MISSION IN DER GESCHICHTE

Noch einmal sei an die schon in anderem Zusammenhang erwähnte Schweizer Stimme, die des Berner Privatdozenten Hans Dürr, erinnert, die mitten in der Zeit der Verwirrung und Verunsicherung nach dem Zweiten Weltkrieg zu einer "Reinigung der Missionsmotive" aufrief.[3] Der Appell erregte beträchtliches Aufsehen, verschiedentlich auch Unbehagen, eben weil er versuchte, Last und Lehren der jüngsten Geschichte für eine radikale Neubesinnung auf den Sinn der christlichen Weltmission fruchtbar zu machen. Es waren wesentlich zwei Überlegungen, die Dürr zu seinem Vorstoß veranlaßten: Erstens die Befürchtung, daß man in dieser Stunde der Krise nichts Besseres zu tun wüßte, als unter der Parole "business as usual" möglichst bald dort weiterzumachen, wo man infolge des Krieges die Arbeit hatte unterbrechen müssen — als wäre nichts geschehen; zweitens die Erkenntnis, daß jene Stunde nicht etwa nur gewisse kosmetische Korrekturen am althergebrachten Instrumentarium der Mission verlangte, sondern nichts Geringeres als "radikale Überprüfung unserer Standorte und Wegrichtungen", und dies nun eben in Gestalt einer Konfrontation mit der Geschichte; denn nur so wäre es möglich, eine Überprüfung einzuleiten, "die in die letzten Wurzeln hinunterreicht", eine Kritik, die nicht irgendwelche Bagatellen, sondern "die Sache selber" treffen müsse. Heute würden wir sagen: Last und Lehren der Geschichte betreffen nicht bloß die mehr oder weniger unverbindlichen Motivationen oder Be-gründungen missionarischen Handelns, sondern primär den *Grund*, auf dem allein die Mission als etwas "Gegründetes" aufruhen kann, durch den allein sie ihre Legitimation empfängt. Biblisch ist der Grund nicht in einem Imperativ, sondern in einem Indikativ definiert: "Gott will, daß alle Menschen Rettung finden und zur Erkenntnis der Wahrheit gelangen" (1 Tim 2,4); daher auch die Proklamation und die Verheißung, die den sogenannten Missionsbefehl des Auferstandenen umschließen: "Mir *ist* alle Macht übertragen, im Himmel wie auf Erden ... und siehe, ich *bin* bei euch alle Tage, bis diese Weltzeit sich vollendet" (Mt 28,18—20). Dem entspricht schließlich auch die oft übersehene oder mißverstandene Tatsache, daß die Heidenmission der ältesten Christenheit sich keineswegs in einer großen Eskalation straff organisierter und gleichsam generalstabsmäßig geplanter Zeugnisaktivität und Gemeindeexpansion vollzog, sondern auf eine eher retardierende, manchmal fast zurückhaltende und gehemmte Weise, die

3   EMM 95 (1951) 2—10 (siehe Kap. I, Anm. 8)

sich augenscheinlich immer von neuem ihrer primären Bevollmächtigung durch den freien Gnadenwillen Gottes zu versichern suchte, weil nur darin die Freiheit des missionarischen Zeugnisses gewährleistet war.

Je deutlicher diese besondere Qualität der Grundlegung christlicher Mission erkennbar war, desto mehr muß auffallen, wie weit und wie rasch man sich nach der konstantinischen Wende davon entfernt hat. Nicht nur um einen "physisch-staatlichen Beigeschmack" geht es, wie ihn etwa Joseph Schmidlin in der Mission nach Konstantin registrierte,[4] auch nicht lediglich um eine "Koppelung des einzig legitimen Motivs mit illegitimen" (Paul Althaus).[5] Die eigentliche Last der Geschichte wird man darin zu sehen haben, daß spätestens seit dem frühen Mittelalter das Ineinander von geistlichen und machtpolitischen Interessen den Grundsatz der Freiwilligkeit des Glaubens fortgesetzt widerlegte, daß damit die Mission in einen Dauerkonflikt zwischen dem freien Evangeliumsangebot einerseits und der direkten oder indirekten Nötigung andererseits geriet, der die Glaubwürdigkeit der christlichen Botschaft aufs schwerste beeinträchtigen mußte, und das nicht etwa nur in den Kreuzzügen. Als die Kirche im Zeitalter der Entdeckungen über die Grenzen des alten Corpus Christianum hinaus vorzustoßen und damit ihren angestammten Kulturraum erstmals auf breiter Front zu überschreiten begann, wurde der Konflikt nicht etwa gelöst, sondern noch verschärft; denn nun geriet die Mission in den Sog der kolonialen Expansion und damit vollends in eine captivitas, eine Gefangenschaft, deren Folgen weit über die Epoche des Kolonialismus andauern sollten. Am sogenannten "Bogen der Vizekönige" in Goa, inmitten der Trümmer der alten Metropole des portugiesischen Asien-Imperiums, ist bis heute ein Relief zu sehen, das die Stimmung und Mentalität der Epoche in einer noch heutzutage erschreckenden Weise offenbar macht: ein Heiliger setzt seinen Fuß auf den Nacken eines Heiden; das Schwert in seiner Rechten zeigt nach Osten, in Richtung auf das indische Hinterland. Ähnliche Darstellungen sind aus der spanischen Conquista in Amerika bekannt, in der Regel freilich in alten Texten versteckt, die auch in Reproduktionen einer breiten Öffentlichkeit kaum zugänglich sind. Das Relief in Alt-Goa dagegen spricht eine Sprache, die von Hindus und Muslimen in Indien auch in unseren Tagen nur zu gut verstanden wird — die Sprache der Conquista im Zeichen von Kreuz und Schwert oder auch von Kreuz und Kommerz.

Das ganze Gewicht der Last dieser Geschichte ist erst allmählich bekannt geworden, im Zuge eines systematischen Abbaus apologetischer

4 Katholische Missionsgeschichte 90
5 Um die Reinheit der Mission 53

Konstruktionen, der ganz überwiegend der modernen profanhistorischen Kolonialgeschichtsforschung zu danken ist (Ausnahmen, wie vor allem die Arbeiten des heutigen Kardinals Höffner, sind darum um so höher einzuschätzen). Wir wissen heute, daß — um nur die wichtigste dieser Konstruktionen zu nennen — im iberischen Kolonialismus des 15. und 16. Jahrhunderts eben nicht der Missionsgedanke die treibende Kraft war. Primärmotiv ist vielmehr die "handelskapitalistische Partnerschaft" zwischen Krone und Konquistadoren gewesen, in deren Rahmen die Missionierung — die ja auch erst später einsetzte — effektiv eine unterstützende Rolle spielte.[6] Damit ist nicht gesagt, daß nicht auch im Kontext des iberischen Patronats (bzw. Padroado) ein ernsthaft auf Bekehrung der Indianer intendiertes missionarisches Zeugnis seinen Platz haben konnte. Aufs Ganze gesehen muß es dennoch bei Höffners Urteil bleiben, daß der Staat es "geradezu meisterlich verstand, sich die Religion und durch sie auch die Kirche zur Verwirklichung seiner Politik *dienstbar zu machen*".[7]

In der weiteren Entwicklung der westlichen Kolonialexpansion, die hier nicht bis in alle Details verfolgt werden kann, konnte die Rolle der Mission unterschiedliche Gestalt annehmen — sei es die der Wegbereiterin, die der Nutznießerin oder schlicht die der Kollaborantin des Systems. Zweifellos vermochte die westliche Mission daneben auch als Faktor der Humanisierung, der Modernisierung und gelegentlich auch der Emanzipation der einheimischen Völker zu wirken. Unterschiedlich war oft die Funktion der katholischen und die der evangelischen Mission, manchmal sogar in ein und demselben Gebiet, wie etwa in der deutschen Kolonie Kamerun. Und schließlich ist nicht zu vergessen, daß Missionare sich aus verschiedenen Gründen der Zusammenarbeit mit der Kolonialmacht zu entziehen verstanden oder auch den Weg der Opposition zu gehen versuchten (darauf ist sogleich noch zurückzukommen). Bedenklich und bis heute erschreckend und belastend bleibt jedoch die Tatsache, daß die Mission der Kirche in einer dominanten Entwicklungslinie ihrer Geschichte ihrem Ursprung und Auftrag überhaupt in einem solchen Maß untreu werden konnte. Der zweite Artikel des Credo hatte sie ein für allemal auf unverbrüchliche Nachfolge ihres Herrn gewiesen, der ihr seine Gegenwart bis ans Ende der Welt verheißen hatte. Nur aus dieser Verheißung erwuchs ihr die Hoffnung, in seinem Namen Menschen zum Glauben an ihn und zu neuem Leben aus seiner Kraft rufen zu können. Wo blieb da Raum für die Drohung der Konquistadoren, die Indianer "unter das Joch der Kirche und des Königs

6 *Gründer*, Christianisierung und Kolonialismus 257
7 Kolonialismus und Evangelium 219 (Hervorhebung von mir)

zu zwingen"? Wo war auch nur die Spur einer Rechtfertigung dafür, Mission als geistliche Eroberung in Ergänzung zur staatlichen Kolonisierung zu treiben, Evangelisierung als Korrelat der Zivilisierung zu betrachten?

Auch heute, im Zeitalter der Dekolonisierung, sind diese Fragen nicht bedeutungslos geworden. Die Last der Geschichte wirkt überall dort nach, wo — mit Ludwig Rütti gesprochen — die "Position des Eroberns und Beherrschens, des Anspruchs auf Überlegenheit und universale, allgemeingültige Humanität" auch in der Mission noch ihr Wesen treiben kann, wo Selbstbestätigung und Sicherung überkommener Besitzstände wichtiger werden als die Stimme des Herrn.[8] Bartolomé de Las Casas, der große Gegenspieler der spanischen Konquistadoren, war auf lange Sicht der einzige, der frontal gegen dies System als solches anging, das der Mission ihre geistliche Integrität zu nehmen, die Bindung an ihren Wesensgrund zu lösen drohte. Zwar hat er sich letztlich nicht durchgesetzt. Aber neben und nach ihm erschienen andere Mahner, die auf den Grund der Sendung insistiert und die Mission zu ihrer Sache gerufen haben, die somit auch für die Gegenwart den Weg von der Last der Geschichte zu ihrer Lehre weisen können — auf die Gefahr hin, daß dabei auch manches von dem in Frage gestellt wird, was nach herkömmlicher Meinung zum unaufgebbaren Bestand der Mission gehört. Luther ging weiter als andere, wenn er, am Bespiel der Jona-Geschichte, sich vorstellte, daß "die Prediger alle verschlungen werden" und dennoch das Evangelium "nur desto stärker (gehet) und kommt doch in die Welt und kehret sie um".[9] Zweihundert Jahre nach ihm beruft sich Johann Georg Hamann wiederum auf Luther, der zwar die alte unheilige Allianz von Christentum und westlicher Kultur habe zerbrechen wollen, aber nicht habe verhindern können, daß mittlerweile das angeblich christliche Abendland selbst zum Heidentum geworden sei und somit ebenso der Befreiung und Erlösung durch den "Universalismus des Evangeliums" bedürfe wie die Heiden "draußen".[10] Und als dritter Zeuge auf dieser Linie sei Martin Kähler (gest. 1912) genannt, dessen Kontrastierung von Mission und Propaganda sich längst durchgesetzt hat als treffende Formel für die Lehre aus der Geschichte, auf die es heute wie einst ankommt: Entweder man treibt Propaganda für die Sicherung des eigenen Kirchentums, oder man treibt Mission im Sinne des "Dienstes am Evangelium", am Wort vom Kreuz, das ja in Wahrheit selbst das Subjekt aller Mission ist: "Wo es laut wird, erweist es seine durchschlagende Kraft.

8   Westliche Identität als theologisches Problem 104
9   WA 19, 245, 28
10   *Jansen Schoonhoven*, De betekenis van Johann Georg Hamann voor de zendingstheologie 61—75

Es evangelisiert." Und damit ist für Kähler auch die Geschichte trotz des Augenscheins gleichsam rehabilitiert, trotz aller confusio hominum, die sich in ihr breit machte: "Wo seine (des Evangeliums) evangelisierende Macht zutage tritt, da stellt es immer wieder heraus, daß die Kirchengeschichte, wie sie in der Mission urständet, in ihrem eigentlichsten Wesen Missionsgeschichte ist."[11]

3. DAS ZIEL DER MISSION IN DER GESCHICHTE

"Warnend und weckend" geht das Wort vom Kreuz durch die Zeiten — so war der Weg der Mission des zweiten Glaubensartikels von Kähler beschrieben worden.[12] Weder für ihn noch für andere Missionstheologen gerade in der lutherischen Tradition konnte zweifelhaft sein, daß damit auch eine neue Beziehung zur Botschaft des *ersten* Artikels hergestellt wäre. Das Zeugnis von der Versöhnung und Rechtfertigung in Christus ist ja nicht Selbstzweck. Es zielt auf eine Evangelisierung, die zugleich Humanisierung ist, eine Erneuerung des Menschen, die auch sein durch Sünde und Schuld entstelltes schöpfungsgemäßes Humanum wiederherstellt. Oder anders gesagt: in der Gemeinde der Versöhnten, die sich unter dem Wort des Evangeliums sammelt, tritt ein neuer ganzheitlicher Friede, ein neuer, umfassender Schalom wenigstens anfangsweise in Erscheinung, von dem aus auch der ganze Kosmos verwandelt und erneuert werden soll. So jedenfalls hat die Mission der ältesten Christenheit ihren Auftrag verstanden. Kirche und neue Menschheit, Evangelisierung und Humanisierung, Zeugnis und Dienst, Mission und Entwicklung fielen nicht auseinander, sondern gehörten zusammen als die untrüglichen Zeichen der kommenden Gottesherrschaft. Daß dies nicht so blieb, sondern daß beide Seiten der Sache schon in einem frühen Stadium der Entwicklung wieder auseinanderfielen, gehört zur Last der Missionsgeschichte, deren Nachwirkungen uns bis heute besonders bedrücken.

Ein erstes Symptom dafür ist die schon in nachapostolischer Zeit einsetzende Tendenz, die alten, durch das Kreuz Christi eigentlich überwundenen Gegensätze zwischen den Berufenen aus Juden und Christen einerseits und den Heiden, den Außenstehenden andererseits wieder möglichst scharf zu markieren, und zwar in der Weise, daß die Heiden pauschal als Barbaren und Hinterwäldler betrachtet wurden, als "Heidenhunde", die auch nur als solche zu behandeln waren, also nicht wirklich als Menschen und Gottesgeschöpfe. Die Gründe für diese Entwick-

11 Schriften zur Christologie und Mission 326
12 AaO

lung waren vielschichtig. Vor der konstantinischen Wende waren die Christen inmitten einer von Nichtchristen beherrschten Welt eine winzige Minderheit mit völlig ungesicherter Rechtslage, gefährdet durch Lehrauseinandersetzungen, ein odium generis humani, dessen Schicksal äußerst ungewiß war. Seit dem 4. Jahrhundert schlug die Situation in ihr Gegenteil um. Schon um die Jahrhundertmitte konnte der christliche Apologet Firmicus Maternus von der Obrigkeit verlangen, das Heidentum wegen seiner Unmoral und Unvernunft kompromißlos zu unterdrücken. Schritt für Schritt schreitet diese Entwicklung fort, bis durch Papst Gregor I. die Konsequenz des "Heidenkriegs" gezogen wurde: entweder indirekt, wobei mittels Unterwerfung der Heiden die Voraussetzung für nachfolgende Missionierung zu schaffen war, oder direkt, unter der Alternative "Taufe oder Tod", wie sie Karl der Große in den Sachsenkriegen praktizierte, motiviert durch den Gedanken der Rache für den Frevel der Heiden. Daß auch ein Mann wie Bernhard von Clairvaux 1147 unter dieser Parole zum Wendenkreuzzug aufrufen konnte, gehört ebenso in das Bild, wie die etwa gleichzeitig im altfranzösischen Rolandslied dokumentierte Überzeugung, daß der Heide als ein Mensch, der "Gott haßt und die christliche Bruderliebe" verachte, kein Recht auf Leben besitze; "wer ihn umbringt, vernichtet einen Teufel; mit Recht nennt man euch Hunde".[13]

Es soll nicht vergessen werden, daß es auch Gegenstimmen gab, daß man doch auch im Heiden nicht primär den Feind, sondern den Menschen sah, dessen Recht und Würde auch durch die Bekehrung nicht beeinträchtigt werden dürften. Dennoch kommt man nicht daran vorbei, daß auch in der Folgezeit, zumal in der Epoche der Conquista, die Mißachtung der Menschenwürde der "Heiden" fester Bestandteil der Missionspolitik war, bis hin zu der Konsequenz, daß nach göttlichem und natürlichem Recht auch die Versklavung der Heiden als durchaus legitim galt. Las Casas und seine Freunde in den Bettelorden stellten zwar die Frage: "Sind jene etwa keine Menschen? Haben sie keine vernunftbegabten Seelen? Seid ihr nicht verpflichtet, sie wie euch selbst zu lieben?"[14] Aber eine grundlegende Änderung vermochten auch sie nicht zu bewirken. Die protestantisch-calvinistische Kolonialmission der Holländer in Asien wie auch die der englischen Puritaner in Nordamerika blieb eher beim mittelalterlichen Bild der Heiden, als daß sie sich von den neuen Einsichten der Reformation hätten leiten lassen: "Abschaum und Kehricht der verlorenen Nachkommen Adams", "Erben eines fürch-

13 Zitiert bei *Kahl*, Compellere Intrare 233
14 So der Dominikaner Montesinos, zitiert bei *Prien*, Geschichte des Christentums in Lateinamerika 170

terlichen Fluchs", "kaum besser als Tiere" — diese Bezeichnungen geben einen Eindruck davon, was die Indianer von den puritanischen Musterchristen zu erwarten hatten.

Man könnte fragen: Warum alle diese unerfreulichen Reminiszenzen? Hat die Geschichte uns nichts Besseres zu bieten als solche Peinlichkeiten, über die wir heute doch längst hinaus sind? Dazu einige Gegenfragen: Ist das Problem von "Christentum und Menschenwürde"[15] heute wirklich kein ökumenisches Thema mehr? Bleibt es nicht vielmehr überall dort akut, wo auch in der Gegenwart sogenannte christliche Obrigkeiten noch immer die Menschenrechte ihrer Untertanen verletzen, sei es im Namen eines rassistischen Systems, unter dem Deckmantel eines angeblichen Kriegsrechts oder durch wirtschaftlich-soziale Ausbeutung und Diskriminierung? Ist außerdem die christliche Mission heute wirklich frei von jenem puritanischen Dünkel, der fortschreitende Anpassung der Indianer an die westliche Welt seinerzeit als Maßstab für das Wachsen im Glauben betrachtete? Mindestens in der neueren deutschen protestantischen Mission hat es eine fatale Neigung gegeben, "Evangelisieren" und "Zivilisieren" durcheinanderzubringen, wobei unter Zivilisation natürlich Kultur und Lebensstil des Abendlandes zu verstehen waren, wenn nicht sogar jenes spezifisch "deutsche Wesen", an dem doch auch nach Meinung mancher Missionare "die Welt genesen" sollte. Wie weit man sich damit von Sinn und Anspruch des ersten Artikels entfernt hatte, wurde nicht einmal dann überall verstanden, als der Erste Weltkrieg und seine Folgen diesen Träumereien ein jähes Ende bereitet hatten. Gab es dennoch eine Lehre aus dieser Geschichte, und wenn ja, wie konnte sie aussehen?

Eine Antwort hat auch hier die Geschichte selbst gegeben, nämlich in Gestalt der Versuche, trotz aller Widerstände die Polarisierung von Heil und Wohl, die Trennung von Wort- und Tatzeugnis nicht mitzumachen, den Sendungsauftrag gemäß dem zweiten Artikel und die Verantwortung vor dem ersten Artikel nicht auseinanderfallen zu lassen, sondern im Dienst an Gottes ganzheitlichem Heil für die Menschen, die sein Ebenbild sind, seiner kommenden Herrschaft den Weg zu bereiten — nicht indem man die Mission den Zwängen eines totalitären Social Gospel auslieferte, sondern durch unspektakulären, aber gehorsamen Einsatz für alle, die von den Mächtigen in Staat und Kirche leidend an der Straße nach Jericho liegengelassen wurden. So haben die Jesuiten in Südamerika im 16. und 17. Jahrhundert ihre Indianersiedlungen eingerichtet, die als "Reduktionen" bekanntgeworden sind, um die Indianer der politisch-sozialen Unterdrückung, der kulturellen Entfremdung

15 So der Titel der 1. Auflage des Werks von *J. Höffner* (Anm. 7)

und der wirtschaftlichen Ausbeutung durch die spanischen Siedler zu entziehen und dadurch überhaupt erst die Voraussetzungen für die Evangelisierung zu schaffen. So hat sich die von A.H. Francke inspirierte frühe pietistische Mission in Südindien darum bemüht, für die Neubekehrten, die von der Kastengesellschaft ausgestoßen wurden, neue Lebens- und Erwerbsmöglichkeiten zu schaffen und durch solche Alternativen wenigstens im kleinen Maßstab die ganze Ungerechtigkeit jenes Gesellschaftssystems mit der Tat in Frage zu stellen. Heute haben sich andere, früher noch nicht bekannte Bereiche der Verantwortung und Mitverantwortung erschlossen, in denen unter veränderten Voraussetzungen ein prophetisches Zeugnis von der umfassenden Hoffnung gefordert ist, die Gott in Christus eröffnet: Rassendiskriminierung in der südafrikanischen Apartheid-Gesellschaft; ökonomische und soziale Ausbeutung, an der direkt oder indirekt die Industrienationen mitschuldig sind; Entrechtung in Staaten, in denen individuelle und soziale Menschenrechte außer Kraft gesetzt werden; schließlich auch der ganze, kaum noch überschaubare Bereich der Unterentwicklung, in dem es ja nicht nur auf punktuelle Hilfe in Katastrophen und Notständen ankommt, sondern auf die Schaffung einer menschenwürdigen Gesellschaft in den Ländern der Dritten Welt. Die Anwaltschaft der Gerechtigkeit und des Friedens, die wir heute als integralen Bestandteil der Sendung zu begreifen lernen, darf auch an dieser Stelle das Zeugnis von der universalen Herrschaft Gottes über seine Schöpfung nicht schuldig bleiben.

Vor einem halben Jahrhundert, in der Zeit der Ungewißheit zwischen den Kriegen, meinte der unermüdliche Missionskritiker Paul Schütz vor einem Zu-viel an sozialem Engagement in der Mission warnen zu müssen: "Die Mission ist einer ethischen Haltung, einem 'Christentum der Tat' zuliebe ihrer Sendung untreu geworden. Man meinte auf diese Weise noch ein Letztes retten zu können und hat alles verloren."[16] Heute werden wir Last und Lehre der Geschichte in anderer Perspektive sehen. Eine Euphorie der Werkgerechtigkeit ist nicht zu befürchten, solange das Bemühen um Menschlichkeit und Gerechtigkeit nicht von einem idealistischen Humanismus getragen ist, sondern vom Gehorsam gegenüber dem einen Auftrag, der einen missio, die sowohl das Zeugnis des Glaubens als auch das Tun der Liebe, die Verantwortung vor dem zweiten und vor dem ersten Glaubensartikel einschließt.

4. DAS WERK DER MISSION IN DER GESCHICHTE

Wenn abschließend nun auch noch die Verantwortung vor dem *drit-*

16 Zwischen Nil und Kaukasus 48

ten Artikel Gegenstand der Überlegung sein soll, so scheint das auf den ersten Blick vielleicht fernzuliegen, zumal im Zusammenhang mit dem Vollzug, dem Werk der Mission. Für die älteste Christenheit war dieser Zusammenhang aber integraler Bestandteil ihres Sendungsauftrags. Vor allem in der lukanischen Überlieferung hat das weltweite Christuszeugnis "in der Kraft des *Geistes*" einen zentralen Platz.[17] Zwei Akzente treten dabei besonders hervor: Erstens verleiht der Geist die Freiheit, das Evangelium des Neuen Bundes "bis an die Grenzen der Erde" zu bezeugen, und zwar in der Weise, daß die Verkündigung auch in neuen Sprachen und neuen kulturellen Kontexten vernehmbar wird; zweitens ist es der Geist, der durch seine Wirksamkeit in der missionarischen Bezeugung des Evangeliums auch die Einheit der Kirche bewirkt.

Immer wieder kann man nur mit Überraschung zur Kenntnis nehmen, mit welcher Unbefangenheit die älteste Christenheit sich im Problemfeld von Universalität und Partikularität bewegte, das uns heute so viel zu schaffen macht. Konstitutiv war die Überzeugung, die in Jo 1,14 exemplarisch festgehalten ist: Das Wort ward Fleisch und "zeltete" unter uns (eskénosen), d. h., es nahm Menschengestalt an. Es konnte somit auch auf seinem weiteren Weg durch die Welt in die Realität partikularer Kulturen und Sprachen eingehen und sogar an deren Wandel und Veränderung partizipieren, eben weil es in keiner von ihnen mehr als eine vorübergehende Bleibe fand, sondern in ihnen nur "zeltete", ohne sich in einer von ihnen als dauerndem Gehäuse einzurichten, ohne aber auch ihrer Hinfälligkeit und Vergänglichkeit unterworfen zu sein.[18] Nur unter dieser Voraussetzung war es Paulus möglich, das Daseinsrecht eines authentischen, gesetzesfreien Heidenchristentums zu vertreten, sich aber zugleich dafür einzusetzen, daß das Judenchristentum nicht auf der Strecke bliebe. Nur so war in den Gemeinden auch multikulturelles Zusammenleben möglich, weil keinem Glied der Gemeinde eine bestimmte Kultur aufgezwungen wurde, keine als solche den Außenstehenden zum Untermenschen machen durfte. "Die griechische Kultur war für Paulus nicht als griechische verdammungswürdig, die jüdische nicht als solche die gültige Ausprägung von Menschlichkeit, obwohl Gott in ihr alles angelegt hatte, was dazu nötig ist."[19] Dieselbe Gesinnung spricht sich später im Diognet-Brief aus, wo es von den Christen heißt: "Jedes Vaterland ist ihnen Fremde, und jede Fremde ist ihnen

17 Vgl. *Kremer*, Weltweites Zeugnis für Christus in der Kraft des Geistes 145; *Boer*, Pentecost and Missions passim
18 Ich folge hier der Auslegung, die der ghanaische Theologe *John S. Pobee* in einer bislang ungedruckten Abhandlung zur Diskussion gestellt hat
19 *Burchard*, Erfahrungen multikulturellen Zusammenlebens im Neuen Testament 38

Vaterland" — auch und gerade inmitten der Anfechtungen durch akute Verfolgung, in denen die Auslieferung des Glaubens an einen bestimmten kulturellen Absolutheitsanspruch fragwürdige Erleichterung versprechen konnte.

Wohin wir seitdem gekommen sind, bedarf keiner ausführlichen Erläuterung mehr. Der Weg des Christentums durch die Welt wurde zunehmend durch den Universalitätsanspruch des westlichen Partikularchristentums, seiner theologischen Artikulation und seiner Kirchlichkeit belastet. Auch die älteste Christenheit hat gewußt, daß, um mit Karl Barth zu sprechen, "zum Glauben erweckt und zur Gemeinde hinzugetan werden, ... eins und dasselbe (ist)". [20] Aber von diesem Verständnis der Sammlung der Gemeinde in der Kraft des Geistes ist es ein weiter Weg gewesen bis zur Lehre von der plantatio ecclesiae als dem spezifischen Ziel der Mission — der Errichtung der sichtbaren römischen Kirche da, wo sie noch nicht ist (P. Pierre Charles). Daß diese einseitig ekklesiozentrische, auf Filialgründung westlicher Kirchen in der nichtwestlichen Welt angelegte Zielbestimmung der Mission auch im Bereich der protestantischen Mission ihr Wesen getrieben hat, von der niederländisch-reformierten Kolonialmission des 17. Jahrhunderts an bis hin zum Anglikanismus und manchen Missionstheoretikern des Neuluthertums, ist mittlerweile oft und mit Recht bemerkt worden. Das eigentlich Bedenkliche liegt auch hier nicht darin, daß die Kirche in der Mission ihren Platz bekommen hat und behält, sondern darin, daß dies überwiegend in der Assoziation mit dem Corpus-Christianum-Gedanken des mittelalterlichen Abendlandes geschehen ist, also der Vorstellung von einem Gemeinwesen, in dem Kirche und Staat, Geistliches und Weltliches in einem gesellschaftlich-politischen Einheitsgebilde integriert sind. [21] Die "jungen" Kirchen, die unter diesem Vorzeichen "gepflanzt" wurden, konnten schlechterdings nichts anderes sein als Abbilder und Anhängsel jener westlichen Mutterkirchen, deren missionarischer Tätigkeit sie ihre Existenz verdankten.

Gewiß sollen die prophetischen Stimmen derer nicht vergessen werden, die dieser Entwicklung entgegenzuarbeiten versuchten. Karl Graul, der Lutheraner, faßte vor 150 Jahren als einer der ersten das Ziel der "im Volksboden wurzelechten und entwicklungsfähigen Kirche" ins Auge. Der Amerikaner Rufus Anderson und der Brite Henry Venn propagierten wenig später — gleichzeitig, aber unabhängig voneinander — die drei Kriterien der werdenden Kirchen in den Missionsgebieten: Selbst-

---

20 Kirchliche Dogmatik IV/1 768
21 Dabei ist zu beachten, daß der Begriff "Corpus Christianum" erst Ende des 19. Jahrhunderts von Karl Rieker geprägt worden ist. (*Köhler*, Corpus Christianum 206ff.)

verwaltung, Selbstunterhalt und Selbstausbreitung — jene "Drei Selbst", die ein Jahrhundert später in China besondere Bedeutung erlangen sollten. Anderson und Venn waren es auch, die die Möglichkeit und Notwendigkeit eines Moratoriums, eines Teilrückzugs der westlichen Mission in Erwägung zogen, um die Selbstfindung der neu entstehenden Kirche nicht zu behindern. Aber beide, wie auch ihre späteren Gesinnungsgenossen, waren und blieben davon überzeugt, daß der Prozeß der Emanzipation der "jungen" Kirche nur dann Erfolg haben konnte, wenn er von der westlichen Mission kontrolliert, gesteuert oder doch wenigstens in allen Phasen pädagogisch begleitet würde. Die Last der Geschichte war richtig erkannt und diagnostiziert worden. Aber es fehlte offenbar der Mut, aus dieser Last die Lehre abzuleiten, die das Übel an der Wurzel bekämpfen konnte. So blieb es dabei — von einigen wenigen Ausnahmen abgesehen — daß die Freiheit des Geistes in der captivitas der Westmission nicht völlig zur Entfaltung kommen konnte. Es wurden Abhängigkeiten geschaffen und fortgeführt, deren Folgen bis heute alle Beteiligten belasten, die sogenannten "Mutterkirchen" ebenso wie die "Tochterkirchen". Die *Welt*mission der Christenheit stellte sich ganz überwiegend als *West*mission dar. Die Universalität des einen Evangeliums war und blieb durch den illegitimen Universalitätsanspruch der westlichen Mission eingeschränkt und behindert.

Erst auf diesem Hintergrund versteht man die Wende, die wir heute erleben. Ein führender Missionstheologe aus Lateinamerika, Orlando Costas, hat sie dadurch unterstrichen, daß er den bisher geläufigen Kriterien für das Wachstum der Kirche die Dimension der "Befreiung" hinzufügte, Befreiung ausdrücklich auch von kultureller Bevormundung, damit das Evangelium in jedem Kontext heimisch werden könne.[22] Ein nordamerikanischer Theologe (auch er, wie Costas, der "evangelikalen" Richtung zugehörig) faßte die Postulate des Befreiungsprozesses nicht minder deutlich zusammen: "Nichtwestliche Strukturen für die eigenen missionarischen Aktivitäten der einheimischen Kirche; Anwendung ihrer kulturellen Identität bei der Evangeliumsverkündigung; die Notwendigkeit eines Moratoriums für westliche Missionen unter bestimmten Bedingungen."[23]

Es ist kein Zufall, daß auch die theologischen Auswirkungen jener Wende mit den Entwürfen einer Theologie der Befreiung beginnen, die von Lateinamerika ihren Ausgang nahm. Was immer im einzelnen von diesen Entwürfen zu halten sein mag — daß sie eine Befreiung der Theologie in der Dritten Welt von abendländischer Vormundschaft eingelei

---

22 Mission Out of Affluence 421
23 Evangelical Missions Quarterly 10 (1974) 302

tet haben, wird man nicht bestreiten können. Wie nötig eine solche Befreiung war und ist, läßt sich an der Zurückhaltung und Skepsis ablesen, die noch heute von zünftigen abendländischen Theologen der "kontextuellen" Theologie aus den Kirchen der Dritten Welt entgegengebracht wird. Die Last der Geschichte wirkt noch immer nach, wenn z. B. ein deutscher Theologe der vorletzten Generation seinen Studenten mit bestem Gewissen den Vorgang theologischer traditio erklärte: abendländische Theologie ist ihrem Wesen nach so universal, daß sie nur "wie ein Backstein" weitergereicht zu werden braucht, damit auf diese Weise ein neuer kirchlich-theologischer Bau entstünde. Kein Wunder, daß noch vor fünf Jahren die "Wissenschaftliche Gesellschaft für Theologie" es ablehnte, sich auf einem Kongreß der Herausforderung durch die Theologien der Dritten Welt zu stellen, und statt dessen eine "Standortbestimmung der europäischen Theologie" veranstaltete, zu der einzelne Vertreter der nichtwestlichen Welt dann ein kurzes Votum abgeben durften.[24]

Es ist nicht nötig, hier eine Apologie für die kontextuelle Theologie der Dritten Welt zu liefern. Die Vertreter dieser Theologie sorgen längst selbst dafür, daß ihr Beitrag in der Ökumene aufgenommen wird als das, was er sein will und sein soll: eine Lektion dafür, daß der Geist Gottes eine Last der Geschichte in eine Lehre verwandeln kann, in der letztlich nicht menschlicher Scharfsinn dominiert, sondern die Kraft des Geistes, die in der Schwachheit mächtig ist. Zu hoffen bleibt, daß nun auch jene Theologen selbst die Lehre der Geschichte beachten und nicht, nach dem Beispiel der abendländischen Theologie, ihrerseits ihre partikularen Entwürfe als absolut und universal ausgeben; denn die Freiheit des Geistes wird sich auch heute und in Zukunft darin erweisen, daß er — wie es in Vancouver 1983 ausgedrückt wurde — "sowohl die kontextuelle Verkündigung des Evangeliums in allen Kulturen als auch die *verändernde Kraft des Evangeliums in jeder Kultur*" zur Geltung bringt.[25]

Von hier aus ist es nur ein Schritt zur Frage nach der Einheit der Kirche, die hier wenigstens beiläufig noch einmal aufgenommen werden muß. Die älteste Christenheit hat, wie wir sahen, offenbar einen Zusammenhang erkannt zwischen der Freiheit, das Evangelium in vielerlei Zungen weltweit zu verkündigen, und der geistgewirkten Einheit der Gemeinde, über alle Differenzen der Kontexte hinweg. Für uns allerdings ist der Zugang zu diesem Erbe der neutestamentlichen Zeit ganz massiv verstellt durch die Last der konfessionellen und sonstigen Spaltungen, die gerade auch im Bereich der Mission das Zeugnis von der

24 Vgl. *Sundermeier*, Das Kreuz in japanischer Interpretation 417, 433
25 Bericht aus Vancouver 1983 (Frankfurt 1983) 261 (Hervorhebung von mir)

Einheit fast verstummen läßt. Immerhin sollten wir mindestens das Ausmaß der Herausforderung begreifen, die aus dieser Geschichte auf uns zukommt, so wie sie schon vor Jahren der orthodoxe Theologe Nikos Nissiotis interpretiert hat: "Wenn die Kirchen heute als Kirchen zusammenkommen wollen, so kann das nur mit fortdauernder Anrufung des Heiligen Geistes geschehen, daß er sowohl über die Geschichte hinaus als auch schon in der Geschichte die eine ungeteilte Kirche Wirklichkeit werden lasse, an der alles kirchliche Handeln geprüft und normiert werden sollte. Wir alle müssen uns von neuem auf unsere Wurzeln besinnen, die uns durch die Gemeinsamkeit der Taufe beim Heiligen Geist festhalten."[26] Mit anderen Worten: Der Geist will die Kirche und ihre Sendung auch dadurch freimachen und erneuern, daß er sie von der historischen Last ihrer Spaltungen befreit, und dies nicht als Selbstzweck, sondern um ihres Sendungsauftrags willen. "Es gibt nur einen Weg, der Einheit der Kirche näher zu kommen — das Ernstnehmen ihres Missionsauftrags. Andererseits gibt es keine echte Erfüllung des Missionsauftrags, die nicht nach der Darstellung der *einen* Kirche fragt" (Walter Freytag). [27] Wie weit wir in dieser Hinsicht noch davon entfernt sind, uns die Last der Geschichte zur Lehre dienen zu lassen, zeigt die Entwicklung in China. Wenn nicht alle Zeichen trügen, ist die chinesische Christenheit heute tatsächlich auf dem Weg zu einer "nachkonfessionellen" Kirche — zu dem Ziel also, das bei uns Karl Rahner und einige andere prophetische Geister von ferne ins Auge gefaßt haben. Auf jeden Fall mag uns der Blick auf das Geschehen in China, über diesen besonderen Anlaß hinaus, dazu verhelfen, daß wir Last und Lehre der Geschichte in der Mission im Lichte der vergebenden Liebe des Gottes sehen, der immer größer ist als unser Herz und unsere Schuld — im Sinne der Verheißung, die in unserer Epoche kaum einer so ernst und nachdrücklich bezeugt hat wie Reinhold Schneider:

"Uns ruft die Schuld.

Uns rettet nur die Schuld." [28]

---

26 Bossey News, December 1960, zitiert bei *D.T. Niles*, Upon the Earth (London 1962) 218
27 Reden und Aufsätze II (München 1961) 124
28 Stern der Zeit (Krefeld 1948) 91

Siebtes Kapitel

DIE WELT VON HEUTE ALS KONTEXT
CHRISTLICHER SENDUNG

Literatur:

G. *Almond/D. Powell,* Comparative Politics: A Developmental Approach
(Princeton, N. Y. 1966)

F. *Baade,* Der Wettlauf zum Jahre 2000 (München 1969[3])

Th. Bargatzky, Die Rolle des Fremden beim Kulturwandel (Hamburg 1978)

Th. Bargatzky, Einführung in die Kulturanthropologie (München 1980)

P.L. Berger, Zur Dialektik von Religion und Gesellschaft: Elemente einer soziologischen Theorie (Frankfurt a. M. 1973)

P.L. Berger, Welt der Reichen, Welt der Armen (München 1976)

P.L. Berger, Der Zwang zur Häresie: Religion in der pluralistischen Gesellschaft
(Frankfurt a. M. 1980)

U. *Bitterli,* Die "Wilden" und die "Zivilisierten": Grundzüge einer Geistes- und
Kulturgeschichte der europäisch-überseeischen Begegnung (München 1976)

W. *Brandt* (Hrsg.), Hilfe in der Weltkrise: Ein Sofortprogramm (Reinbek 1983)

P.H. Ehrlich/A.H. Ehrlich, Bevölkerungswachstum und Umweltkrise (Frankfurt
a. M. 1972)

S.N. Eisenstadt, Tradition, Wandel und Modernität (Frankfurt 1979)

K. *Forster/G. Schmidtchen,* Glaube und Dritte Welt: Ergebnisse einer Reprä-
sentativumfrage über weltkirchliche Aufgaben und die Motive deutscher
Katholiken (München – Mainz 1982)

R. *Friedli,* Fremdheit als Heimat: Auf der Suche nach einem Kriterium für den
Dialog zwischen den Religionen (Zürich 1974)

J. *Grevemeyer,* Traditionelle Gesellschaft und europäischer Kolonialismus
(Frankfurt a. M. 1981)

G. *Grohs u. a.,* Kulturelle Identität im Wandel (Stuttgart 1980)

H. *Gründer,* Christliche Mission und deutscher Imperialismus: Eine politische
Geschichte ihrer Beziehungen während der deutschen Kolonialzeit (1884–
1914) unter besonderer Berücksichtigung Afrikas und Chinas (Paderborn
1982)

K. *Hammer,* Weltmission und Kolonialismus: Sendungsideen des 19. Jahrhunderts im Konflikt (München 1978)

J. *Hauser,* Bevölkerungsprobleme der Dritten Welt (Stuttgart 1973)

W. *Heinz,* Menschenrechte und Dritte Welt (Frankfurt a. M. 1980)

W. *Herzog,* Zusammenleben mit Fremden: Zum Verständnis von Mission und
Religionen im Religionsunterricht der Sekundarstufe II (Münster 1983)
Manuskript

J. *Höffner,* Kolonialismus und Evangelium (Trier 1972[3])

R. *Hummel,* Indische Mission und neue Frömmigkeit im Westen: Religiöse Bewegungen Indiens in westlichen Kulturen (Stuttgart 1980)

Jahrbuch Dritte Welt: Daten, Übersichten, Analysen (München 2. 1984)

P. *Jalée,* Die Dritte Welt in der Weltwirtschaft (Frankfurt a. M. 1969)

160

B. *Kappenberg*, Kommunikationstheorie und Kirche: Grundlagen einer kommunikationstheoretischen Ekklesiologie (Frankfurt a. M. 1981)

F.-X. *Kaufmann*, Kirche begreifen: Analysen und Thesen zur gesellschaftlichen Verfassung des Christentums (Freiburg i. Br. 1979)

R. *König* (Hrsg.), Aspekte der Entwicklungssoziologie. Kölner Zeitschrift für Soziologie und Sozialpsychologie (1969) Sonderheft

K. *Krause*, Weiße Experten nicht gefragt: Selbsthilfe in indonesischen Dörfern (Reinbek 1981)

J. *Moltmann*, Kirche in der Kraft des Geistes (München 1975)

J. *Moltmann*, Neuer Lebensstil: Schritte zur Gemeinde (München 1977)

I. *Mörth*, Die gesellschaftliche Wirklichkeit von Religion: Grundlegungen einer allgemeinen Religionstheorie (Stuttgart 1978)

P.J. *Opitz* (Hrsg.), Weltprobleme (München 1982)

P.J. *Opitz* (Hrsg.), Die Dritte Welt in der Krise: Grundprobleme der Entwicklungsländer (München 1984)

D. *Pett*, Development from Below: Anthropologists and Development Situations (The Hague 1976)

G. *Rosenkranz*, Die christliche Mission: Geschichte und Theologie (München 1977)

J. *Schmid*, Einführung in die Bevölkerungssoziologie (Reinbek 1976)

G. *Schmidtchen*, Was den Deutschen heilig ist: Religiöse und politische Strömungen in der Bundesrepublik Deutschland (München 1979)

A. *Tévoédjrè*, Armut — Reichtum der Völker (Wuppertal 1980)

Das Überleben sichern: Der Brandt-Report/Bericht der Nord-Süd-Kommission (Frankfurt/M. — Berlin — Wien 1981)

H. *Zwiefelhofer*, Neue Weltwirtschaftsordnung und katholische Soziallehre (München — Mainz 1980)

1. DIE BEGRIFFE DRITTE WELT UND DRITTE KIRCHE

Da die Begriffe "Dritte Welt" und "Dritte Kirche" in der neueren Diskussion einen sehr bedeutenden Platz einnehmen, soll etwas über ihre Entstehungsgeschichte vorausgeschickt werden.

"Dritte Welt"

Der begrifflich nicht klar ausformulierte Ausdruck "Dritte Welt" wurde in den letzten Jahrzehnten zum Schlüsselbegriff des politischen Geschehens und zum Begriff, der die wirtschaftliche, entwicklungspolitische Situation in der Welt in Kurzform umschreibt. Innerhalb der internationalen Sprachwelt konnte sich dieser Terminus gegen andere belastete Ausdrücke und Wortschöpfungen behaupten. "Der Begriff konnte sich gegenüber den konkurrierenden Bezeichnungen durchsetzen, da er offensichtlich geringere Beitöne enthält, die als diskriminierend verstanden werden konnten."[1] Mit dieser Bezeichnung wurde in der Medienlandschaft und in der Literatur der Begriff der "unterentwickelten Länder" verdrängt, was eine nähere Eingrenzung des Wortes anregte.[2] Entscheidend für die Durchsetzung und die Verwendung des Begriffes war aber die Annahme durch die Länder der Dritten Welt selber. Es bleiben zwar immer noch Vorbehalte gegen dieses Wort, aber man spricht doch von einem mystifizierenden Begriff, der "Schule gemacht hat".[3] Zur gleichen Zeit versuchte man den Begriff schärfer zu fassen. Durch den Vergleich mit der Ersten und Zweiten Welt kam man zur Bestimmung neuer Merkmale und schließlich zur Erweiterung der Wortliste zur "Vierten Welt". Die Ausdifferenzierung erfolgte auf den Grundlagen von entwickelt: unterentwickelt, kapitalistisch, sozialistisch.[4] In all diesen Neuschöpfungen spricht sich auch Kritik aus, weil der Begriff der "Dritten Welt" eben nicht die notwendige Eindeutigkeit erbringen kann. Die wirtschaftliche und politische Skala der Entwicklungsländer ist breiter und unterschiedlicher als das Wort einzufangen vermag.

In seinem Kern ist der Begriff "Dritte Welt" ein historisch-politischer Begriff. Die Wortschöpfung verweist in den französischen Raum. Irving Louis Horowitz spricht die Urheberschaft Frantz Fanon zu.[5] Die Verwendung ist bereits für 1949 nachgewiesen.[6]

Zu orten ist der Begriff wohl im politischen Bereich eines Dritten Weges zwischen Washington und Moskau. Er ist vom Ost-West-Gegensatz geprägt. Darum grenzte er in den 50er Jahren nur die Länder als

1   D. Nohlen/F. Nuscheler, Was heißt Dritte Welt? In: D. Nohlen/F. Nuscheler (Hrsg.), Handbuch der Dritten Welt. I (Hamburg 1982[2]) 11
2   G. Myrdal hat die Preisgabe des Ausdruckes "unterentwickelte Länder" kritisiert, weil er darin eine Schönfärberei sieht, eine Verdeckung der eigentlichen Tatsachen. Vgl. ders., Politisches Manifest über die Armut der Welt (Frankfurt a. M. 1972) 7
3   P. Jalée, Die Ausbeutung der Dritten Welt (Frankfurt a. M. 1968) 9
4   P. Worsley, How Many Worlds? Third World Quarterly 1 (1979) 100f.; vgl. auch B. Fritsch, Die Vierte Welt: Modell einer neuen Wirklichkeit (Stuttgart 1970) 192
5   I.L. Horowitz, Three Worlds of Development: The Theory and Practice of International Stratification (Oxford 1966); F. Fanon (Die Verdammten dieser Erde, Frankfurt 1966) verwendet den Begriff mit einer solchen Selbstverständlichkeit und setzt ihn mit kolonisierter und unterentwickelter Welt gleich, daß er wohl früher in der französischen Sprache gebräuchlich gewesen sein muß
6   P. Worsley, aaO 101; in einigen Veröffentlichungen wird die Urheberschaft de Gaulle zugeschrieben; vgl. Großes Modernes Lexikon III (Gütersloh 1983) 293

Dritte Welt aus, die international den Dritten Weg der Blockfreiheit beschritten, nämlich die afrikanischen und asiatischen Länger, die sich auf der Bandung-Konferenz (1955) organisierten. Lateinamerika gehörte zunächst nicht dazu, da es durch den Rio-Pakt (1947) zum politischen Teil des Westens zählte.

Die Prägung des Begriffes wurde durch die geschichtliche Wortbildung des "Dritten Standes" (tiers état) mitgeformt.[7] Im Laufe der wirtschaftlichen und politischen Entwicklung aber wurde der Begriff zur umgreifenden Bezeichnung für die Entwicklungsländer überhaupt im Gegensatz zu den Industrieländern. Der einschneidende Punkt für diesen Wandel war die erste UNCTAD-Konferenz (1964).[8] Die politische Ausrichtung der Entwicklungsländer und ihre Abstimmung der Interessen untereinander führte dazu, daß der Begriff immer mehr politische Bedeutung gewann.[9] Heute ist der Ausdruck "Dritte Welt" ein vor allem politischer Begriff. Rein wirtschaftliche Kriterien, die durchaus auch eine Rolle spielten, würden für eine begriffliche Fassung nicht ausreichen. Es gibt auch Entwicklungsländer (im wirtschaftlichen Sinn), die nicht der Dritten Welt angehören. Daneben haben wir in der Reihe der Dritte-Welt-Länder einige Staaten, die wegen ihres Pro-Kopf-Einkommens von internationalen und nationalen Entwicklungshilfeorganisationen nicht mehr als Entwicklungsländer bezeichnet werden. Ihre Zugehörigkeit zur Dritten Welt wird aber nicht bestritten. "Wesentlich erscheinen somit politische Kriterien, insbesondere die politische Zugehörigkeit, die nicht nur eine solche der Zuschreibung, sondern historisch begründet ist: Die überwiegend gemeinsame Erfahrung von Kolonialismus, Imperialismus und Neokolonialismus, die Erfahrung einer 'dominierten Wirtschaft', der Peripherie (CEPAL) oder (in den Begriffen der Modernisierungstheorie) der Modernisierung und nachholenden Entwicklung."[10] Die Verwobenheit von wirtschaftlichen und politischen Aspekten ist kennzeichnend für den Begriff, zugleich aber liegen hier auch die Hindernisse für eine klare und eindeutige Abgrenzung des Wortes. Man gewinnt allerdings bei unterschiedlicher Gewichtung der Einzelaspekte einen größeren Spielraum und kann somit unter dem Wort seinen jeweils eigenen Bezug einbringen.[11]

7   E.J. Sieyès (1748–1836), Qu'est-ce que le tiers état? (1789), deutsche Ausgabe durch O. Brandt, Was ist der 3. Stand? (Berlin 1924)
8   J.H. Goldthorpe, The Sociology of the Third World (Cambridge 1977) 1
9   D. Nohlen/F. Nuscheler, aaO 13f.
10 D. Nohlen/F. Nuscheler, aaO 14; dort weitere Literatur
11 Zur Ausgliederung nach wirtschaftlichen, politischen ... Aspekten vgl. D. Nohlen/F. Nuscheler, aaO 15–21; dort weitere Literatur; zur sozio-politischen Fassung des Begriffes vgl. H. Sieberg, Dritte Welt – Vierte Welt: Grundprobleme

Der Ausdruck "Dritte Welt" wurde zum Vorbild der Wortbildung Dritte Kirche. Walbert Bühlmann versuchte mit diesem Ausdruck die Umschichtung des Christentums in die südliche Halbkugel der Erde zu erfassen. [12] Bei näherem Hinschauen aber zeigt es sich, daß hier nicht nur eine statistische Tatsache dargestellt und umschrieben wird, sondern durchaus theologische Umschichtungen und Verlagerungen vorgenommen werden. Ein erster Grund für die Wortprägung ist darin zu sehen, daß die Dritte Welt ein weltgeschichtliches Gewicht gewonnen hat; das Reden und Diskutieren über die Dritte Welt ziehe geradezu den "Neologismus Dritte Kirche" nach sich. [13] Sodann biete der Begriff Dritte Kirche eine Möglichkeit, "den umstrittenen Begriff 'Mission' " zu umgehen. [14] Bühlmann sieht ziemliche Schwierigkeiten bei einer religionssoziologischen, konkreten Bestimmung der "Mission". [15] Er möchte darum eine Unterscheidung zwischen der Mission als Sendung und den Bereichen der Mission erreichen. Dabei listet er religionssoziologische Fakten auf. Letztlich wird damit aber der Missionsbereich wieder geographisch umgrenzt, was vermieden werden sollte. [16] Wenn man den Missionsbereich mit der Dritten Kirche gleichsetzt, umschreibt man nicht mehr die globale Missionssituation, sondern vertritt ein gewandeltes Missionsverständnis, das nach einer religionssoziologischen Ausgrenzung des Missionsbereiches verlangt. [17]

Die Richtung einer Neuumschreibung der missionarischen Wirklichkeit durch den Begriff der Dritten Kirche deutet sich bereits in der Untersuchung des Afrikaners Sanon an, der wohl als erster den Begriff "Dritte Kirche" in die missionstheologische Diskussion eingebracht hat. Er verwendet die Vorstellung der Dritten Kirche, um das Problem und die theologische Wirklichkeit der einheimischen Kirche zu erfassen. Die Erste Kirche ist nach ihm die westliche, europäische, die Zweite die durch die Mission exportierte; die einheimische Kirche als die Dritte unterscheidet sich von den beiden ersteren. [18]

der Entwicklungsländer (Hildesheim — New York 1977) 48f.

12 *W. Bühlmann*, Wo der Glaube lebt: Einblicke in die Lage der Weltkirche (Freiburg — Basel — Wien 1974) 5, 15, 77, 122, 147
13 Ebd. 15
14 Ebd. 16
15 Ebd. 17
16 Ebd. 16f.
17 *J. Amstutz*, Die Mission als kirchliche Wirklichkeit. NZM 25 (1969) 244
18 Tierce Eglise, ma mère: ou la conversion d'une communauté paienne au Christ (Paris 1972)

In dieser Formulierung deutet sich etwas an, was bei aller Unklarheit die Möglichkeit eröffnet, die Kirche und ihre Sendung im heutigen Umfeld zu sehen. Die Fragen der Dritten Welt werden zu entscheidenden Fragen an die Christenheit, die Kirchen und somit auch an die missionarische Sendung. Die drängende Frage nach dem Kontext der christlichen Weltverantwortung stellt sich dem Christen und der Theologie immer wieder. Nur tastend werden eine Sicht oder der Schatten einer Antwort angedeutet. Eine Studie des Weltrates der Kirchen zur Armut in der Welt stellt in diesem Zusammenhang betont heraus, daß wir es mit einem "problem of faith" zu tun haben.[19] Obwohl als theologisches, drängendes Problem erkannt und als menschliche Anfrage an die christliche Botschaft ernstgenommen, bleibt in der Antwort viel Unsicherheit und theologisches Zögern. Das Eintreten für menschliche Freiheit, Gerechtigkeit und ein menschenwürdiges Dasein ist nicht eine bloße Frage an die Christen und die Kirchen, sondern eine Forderung und ein Wesensbestandteil der christlichen Botschaft.[20] Dennoch stellt man bei der Reflexion und der theologischen Rechtfertigung auf weite Strecken Hilflosigkeit und Verlegenheit fest.[21]

In einer umfangreichen Untersuchung über den Zusammenhang von christlicher Verkündigung und ihren Aufgaben in der Welt von heute wird sachlich und fast enttäuscht festgestellt: "Die meisten Theologen offenbaren, selbst wo sie diesen Problemzusammenhang als einen theologisch relevanten erahnen, eine große Hilflosigkeit, wenn es darum geht, ihn *theologisch* anzugehen." Und es wird weiterhin gesagt, eine "missionarische Theologie (müßte) von ihrer eigenen Sache her dazu imstande sein (...), diesen Bereich seinem eigenen Wesen entsprechend anzugehen."[22]

2. GLOBAL 2000

Allen Geschichtsdeutungen aus der Mitte des zwanzigsten Jahrhunderts liegen zwei Ansätze zugrunde. Einmal die Frage nach der "Ortsbe-

19 *J. de Santa Ana* (Hrsg.), Towards a Church of the Poor (Genf 1979) 103

20 *H. Rzepkowski*, Die Frage nach dem Christlichen in der Entwicklung. In: *M. Sollich* (Hrsg.), Probezeit ausgeschlossen: Erfahrungen und Perspektiven der personellen Entwicklungszusammenarbeit (Mainz – München 1984) 64–76

21 *W. Bindermann*, Die Hoffnung der Schöpfung: Römer 8,18–27 und die Frage einer Theologie der Befreiung von Mensch und Natur (Neukirchen-Vluyn 1983) 152f.

22 *K. Nürnberger*, Die Relevanz des Wortes im Entwicklungsprozeß: Eine systematisch-theologische Besinnung zum Verhältnis zwischen Theologie und Entwicklungstheorie (Frankfurt a. M. – Bern 1982) 56 bzw. 62

stimmung" (A. Rüstow) der Gegenwart und als ein zweites ein nicht näherhin fassbares Ahnen, daß ein neues Zeitalter anbricht. Dieses Zielen auf die Zukunft wird bei Karl Jaspers (1883–1963) sichtbar und zeigt sich im Werke von Alfred Weber (1868–1958). Die Entwicklung der Geschichte und des menschlichen Seins ist offen. Ernst Jünger spricht von einem möglichen Ende des "historischen Bewußtseins", das durch den Mythos abgelöst wird, was er als einen kosmischen Vorgang deutet. Es bricht ein drittes Weltalter an. Dieses erahnte Zeitalter birgt die Gefährdung des Menschen schlechthin in sich, aber auch die Möglichkeit einer bisher ungeahnten Entfaltung.[23]

Analysen der Politik und Wirtschaft und die Darstellung kultureller Trends verweisen immer wieder auf die Gefährdung des Menschen und des Umfeldes des Menschen heute. Der "Bericht an den Präsidenten" aus dem Jahre 1980 stellte dunkle und düstere Zukunftsprognosen auf. "Sofern es im Bereich der Technologie nicht zu revolutionären Fortschritten kommt, wird das Leben für die meisten Menschen auf der Welt im Jahre 2000 ungewisser sein als heute — es sei denn, die Nationen der Welt arbeiten entschlossen darauf hin, die gegenwärtigen Entwicklungstrends zu verändern."[24]

Der Bericht "Global 2000", von einer Expertengruppe erarbeitet, betrachtet in der Hauptsache die sozio-ökonomischen Systeme, die politischen Modelle und ihre Antworten. Damit ist auch immer der Mensch in seiner Entscheidung gemeint und herausgefordert. Es werden weniger persönliche oder moralische Wertungen eingebracht, sondern gesellschaftliche Lebenskonzepte und Modelle des Überlebens, und zwar aus der Sicht der "westlichen" Gesellschaft. Es ist zu erwarten, daß die westlichen Ordnungs- und Machtstrukturen durch die Dritte Welt noch schärfer hinterfragt werden. Die nordatlantischen Lösungen lassen sich nicht verallgemeinern und bieten in der westlichen politisch-ökonomischen Einbindung einen Standort an, der nicht allgemein vertretbar ist.

Es entsteht eine konfliktreiche Auseinandersetzung der unterschiedlichen Leitbilder des Überlebens innerhalb der Weltgesellschaft. Aber eine Begegnung und ein Gehen ins Wagnis ist für die mitteleuropäische Gesellschaft nicht leicht möglich, da die Haltungen und Einstellungen, die dafür erforderlich sind, unter den heutigen Bedingungen nicht mehr gelernt und eingeübt werden. Die Ordnungsvorstellungen der westlichen Welt sind von Versicherungen und Rückversicherungen gestützt und be-

23 *J. Vogt*, Wege zum historischen Universalismus (Freiburg – Basel – Wien 1961); Literatur; *W. Brüning*, Geschichtsphilosophie der Gegenwart (Stuttgart 1961)
24 Global 2000: Bericht an den Präsidenten (Frankfurt a. M. 1980) 25; vgl. zu den Analysen der Teilbereiche *P.J. Opitz* (Hrsg.), Weltprobleme (München 1982)

stimmt. Jede Veränderung wird von Organisationen aufgefangen. Dennoch hängt heute alles von der Fähigkeit ab, mit einer komplexen Weltwirklichkeit, d. h. mit einer Fülle verschiedenartiger Abläufe, angemessen umzugehen. Das immer mehr umfassende und aufgespaltene Wissen bietet keine Möglichkeit. Es wird immer mehr Wissensstoff angehäuft, aber die Kreativität nimmt ab. Wir erleben eine "überhitzte Ökonomie der Wissensindustrie in einer explosiven Fülle an Wissenschaft". [25] Zudem ist es zu einer Verknüpfung von Wissen und Macht gekommen, so daß das Wissen eine neue Qualität erhält. Es kommt zur Verwaltung des Wissens. Denken wird zu einer praktischen Technologie, zu einer Form des Wissenmanagements, zu einer "Technologie der Wissenverarbeitung".[26] Nur eine Rückkehr von der "großen Wissenschaft" zur "kleinen Wissenschaft" bietet einen Ausweg. Die Zukunft und die Anregung für eine Lösung der Probleme liegen bei den kleinen Einheiten.

Die Sprache in der politischen Entscheidung wird durch überholte Sprachformeln und Sprachschablonen geprägt. So werden in der Sprache zusätzlich überholte Verhaltensmuster überliefert, die einer nicht mehr aktuellen Geltungswelt angehören. Es kommt zur Spracherstarrung, die sich in verfestigten Sprachzusammenhängen bekundet. Dadurch werden nicht nur im wirtschaftlichen und politischen Bereich die Dialogbereitschaft und die Möglichkeit zu einer Verständigung entscheidend beeinträchtigt. Die Toleranzgrenzen für andersartiges Denken und Handlungsmodelle werden zunehmend schmaler. Man verfestigt sich durch die Sprache auf den eigenen Bereich der Politik, des Weltbildes und der Wirtschaft. Ein Absolutsetzen von Sprache, und damit eigener Werte und Lebensvorstellungen, ist unmenschlich. Es gilt daher, die absoluten Sprach- und Denkmuster abzubauen.

Das Erweichen der absoluten Wertsetzung und der Verfestigung der Sprachwelt kann nur durch kleine Gruppen und einzelne Persönlichkeiten erreicht werden. Es muß die Polarisierung im Politischen und Wirtschaftlichen, die wiederum durch die Sprachschablone so leicht bewirkt wird, aufgegeben werden. Ordnungen und Wertorientierungen sind notwendig relative Größen, die in Anerkennung anderer Werte und anderer Lebenskonzepte ergänzt werden. Die differenzierte Wirklichkeit zu suchen und ihr gerecht zu werden heißt nicht, auf die vorhandenen Orientierungsmuster zu verzichten, aber es bedeutet, diese, wenn möglich, zu relativieren, wenn sie durch Verfestigungen unsere Begegnungs-

25 *E. Chargaff*, Unbegreifliches Geheimnis (Stuttgart 1981) 60
26 *J.E. Corradi*, Über Kultur und Macht: Die moderne Kultivierung des Wissens. Kölner Zeitschrift für Soziologie und Sozialpsychologie 22 (1980) Sonderheft Wissenssoziologie 268—285

möglichkeit blockieren. Die Entwicklung von Kommunikationsmöglichkeiten in der heutigen Welt bedeutet immer Abbau der absoluten Denk- und Sprachmuster. Erst dann wird eine offene Auseinandersetzung möglich. [27]

Innerhalb der entwicklungspolitischen Diskussion wurde schon immer, besonders aber in den neueren umfassenden Analysen und Erhebungen auf die Verflochtenheit und die Krise der ganzen Welt hingewiesen. Entwicklungspolitik ist nicht mehr eine zusätzliche und freie Aufgabenstellung, sondern wesentlich durch die Gemeinschaft der Menschen gegeben, und wird zwangsläufig durch die wirtschaftlichen und politischen Abläufe eingeklagt. So ist auch "Das Überleben sichern. Gemeinsame Interessen der Industrie- und Entwicklungsländer" der offizielle Titel des Berichtes der Nord-Süd-Kommission aus dem Jahre 1980. Als Ziel und Aufgabe sah diese Kommission an, "Wege zu einer neuen internationalen Wirtschaftsordnung" aufzuzeigen und "die Menschen in den verantwortlichen Positionen und die öffentliche Meinung davon zu überzeugen, daß tiefgreifende Veränderung in den internationalen, besonders den wirtschaftlichen Beziehungen notwendig ist".[28]

Die Vorschläge der Kommission betreffen fast alle Aspekte der gegenwärtig existierenden Fragen und Problemfelder der Entwicklungspolitik. Das übergreifende Lösungsmodell ist eine neue Weltwirtschaftsordnung, die durch strukturelle Veränderung der Weltwirtschaft bestimmt ist wie auch durch das Eintreten für die Stärkung der Eigenständigkeit der Dritten Welt. Die Kernfrage der Auseinandersetzung ist die neue Wirtschaftsordnung. Es wird überdeutlich darauf verwiesen, daß ein zwingender Zusammenhang zwischen Abrüstung und Entwicklung besteht. Es geht um das eklatante Mißverhältnis zwischen dem gewaltigen Investitionsbedarf der Entwicklungsländer und den ungeheueren Verschwendungen von Geldern für militärische Zwecke. So will man eine massive Erhöhung der Geldmittel für die Entwicklung erreichen. Man ist der Meinung, daß so die neue Weltwirtschaftsordnung die Forderungen der Dritten Welt nach Mitsprache bei der Ausbeutung von Ressourcen, Rohstoffen und Energie erreichen kann. Es gibt sicherlich eine ganze Reihe von Fragen, die von ihrer Bedeutung her von wachsendem Interesse für die gesamte Menschheit sind, die gleichsam als "Menschheitsfragen" in verstärktem Maße auch der systemübergreifenden Zusammenarbeit bedürfen. Dazu gehören Frieden und Abrüstung, Hunger und Arbeit, Umweltprobleme und die Fragen der Ent-

27 *A. Rich*, Mitbestimmung (Zürich 1973)
28 Das Überleben sichern: Der Brandt-Report/Bericht der Nord-Süd-Kommission
(Frankfurt/M. — Berlin — Wien 1981) 369

wicklung. Dafür soll das neue Wirtschaftssystem eine Hilfe bieten, die, ähnlich wie bei der sozialen Frage im 19. Jahrhundert in Europa, die Probleme des Nord-Süd-Konfliktes löst. "Der Norden muß seine Mittel und seine Macht teilen; muß bereit sein, auf Veränderungen der Funktionsweise von Märkten hinzuwirken, die gegenwärtig den Süden benachteiligen." [29] Dann besteht die Chance, zu einer "Weltgesellschaft" zu gelangen, zu einer "neuen Ordnung", die einen Gewinn und Fortschritt für alle bedeutet. Diesen sozialen Fortschritt will man durch erhöhte Geldmittel, durch mehr politische Gleichberechtigung und Mitspracherecht der Dritten Welt erreichen. Es wird ein Entwicklungsfonds gefordert, der die massiven Geldströme in die Dritte Welt kanalisieren soll. In diesem Zusammenhang spricht der Bericht davon, daß dem Fonds eine Katalysatorfunktion für die Umstrukturierung des gesamten Systems der internationalen Finanzordnung zukommt. [30]

Drei Jahre nach dem ersten Bericht legte die "Nord-Süd-Kommission" nochmals einen Bericht vor. Im Februar 1983 versuchte man wiederum, die Weltöffentlichkeit und die Politiker aus der trügerischen Sicherheit aufzurütteln. Der Report selber, "Hilfe in der Weltkrise — ein Sofortprogramm", ist durch eine tiefe Enttäuschung über die Mißachtung des ersten Berichtes und der dringlichen Empfehlungen getragen. [31] Die Verkettung der Entwicklungsnationen und der Industriestaaten wird nochmals und entschiedener angesprochen. Entwicklungsprogramme seien unaufschiebbar. Die weltweite Wirtschaftslage erfordere ein sofortiges Handeln. Ohne allgemeines Verständnis der internationalen Krisenlage und ohne eine breit angelegte Unterstützung in allen Bereichen steuere die Welt in den Untergang. Beide Berichte ergänzen sich und sind aufeinander bezogen. Sie sind nicht nur eine Sammlung von klaren und harten Analysen und Forderungen zur weltwirtschaftlichen Entwicklung, sondern zielen auf die Weckung des politischen und entwicklungspolitischen Bewußtseins.

Gleich zu Beginn des zweiten Berichtes wird festgestellt, daß die Warnungen des ersten Berichtes durch die krisenhafte Entwicklung sogar überholt worden sind: "Heute sind die Aussichten noch dunkler: die internationale Wirtschaftskrise könnte sich 1983 zur Depression entwickeln; Massenarbeitslosigkeit in den Ländern des Nordens und die Gefahr wirtschaftlicher Zusammenbrüche in Teilen der Dritten Welt; akute Gefährdung des internationalen Währungssystems und wachsende Unordnung im Welthandel; Verschlechterung in den Ost-West-Beziehungen

29 Ebd. 99
30 Ebd. 316
31 *W. Brandt* (Hrsg.), Hilfe in der Weltkrise: Ein Sofortprogramm (Reinbek 1983)

und neuer Rüstungswettlauf; politische und wirtschaftliche Krisen in Osteuropa und in vielen Teilen der Welt; Kriege und Bürgerkriege in zahlreichen Ländern der Dritten Welt — alles zusammen ergibt eine höchst unsichere und wenig stabile Zukunft."[32] Die Krise wird als eine allen gemeinsame beschrieben. Sie erfordert eine gemeinsame Antwort. Die Lage der Entwicklungsländer aber ist noch bedrohlicher. Diese sind vielfach durch die "Verbindung von unbefriedigendem Handel und mangelhafter Finanzierung" von "einer tödlichen Bedrohung"[33] getroffen. Einige Länder stehen unmittelbar vor der Gefahr des finanziellen Zusammenbruchs und damit des politischen und wirtschaftlichen Chaos.

Eine Zusammenfassung der entwicklungspolitischen Diskussion der vergangenen 25 Jahre liest sich wie ein komprimierter Überblick über enttäuschte Hoffnungen. Peter Opitz hat in sehr gedrängter Weise aufgezeigt: die Versuche der Entwicklungsländer, eigene Strategien zu entwerfen, die Gründe des Scheiterns der UNCTAD-Konferenzen infolge der unterschiedlichen Interessen wie auch die Grundstrukturen des Nord-Süd-Dialogs. Er listet die bedeutenden Berichte, z. B. den Report der schwedischen Dag-Hammerskjöld-Stiftung "What Now" aus dem Jahre 1975, das Modell der argentinischen Bariloche Stiftung "Catasstrophe or New Society" (1967) und die Berichte der Brandt-Kommission auf. Er zieht dann die realistische Bilanz: "So verschieden die Ursachen und Anlässe der einzelnen Konflikte auch waren — die Konsequenzen waren im wesentlichen immer gleich: Knappe Ressourcen wurden in steigendem Maße für militärische Ausgaben verwandt, korrupte Eliten und Militärdiktaturen von außen stabilisiert, Reformansätze vertagt oder im Keim erstickt, Bewegungen, die für soziale und wirtschaftliche Veränderungen eintraten, zerschlagen, radikalisiert und in den Untergrund abgedrängt. Wenig deutet darauf hin, daß sich daran in den nächsten Jahren etwas ändert — die Tendenzen weisen eher in die entgegengesetzte Richtung."[34]

Etwa in der Mitte der intensiven entwicklungspolitischen Diskussion veröffentlichte Roger Garaudy seinen eindringlichen Appell "Aufruf an die Lebenden".[35] Er stellt eine Verknüpfung der entwicklungspolitischen Fragestellung mit der Krise der nordatlantischen Wirtschaft und

32 Ebd. 18
33 Ebd. 27
34 Statt einer Einleitung: Elemente einer Bilanz zweier Entwicklungsdekaden. In: *P.J. Opitz* (Hrsg.), Die Dritte Welt in der Krise: Grundprobleme der Entwicklungsländer 44
35 Appel aux Vivants (Paris 1979); deutsch: Aufruf an die Lebenden (Darmstadt — Neuwied 1981)

Politik dar. Die westliche Wachstumsideologie gefährdet das Leben der nächsten Generation. Durch die heutige Wissenschaft und Technik werden mit einer kaum beherrschbaren Geschwindigkeit die Ressourcen unserer Erde geplündert und das Leben der ganzen Menschheit aufs Spiel gesetzt. Die Politik verwaltet diesen Zustand nur, bietet aber keine Möglichkeiten zu einer Lösung an. Eine sehr dunkle und nüchterne Beschreibung der Welt heute. Es werden die Religionen in ihrer langen Geschichte nach Abhilfen und Auswegen befragt. Garaudy ist der Überzeugung, daß man nicht Christ, Jude oder Buddhist dadurch wird, was man glaubt, sondern durch das Handeln. Er will letztlich aufzeigen, daß lebenerhaltendes und verantwortliches Handeln in seiner tiefsten Schicht religiös begründet ist. Hier kann ein Ausweg entstehen. Eine Hoffnung und Zuversicht für ein "neues Wachstum" gewinnt er aus dem Gedanken einer "Schule der Teilhabe". Das bedeutet, daß Solidarität und verantwortliches Handeln aus der Sorge um den anderen erwächst. Ansätze einer solchen "Schule der Teilhabe" und zu dieser Hoffnung gewinnt er aus den Beispielen der kleinen Gruppen der Hilfe und Unterstützung, den Kooperativen, den Basisgemeinden und anderen Bewegungen.

3. ENTWICKLUNG UND RELIGION

Spätestens seit dem "Entwicklungspolitischen Kongreß" im Jahre 1979 wurde es aussagbar klar, daß Entwicklung wesentlich etwas mit dem kulturellen Hintergrund zu tun hat und daß in der Frage dieses kulturellen Bezuges und Austausches die Kirchen ihren eigenen Beitrag zu leisten haben.[36] Darüber hinaus wurde aber auch sichtbar, daß die Kirchen nicht ihre besondere Aufgabe innerhalb des entwicklungspolitischen Geschehens in einem eigenen Beitrag sehen, sondern in der Rolle des Anwaltes der Armen und in der nötigen Bewußtseinsbildung. Es ist eine scharf umrissene politische Aufgabe, der sich die Kirchen stellen.[37]

Kaum jemand wird bestreiten, daß Entwicklung mit der Beseitigung der härtesten Mangelerscheinungen in der Dritten Welt zu tun hat, vor

36 Vgl. dazu *K. Bismarck/H. Maier* (Hrsg.), Entwicklung — Frieden — Gerechtigkeit: Entwicklungspolitischer Kongreß 1979 (München — Mainz 1979)
37 *H.-G. Binder/P. Bocklet* (Hrsg.), Entwicklung als internationale soziale Frage: Bericht über das Dialogprogramm der Kirchen 1977—1979, Entwicklung und Frieden (Frankfurt — München — Mainz 1980); *M. Sollich*, Entwicklung als internationale Frage: Zum Dialogprogramm der Kirchen. In: *H. Thime/W. Wöste* (Hrsg.), Im Dienst für Entwicklung und Frieden: In Memoriam Bischof Heinrich Tenhumberg (München — Mainz 1982) 123—132

allem mit der Überwindung von Hunger und Krankheit beginnen muß. Darüber hinaus birgt die Frage der Entwicklung mehr als nur die Befriedigung der drängendsten Anfragen der Not. Wird nicht der ganze Prozeß wesentlich durch Werte, kulturelle Faktoren gesteuert und letztlich erst verantwortbar? Oder ist dieser Respekt vor kulturellen Werten nur die Zurückhaltung und die Entschuldigung vor einer eindeutigen Parteinahme für die Armen, deren Überleben keiner kulturellen Rückbindung bedarf?[38]

Eine Reihe von Theoretikern sieht im Fehlen einer dynamischen Religion und Kultur den Schlüssel zum Verständnis eines Ausbleibens der Entwicklung in den außereuropäischen Ländern. Das Ausbleiben einer religiösen Reform, der Entzauberung der Welt und das feste Verharren bei der überlieferten Religion und Tradition bieten die Erklärung für Unterentwicklung. Die Unterentwicklung wird als eine Form und Folge der religiösen Kultur bestimmt: "Die grundlegenden Ursachen der Armut sind nicht so sehr in ökonomischen Tatbeständen wie Kapitalmangel etc. zu suchen, sondern mehr im psychologischen und gesellschaftlichen Bereich. Vor allem die religiöse Tradition ist es, die die Menschen im 'Ewig-Gestrigen' (Max Weber) gefangenhält."[39] Die religiöse Haltung dieser Menschen wird zum hemmenden Faktor in der geschichtlichen Entwicklung.

Bei der Betrachtung der Landkarte der Unterentwicklung und der entwickelten Staaten ist diese These nicht ganz einleuchtend. Es wäre hier auf die chinesische Entwicklung hinzuweisen, warum dann gerade diese Mentalität eine dynamische Form der Wirtschaft entwickelt haben sollte. Es müssen wohl auch weitere und eingehendere Untersuchungen der Religionssoziologie vorgelegt werden, die den Bereich der nichteuropäischen Religionen grundsätzlicher und genauer darlegen. Daneben gibt es eine ganze Anzahl von Untersuchungen, die den Behauptungen in dieser Allgemeinform widersprechen.[40]

38 *H. Elsenhans*, Geschichte und Ökonomie der europäischen Welteroberung (Frankfurt a. M. 1980) 170

39 *R. Stucken*, Der "Circulus vitiosus" der Armut in Entwicklungsländern. In: *H. Besters/E.E. Boesch* (Hrsg.), Entwicklungspolitik: Handbuch und Lexikon (Stuttgart 1966) 59

40 Vgl. dazu gerade das häufig mißbrauchte Beispiel Indien, *K.-G. Riegel*, Politische Soziologie unterindustrialisierter Gesellschaften: Entwicklungsländer (Wiesbaden 1976); *D. Nohlen/F. Nuscheler*, Unterentwicklung und Entwicklung: Theorien − Strategien − Indikatoren. In: *D. Nohlen/F. Nuscheler* (Hrsg.), Handbuch der Dritten Welt. I (Hamburg 1982²) 36−38; *K.-G. Riegel*, Tradition und Modernität: Zum Modernisierungspotential traditionaler Kulturen nichtwestlicher Entwicklungsgesellschaften. In: *D. Nohlen/F. Nuscheler* (Hrsg.), Handbuch der Dritten Welt. I, 73−91

Für Indien wurde nachgewiesen, daß die Alternative von Tradition und Entwicklung nicht zutrifft. "Die traditionelle Kultur ist weder starr noch festgefügt noch modernisierungsfeindlich. ... sondern (die) elastisch, kreativ und anpassungsfähig auf moderne kulturelle, wirtschaftliche, politische Orientierungen und Verhaltensweisen reagiert und sie phasenweise ... so verarbeitet, daß Modernität und Tradition nur zwei Seiten einer Lebensform, einer Kultur und einer Struktur darstellen."[41] Es werden vielfach auch die Brüche und Überlagerungen der Überlieferung durch die koloniale Epoche übersehen.[42] Diese Theorie, die eine solche enge Bindung zwischen Entwicklung und religiöser Kultur und Überlieferung sieht, besitzt nur begrenzten Deutewert.

Daneben kann man wohl kaum die Rolle der Religion im Entwicklungsprozeß bestreiten. Man muß von einer richtungweisenden Kraft der Religionen für den Entwicklungszustand ausgehen. Die Kultur und Religion stellt eine Wirklichkeit dar, die "Sachzwänge und Entwicklungsimpulse" setzt und freigibt, die eine solche tiefe Wirkung hat, weil sie das Handeln der Menschen in ihrer Gesellschaft verankert.[43]

In den Gesellschaften mit schriftlosen Kulturen bilden Kultur, Überlieferung und Religion einen einheitlichen Kosmos. Über längere Zeiten hinweg bewahren sie eine inhaltliche, sachliche und kulturelle Identität, die die soziologische und strukturelle Grundlage dieser Gesellschaftsform bildet. Und es hat den Anschein, daß diese Gesellschaften sich einer kulturellen Verweigerung bedienen und Widerstand gegenüber den Entwicklungen setzen. Man kann geradezu sagen, daß darin ihre notwendige und zwangsläufige Haltung liegt. "Diese kulturelle Defensivhaltung bewahrt Teile der eigenen kulturellen Identität und sichert die kulturelle Tradition dadurch, daß sie sich nicht völlig an die vom eigenen Herrschaftsapparat erhobenen Modernisierungsforderungen ausliefert."[44]

Innerhalb von Hochkulturen ist dieser Prozeß vielschichtiger.[45] Es muß auch unterschieden werden zwischen der "Großtradition" und der "Kleintradition" in diesen Gesellschaften. Die Großtradition bildet gleichsam die kulturelle Objektivierung der Kultur und wird von Spezialisten getragen. Daneben wird die Kultur und Überlieferung in den loka-

41 *K.-G. Riegel*, Politische Soziologie 195
42 *S. Amin*, Zur Theorie von Akkumulation und Entwicklung in der gegenwärtigen Weltgesellschaft. In: *D. Senghaas* (Hrsg.), Peripherer Kapitalismus: Analysen über Abhängigkeit und Entwicklung (Frankfurt a. M. 1974) 95
43 *H. Rzepkowski*, Development and Theology. In: *M. Dhavamony* (Hrsg.), Prospettive di Missiologia oggi (Roma 1982) 181—198
44 *K.-G. Riegel*, Tradition und Modernität 81
45 *K.-G. Riegel*, Tradition und Modernität 81—83

len Volkskulturen, den Kleintraditionen verwirklicht, die immerhin einen beträchtlichen Raum einnehmen. Die Verbindung beider Traditionsströme ermöglicht die Beeinflussung dieser Volkskultur, und damit wird eine Erweiterung und Öffnung leichter möglich. Diese Großtradition hat die Möglichkeit, sich andere Vorstellungen zu erschließen und die eigene Kultur zu relativieren. Sie wird auch in der eigenen Tradition für diese Vorgänge Ansätze finden. Dann muß aber beachtet werden, daß diese Kulturen nicht den Kern der eigenen kulturellen Identität aufgeben und die eigene Auflösung und Zerstörung hinnehmen. Aber die Deutemöglichkeit ist breiter und läßt mehr Möglichkeiten offen. "Die traditionellen Einschübe in sozialistische Weltbildstrukturen legen dafür ein beredtes Zeugnis ab." [46]

Eine Entwicklung ist nicht möglich, wenn nicht eine tiefgreifende kulturelle und religiöse Begründung vorhanden ist. Entwicklung ist nicht nur eine Frage der Wirtschaft, des Geldtransfers und des sozialen Wandels, sondern vor allem eine Frage des religiös-kulturellen Wandels. Eine solche Entwicklung kann nicht von außen eingeleitet werden, sondern muß aus den bestehenden und vorgegebenen Realitäten erwachsen. In diesem Prozeß kommt den monotheistischen Religionen, und hier dem Judentum und Christentum, eine besondere Rolle zu. Beide Religionen blicken in die Zukunft und verlangen eine Änderung der Dinge. Beide sehen in dem "neuen Menschen" ihr Ziel. In diesem Zusammenhang ist vielleicht der Wunsch und die Vorstellung des "neuen Menschen" einer ganzen Reihe von revolutionären Bewegungen einzuordnen. Sie verlangen die Schaffung und die Erziehung des "neuen Menschen", und erst dann wird eine Änderung eintreten. Beide Religionen haben in ihrer Ausrichtung auf die Zukunft im Laufe der Geschichte Erneuerungsbewegungen hervorgebracht. Ihre theologischen Vorstellungen und biblischen Bildworte vom "neuen Menschen", der "neuen Menschheit" und der "neuen Erde und dem neuen Himmel" haben in der Geschichte immer wieder Anregungen und Impulse zur Entwicklung und zum Fortschritt freigesetzt. [47] In allen Religionen sind Kräfte des Beharrens und der Bewegung und der Entwicklung vorhanden. In den monotheistischen Religionen scheinen die Kräfte der Erneuerung und Bewegung stärker und dichter vorhanden zu sein. In der Begegnung der Religionen und in ihrem Austausch haben sie gegenseitig eine anregende und korrigierende Funktion. Die asiatischen Religionen haben hierbei wohl die Aufgabe, zur Vorsicht und Besinnung zu warnen; den mono-

---

46 *K.-G. Riegel*, Tradition und Modernität 85
47 *K. Rennstich*, Mission und wirtschaftliche Entwicklung: Biblische Theologie des Kulturwandels und christliche Ethik (München – Mainz 1978)

174

theistischen Religionen kommt die Aufgabe zu, die vorhandenen Kräfte und Werte für eine Entwicklung anzuregen und die förderlichen Ansätze zu stärken. [48] Ohne diesen Dialog zwischen den Religionen wird eine tragende Entwicklung nicht eingeleitet werden können. Die christlichen Wertvorstellungen müssen in einen Austausch mit den Werten der Religionen kommen und so aus dem Inneren heraus die Religionen für eine Entwicklung fähig machen; denn Entwicklung ist nur als ein ganzheitlicher und umgreifender menschlicher Prozeß verstehbar und verantwortbar. [49]

Die politischen Vorgaben, die wirtschaftlichen und sozialen Bedingungen sind wichtige Voraussetzungen für die Entwicklung, wenn der Prozeß aber dauerhaft und von der Gesellschaft angenommen und mitgetragen werden soll, bedarf es einer religiösen und geistigen Dimension. [50] Ohne diese kann eine Entwicklung nicht auf die Dauer erfolgreich sein. Dafür muß zwischen den verschiedenen Religionen eine Wertbegegnung und ein Austausch erfolgen. Einigen Religionen und auch dem Christentum kommt dabei die mäeutische Funktion zu. Diese Rolle und dieses Verständnis der christlichen Überlieferung in der Sprachwelt eines Sokrates trägt neue Aufgaben und neue Erwartungen an das Christentum und damit an die Kirchen heran. [51]

Von der Religionssoziologie wird in diesem Zusammenhang die These vertreten, daß immer dort, wo in und zwischen gesellschaftlichen Gebilden Brüche auftreten, nach Rechtfertigungen und Berechtigungen gefragt wird. Und das auch im Entwicklungsgeschehen. [52] Es braucht nicht eigens betont zu werden, daß damit nur eine Funktion der Religion um-

48 A. *Camps*, Dialog der Religionen und Entwicklung: Die Maieuthische Methode. ZMR 56 (1972) 1—9; *ders.*, Dialogue with Asian Religions as Condition for Total Human Development. In: Dialogue with Asian Religions as Condition for Total Human Development: Seminar Report, Sri Lanka Foundation Institute (Colombo 1978) 29; *H. Rzepkowski*, Development and Theology 188—191

49 Es wird in diesem Zusammenhang die Frage des Islam und seiner Rolle innerhalb der Entwicklung ausgeklammert, dazu sei auf die Bedeutung des Islam innerhalb der Geschichte verwiesen; vgl. dazu *H.M. Azzam*, Der Islam: Plädoyer eines Moslem (Stuttgart 1981); zu unserer Diskussion vgl. *A. Camps*, Teilnahme an der Entwicklung: Eine Herausforderung an die Religion. In: Die Befriedigung gesellschaftspolitischer Grundbedürfnisse aus christlicher und sozialdemokratischer Sicht: Bilanz und Ausblick zur zehnjährigen entwicklungspolitischen Zusammenarbeit MZF/FES, Bonn 16.—21.3.1981 (Bonn 1982) 83f.

50 A. *Camps*, Teilnahme an der Entwicklung 77—92

51 H. *Desroche*, Religionssoziologie und Entwicklungssoziologie. In: Internationales Jahrbuch für Religionssoziologie 5 (1969) 39f.; *H. Rzepkowski*, Development and Theology 190f.

52 W. *Fischer/W. Marhold* (Hrsg.), Religionssoziologie als Wissenschaft (Stuttgart 1978) 17

schrieben wird. Sie hat darüber hinaus weitere soziale und personale Funktionen. Die Entwicklung und der Wandel rufen aber in einer Gesellschaft einen fortdauernden Prozeß hervor, der von Verunsicherungen begleitet ist. Hier hat die Religion und die symbolische Sinnwelt ihre Bedeutung und Aufgabe. Der soziale Aufbau und die personale Identität werden über religiöse Deutungen gesucht und gefunden. Religiöse Grundentscheidungen begründen die Einstellung zu Fortschritt, Produktion und Verbrauch. Die nicht hinterfragbare religiöse Fundierung einer Gesellschaft, eines Sozialgefüges geht in die Basisregel des Handelns ein. Die Religion spielt in diesem Zusammenhang die Rolle einer Struktur, die Beziehungen setzt. Diese Funktion ist notwendig, um den praktischen Aufgaben und Nöten des Alltags Herr zu werden und ein umgreifendes und tragendes Weltbild aufzubauen. Dabei kommt dann der Religion die Aufgabe zu, Unsicherheiten und Bruchstellen menschlichen und zwischenmenschlichen Lebens aufzufangen, zu deuten, indem sie die Tiefenstruktur der Wirklichkeit thematisiert. Obwohl Religion eine wichtige personale Funktion hat, wird gerade in einer Gesellschaft und einer menschlichen Sozietät deutlich, daß diese Gesellschaft vorläufig ist und sich letztlich übersteigen muß. Zwischenmenschliche Unzulänglichkeiten machen den sozialen Charakter der Religion deutlich. In der Religion wird die besondere und eigene "Tiefenstruktur der Wirklichkeitsauffassung" sichtbar.[53]

Die kulturell-religiöse Grundorientierung eines Menschen und eines Volkes ist im letzten bestimmend für sein Handeln. Entwicklung kann man sicherlich als ein vollbewußtes, erweiterndes und abänderndes Handeln verstehen. Folglich kann bei einem solchen Prozeß nicht die Grundorientierung des Partners und die eigene außer acht gelassen werden. Es muß eine Brücke gebaut werden zum Verständnis dieser Grundorientierung und für den Menschen im Entwicklungsprozeß diese Sinngebung in einen anderen Zusammenhang treten, eine Erweiterung und vielleicht eine neue, andere Zielrichtung erhalten.

Hier kann man eine der Aufgaben des Christentums sehen. Und es ist nicht mehr als eine Aufgabe der Gerechtigkeit, in einer Begegnung das Verstehen und eine Entfaltung des Sinngrundes zu ermöglichen.

4. BEVÖLKERUNG UND RELIGION

Jahrhunderte hindurch verlief das Wachstum der Menschen langsam, erst in den letzten 150 Jahren traten besorgniserregende Veränderungen

---

53 G. Dux, Ursprung, Funktion und Gestalt der Religion. In: Internationales Jahrbuch für Religionssoziologie 8 (1973) 20; W. v. d. Ohne, R. Hilmer, S. Nett-Kleyboldt, Y. Esterházy, M.-T. Kastl, Die Bedeutung sozio-kultureller Faktoren in der Entwicklungstheorie und -praxis (München – Köln – London 1982) 91–104

auf. Man kann drei Perioden in der Abfolge des Anwachsens der Weltbevölkerung sehen. Die erste und längste Periode reicht bis zur Mitte des 17. Jahrhunderts und hat ein überaus langsames Wachstum. 1000 v. Chr. rechnet man mit 5 Millionen Menschen, um die Geburt Christi schätzt man die Menschheit auf 250 Millionen und für das Jahr 1650 setzt man 545 Millionen an. Eine zweite Etappe in der Geschichte der Weltbevölkerung geht bis 1950. Die Weltbevölkerung erreicht in diesem Zeitraum, die 2,5 Milliardengrenze. Die dritte Periode bringt ein Ansteigen der Menschheit seit 1950 auf 4,2 Milliarden. Die Wachstumsrate ist so hoch, daß wir bis zum Jahre 2000 mit mehr als 6 Milliarden Menschen rechnen müssen. [54]

Die Bevölkerungskonferenz der Vereinten Nationen in Mexiko im August 1984 brachte die Zahlen wieder ins Bewußtsein. Seit 1950 hat sich die Zahl der Menschen auf der Erde fast verdoppelt. Bis zum Jahr 2035 wird die Weltbevölkerung auf 8,2 Milliarden anwachsen. Erst Ende des nächsten Jahrhunderts wird sich die Zahl der Weltbevölkerung bei 10 bis 12 Milliarden einpendeln. Die Not und Bedrohung trifft die südliche Erdhalbkugel. Schon heute werden in einem Jahr so viele Menschen von Hungersnöten dahingerafft wie in den sechs Jahren des letzten Weltkrieges umkamen. Die UNO schätzt die jährlichen Hungertoten auf 40 Millionen. [55]

Die Notwendigkeit und zwangsläufige Dringlichkeit einer Bevölkerungsplanung und Bevölkerungspolitik belegen folgende Zahlen: "Die Menschheit nimmt jährlich um 75–80 Millionen zu. Das sind 200.000 Menschen pro Tag, 8600 pro Stunde, 144 pro Minute und 4 pro Sekunde. Die Zunahme entspricht nach 21 Tagen der Bevölkerung von Rio de Janeiro, nach 9 Monaten der Einwohnerzahl der Bundesrepublik Deutschland und nach 4 1/2 Jahren jener des heutigen Afrika." [56]

Will man das Wachstum der Weltbevölkerung in seinem vollen Ausmaß erfassen, so ist es notwendig, die Zeiträume zu vergleichen, die zur Verdoppelung der Erdbevölkerung führen. Die Zeitabstände zwischen den Einzelabschnitten werden immer kürzer. Etwa um 1830 wurde erstmals die Milliardengrenze erreicht. Die nächste Milliarde ist dann um das Jahr 1930 anzusetzen. Die dritte Milliarde wurde in nur dreißig Jahren um 1960 erreicht. Das Überschreiten der vierten Milliardenlinie erfolgte nach nur 14 Jahren. Nach den gegenwärtigen Schätzungen wird

54 *J. Schmid*, Das Bevölkerungsproblem in der Dritten Welt. In: *D. Nohlen/F. Nuscheler* (Hrsg.), Handbuch der Dritten Welt I, 183
55 *A. Proost*, Die Betten der Armen sind fruchtbar: Zur 4. Weltbevölkerungs-Konferenz in Mexiko City (6.-14.8.1984). South-North-Dialogue: Forum on International Development Problems 1 (1984) 164f., 180–182
56 *J. Schmid*, Bevölkerungsprobleme. In: *P.J. Opitz* (Hrsg.), Weltprobleme 33

die Menschheit um das Jahr 2000 die 6-Milliardengrenze erreicht haben. Das bedeutet, daß wir eine jährliche Zuwachsrate von 1,7 % haben.[57]

In den Staaten der Dritten Welt liegt das Bevölkerungswachstum zwischen 1,7 % (Südkorea) und 4,2 % (Kenia) jährlich. Die Wachstumsrate in Afrika insgesamt ist steigend von 2,7 % auf schätzungsweise 3 % seit 1980. Heute leben in den nordafrikanischen Staaten Ägypten, Tunesien, Algerien und Marokko 47 Millionen Menschen, in 41 Jahren werden es 194 Millionen sein. Die Weltbank schätzt, daß bis zum Jahre 2000 etwa 7,6 Milliarden Dollar nötig wären, um entsprechende Familienprogramme durchzuführen. Das Problem ist drängend und brennend.[58]

Wie vielschichtig und komplex das Bevölkerungsproblem in einem Entwicklungsland ist, mag an dem Beispiel Indonesiens aufgezeigt werden. Die Volkszählung im Jahre 1980 erbrachte als Ergebnis, daß die Einwohnerzahl seit 1971 jährlich im Schnitt um 2,32 % gewachsen ist, und das trotz intensiver und, wie man meinte, erfolgreicher Familienplanungsprogramme. Die Bevölkerung wuchs also in diesem Zeitraum um 30 Millionen von 119,2 Millionen auf 147,4 Millionen Menschen. Setzt man die Einwohnerzahl in Beziehung zur Ausdehnung des Staates, so kommen 73 Einwohner auf den Quadratkilometer. Das ist nicht besorgniserregend. In der Bundesrepublik Deutschland sind es 248 Einwohner. Das brennende Problem für Indonesien liegt in der ungleichen Bevölkerungsverteilung. Knapp 62 % aller Indonesier leben auf der zentralen Insel Java, das sind 91,3 Millionen, und es bedeutet eine Bevölkerungsdichte von 678 Einwohnern auf den Quadratkilometer. Dennoch umfaßt Java nur etwa 7 % der Gesamtfläche Indonesiens. Gelingt es, die Zuwachsrate der Bevölkerung noch weiter zu senken, und zwar auf etwa 2 %, wie man es bereits für 1980 in Indonesien erwartet hatte, dann hieße das ein jährliches Anwachsen um drei Millionen und für das Jahr 2000 eine Gesamtbevölkerung von etwa 210 Millionen für Indonesien. In diesem Falle würde Java im Jahr 2000 wenigstens 125 Millionen Einwohner haben, d. h. etwa 925 pro Quadratkilometer.[59]

---

57 *J. Schmid*, Bevölkerungsprobleme. In: *P.J. Opitz* (Hrsg.), Die Dritte Welt in der Krise 47

58 Global 2000: Der Bericht an den Präsidenten (Frankfurt 1980) 39—45, 143—184; demographische Länderdaten in: Weltentwicklungsbericht der Weltbank (Washington 1983) 174f., 210—213

59 *G. Heilig/K.-H. Schramm*, Auswahlbibliographie Indonesien: Neuere bevölkerungswissenschaftliche Literatur zum drittgrößten Entwicklungsland der Erde (Bamberg 1984); *W. Röll*, Indonesien: Entwicklungsprobleme einer tropischen Inselwelt (Stuttgart 1979) 23—40; *J. Müller*, Die Zukunft der Weltbevölkerung: Sozialethische Überlegungen zur Bevölkerungspolitik. Stimmen der Zeit 109 (1984) 507—520

Im Zusammenhang mit der Weltbevölkerungskonferenz in Mexiko City im August 1984 veröffentlichte die "Evangelische Kirche Deutschlands" eine weite und umfassende Studie, die diese Frage ausführlich anspricht. Es kommen die unterschiedlichen Haltungen und Einstellungen zur Darstellung. Vor allem werden die wichtigsten Gründe für die derzeitige Bevölkerungsexplosion benannt. Nicht nur die wirtschaftlichen und politischen Hintergründe machen das Wachstum verständlich, sondern vielmehr noch die sozialen und vor allem die religiös-kulturellen Hintergründe. Es werden rein kirchliche und innerreligiöse Begrenzungen diskutiert und als nicht vollziehbar verworfen, in ihrer normativen Geltung aber verstanden. Neben der Dringlichkeit der Frage wird deutlich, daß hier nicht nur eine Aufgabe der christlichen Weltverantwortung liegt, sondern eine Kernfrage der menschlichen Sinndeutung. Das Tragende des Menschen wird berührt, und es geht darum, aus diesem Sinnzusammenhang heraus nach einer Lösung für den Menschen zu suchen. [60]

Kinderreichtum mag aus vielen Gründen widersinnig sein, er ist es aber nicht für die meisten Menschen in der Dritten Welt. Die Familie bietet mit den Kindern Sicherung; die Altersversorgung ist eine Quelle von Ansehen und öffentlichem Prestige. Die Familie bedeutet die religiöse Einordnung in ein kosmologisches System, und darum ist Kinderreichtum logisch und zu begrüßen. Eine Vorstellung und entwicklungspolitische Tendenz, welche Geburtenkontrolle als Wert an sich als einzig vernünftige Handlungsweise versteht, ohne den sozio-kulturellen Hintergrund zu beachten, muß scheitern. Eine Hindufamilie muß heute beispielsweise sieben Kinder haben, um die Beerdigungsriten durch einen Sohn sicherzustellen. Wollte man das ändern, müßten Kindersterblichkeit und andere Gefährdungen so eingegrenzt werden, daß die religiös-kulturelle Erwartung und Forderung auch bei einer Familie mit drei oder vier Kindern eingehalten werden kann.

Man versucht, der dramatischen Bedrohung der Menschheit durch Überbevölkerung durch Programme der Geburtenkontrolle zu entfliehen. Moderne Empfängnisverhütung soll den Menschen begreiflich ma-

---

60 Kammer der EKD für Kirchlichen Entwicklungsdienst: Weltbevölkerungswachstum als Herausforderung an die Kirchen (Hannover 1984); zur Position der großen Religionen zur bevölkerungspolitischen Diskussion vgl. *G. Wülker*, Wertvorstellungen und generatives Verhalten in den Entwicklungsländern. In: *K. Ringer, E.-A. v. Renesse, C. Uhlig* (Hrsg.), Perspektiven der Entwicklungspolitik (Tübingen 1981) 215—241, hier bes. 230—235; zur Diskussion der christlichen Kirchen *F. Biffi* (Hrsg.), Demographic Policies from a Christian View-Point: Proceedings of the Symposium Rio de Janeiro, 27.—30. September 1982 (Rom 1984)

chen, daß zwischen Sexualität und Schwangerschaft keine schicksalhafte Bindung besteht. Die Schwierigkeit aber, diese "wahrhaft prometische Umwälzung" zu begreifen und als gangbaren Weg anzunehmen, ist für die meisten Menschen unvollziehbar. Auf diese Weise würde nicht nur ein einzelner Lebensbereich verändert, sondern der stimmige Sinnrahmen, die Religion, das Weltbild in allen seinen Bezügen zum Leben, in Frage gestellt. Die Kultur als Ausdruck und Zusammenfassung aller dieser Lebensäußerungen würde zerstört, der einzelne würde seine innerste Identität in dem gesamten Gefüge aufgeben. "Der Werber für Geburtenkontrolle, der in einem traditionellen Dorf für diese oder jene Verhütungstechnik Propaganda zu machen sucht, geht nicht einfach mit einem neuen interessanten Apparat hausieren. Vielmehr empfiehlt er den Dorfbewohnern, gegen etwas zu rebellieren, was seit undenkbaren Zeiten ein Schicksal gewesen ist, und bei dieser Rebellion ihren eigenen Körper als Instrument einzusetzen." [61]

Nach dem Bericht der Nord-Süd-Kommission ist das Anwachsen der Weltbevölkerung eines der Hindernisse für eine gezielte und erfolgreiche Entwicklungspolitik und auch eine der Ursachen der weiteren Verarmung der Staaten der Dritten Welt. "Alle fünf Tage wächst die Weltbevölkerung um über eine Million Menschen. Sie wird in den achtziger und neunziger Jahren um insgesamt zwei Milliarden Menschen zunehmen, und das ist mehr als die Gesamtzahl der Menschen, die im ersten Jahrzehnt dieses Jahrhunderts auf der Erde lebten. Neun Zehntel dieses Zuwachses werden auf die Dritte Welt entfallen." [62] Eine sachliche, rechnerische und realistische Feststellung. Für viele ist die Bevölkerungsexplosion ein Alptraum. Diesen Alptraum nicht Wirklichkeit werden zu lassen, werden die Vorstellungen der Familienplanung allein kaum ausreichen. Landflucht beschleunigt das Anwachsen der Millionenstädte und den Verelendungsprozeß, da es weder Arbeit noch Bildungschancen für die Zuwanderer gibt. Gerade die Ärmsten der Armen haben gewöhnlich viele Kinder. Sie haben, wie die Wissenschaft sich ausdrückt, eine sehr hohe "Reproduktionsquote". Für die Armen aber ist das notwendig, denn 12 oder 16 bettelnde Kinderhände können notfalls mehr zum Überleben der Großfamilie herbeischaffen als nur zwei oder vier. Einer solchen verhängnisvollen Konsequenz wohnt aus der Sicht der Betroffenen unbezweifelbare Logik inne. Mit Methoden der Empfängnisverhütung und mit der "Pille" wird man hier kaum Eindruck machen können. Zu leichtfertig sind plakative Formulierungen der Wohlstandsstaaten:

61 *P.L. Berger*, Der Zwang zur Häresie: Religion in der pluralistischen Gesellschaft (Frankfurt a. M. 1980) 24; vgl. auch *W. v. d. Ohne ...*, aaO 24f.
62 Das Überleben sichern 135

Kinderreichtum sei Ursache der Armut in der Dritten Welt. Ist es nicht zumeist oder immer umgekehrt: Armut verursacht Kinderreichtum, und dieser wiederum beschleunigt den Prozeß der Verarmung?

Die gegenwärtige Weltbevölkerung von etwa 4,7 Milliarden lebt zu 39 % in den Städten und zu 61 % auf dem Land. Von der errechneten Weltbevölkerung im Jahre 2000 wird mehr als die Hälfte in Städten wohnen. Die Stadtbevölkerung der Entwicklungsländer wird ungefähr doppelt so groß sein wie die in den Industriestaaten; dabei wird die Gesamtbevölkerung der Dritten Welt die der Industriestaaten um das Zweieinhalbfache übertreffen. [63]

Ein Kennzeichen des Bevölkerungsproblems der Dritten Welt ist es, daß sich die Elendsviertel und Wildsiedlungen außerhalb aller staatlichen Kontrolle oder gar einer Stadtplanung ausbreiten. Das Problem selber nimmt in den letzten Jahren bedrohliche Ausmaße an. Ungefähr 40 % der Großstadtbevölkerung Lateinamerikas lebt in solchen Randgebieten. Wenn der gegenwärtige Wachstumstrend bleibt, wird im Jahre 2000 wenigstens die Hälfte der Großstadtbevölkerung hier leben.[64] Der gegenwärtige Verstädterungsgrad der Dritten Welt von 40 % täuscht über das eigentliche Ausmaß des Urbanisierungsprozesses hinweg. Bereits 1974 lebten ebensoviele Menschen der Dritten Welt in Städten wie in den Industrienationen. Die Verdoppelung für das Jahr 2000 bringt nicht etwa eine Entlastung des ländlichen Bereiches, denn auch die ländliche Bevölkerung der Dritten Welt wird weiter zunehmen.

Das Bevölkerungswachstum der Länder der Dritten Welt wird vor allem durch ein Wachstum der Millionenstädte bestimmt und hier wiederum durch Städte in der Größenordnung von fünf Millionen Einwohnern und darüber. War der Anteil der Städte von über fünf Millionen Einwohnern im Jahre 1950 noch weniger als 2 % der städtischen Bevölkerung, so lag er 1975 bereits über 10 % und wird für das Jahr 2000 ein Viertel der städtischen Bevölkerung betragen.[65] Das Wachstum vollzieht sich vor allem in den Slums und Squatter-Siedlungen. Um die Wachstumsdynamik in den Städten annähernd beschreiben zu können, wurden von einem UN-Bericht folgende Grobregeln aufgestellt: Man geht von einer natürlichen Wachstumsrate von 3 % der Stadtbevölkerung aus; davon entfallen zwei Anteile auf die modernen Stadtgebiete und ein Anteil auf

63 *P. Herrle, H. Lübbe, J. Rösel*, Slums und Squatter-Siedlungen: Thesen zur Stadtentwicklung und Stadtplanung in der Dritten Welt (Stuttgart 1982²) Manuskript 45—48

64 *J. v. d. Rest*, Wohnungen für die Armen in der Dritten Welt. Stimmen der Zeit 109 (1984) 392f.

65 *G. Heilig*, Das Städtewachstum in der Dritten Welt. In: *P.J. Opitz* (Hrsg.), Die Dritte Welt in der Krise 194

die Slumgebiete. Die Stadt-Land-Wanderung verursacht ein weiteres Anwachsen der Stadtbevölkerung um 3 %. Dieses Wachstum geht voll in
den Slum- und Wildsiedlungen auf. Insgesamt wächst also die Stadtbevölkerung um 6 %. Die Elendsviertel stellen aber ein Drittel der Stadtbevölkerung dar, somit beträgt die Wachstumsrate der Slums 12 %, was
einer Verdopplung in sechs Jahren entspricht. [66]

Eine Städteplanung, eine Entwicklungsplanung und eine soziale und
politische Bewegung ohne Sicht und Rücksicht auf die Slums und die
Siedlungsprobleme wird in Zukunft einfach unmöglich sein. Eine Studie
zur Urbanisierung in der Dritten Welt stellt gleich einleitend fest, daß
die Städteplanung "in den nächsten 20 Jahren mit keinem Thema von
ähnlicher Dimension und ähnlicher Relevanz zu tun (haben wird) wie
der in Slums und Squatter-Siedlungen sich manifestierenden Urbanisie-
rungsproblematik der Dritten Welt". [67]

Aber es ist auch zu beobachten, daß Planung und politische Organisation nichts gegen die Wildsiedlungen und Slumbildungen ausrichten.
Einzelne private und zumeist religiös getragene Unternehmen bieten
einen möglichen Ausweg. [68] Es gibt eine Reihe von Modellen, die ihren
Erfolg der Kleingruppe und der Einzelinitiative verdanken. [69] Es ergeben sich nun aus diesen Ansätzen Strukturen und Hilfen, die in Verantwortlichkeit eine Alternative zu den gegenwärtigen Tendenzen der Urbanisierung und ihrer Folgen für die Länder der Dritten Welt bieten
können.

5. CHRISTENTUM UND RELIGION

Eine der christlichen Kirchen lehnt jede Statistik und jegliche Zah-
lenvergleiche als unchristlich und unbiblisch ab. Aus dieser Geisteshal-
tung heraus hat die Nicht-Kirchen-Bewegung (Mu-kyokai) in Japan keine Statistik aufgestellt. Ihr Gründer Kanzo Uchimura (1861—1930) verweist auf die Bibel und schreibt: "Wir ziehen uns Gottes Zorn zu mit
der Statistik unserer Mitglieder, wie es war, als David die Israeliten zählte (2 S 24)". [70] Die Nicht-Kirchen-Bewegung wird von den einen als die

---

66 UNICEF, Children and Adolescence in Slums and Shanty Towns in Developing
    Countries E/ICEF/L. 1277, zitiert in: UN E: 75. IV 8, 30

67 *P. Herrle* ..., aaO 1f.

68 *J. v. d. Rest*, aaO bietet das Beispiel "Hogar de Cristo" 399—402; *W.J. Keyes*,
    Freedom to Build. Impact März (1978) 93—95

69 *P. Herrle* ..., aaO 163—183 bietet eine Übersicht über eine ganze Reihe von Lö-
    sungsversuchen und Selbsthilfemethoden mit Literaturhinweisen

70 Hier zitiert nach *M. Miyata*, Der politische Auftrag des Protestantismus in Ja-
    pan (Hamburg 1964) 62; zu Uchimura vgl. *C. Michalson*, Japanische Theologie

konsequenteste Verchristlichung in Japan gefeiert und von anderen als eine ketzerische Kirchenbildung verworfen. [71] Es liegt etwas Anziehendes in der unbeirrten Ausrichtung auf die Bibel. Andere große Kirchen aber sehen in der Statistik ein Mittel der Beschreibung und Darstellung des Zustandes einer Religion und Kirche. So greift das Zweite Vatikanische Konzil (1962–1965) in seinem Missionsdekret auf die Statistik zurück: "Es gibt zwei Milliarden Menschen — und ihre Zahl nimmt täglich zu —, die große, festumrissene Gemeinschaften bilden, die durch dauerhafte kulturelle Bande, durch alte religiöse Traditionen, durch feste gesellschaftliche Strukturen zusammengehalten sind und die das Evangelium noch nicht oder kaum vernommen haben."[72] Dennoch kann man sagen, daß die Zahlen nicht im Mittelpunkt des Denkens oder gar der theologischen Begriffsfindung stehen. Es geht nicht um eine Darstellung der Kirche und der Evangelisierung in ihrer Quantität, sondern einzig um eine beschreibende Funktion.

Für eine Reihe von Missionstheologen ist die Analyse des Zahlenbefundes aber dennoch eine Grundlage ihres theologischen Ansatzes. Es gab Etappen in der Missionswissenschaft, die stark von den Zahlen und Zuwachsraten mitgeprägt waren. [73] Die zahlenmäßige Erfassung des Christentums ist beeindruckend, wenn auch das überraschende Wachstum nicht immer in einem Verhältnis zur Weltbevölkerung steht. So zählte man 1900 insgesamt 558.056.300 Christen, die 34,4 % der Weltbevölkerung ausmachten. Im Jahre 1980 waren es 1.432.686.500 Christen, und das waren 32,8 % der Weltbevölkerung. Für das Jahr 2000 erwartet man 2.019.921.400 Christen und schätzt damit 32,3 % als Christen ein. So betrachtet bilden die Christen annähernd ein Drittel der Menschheit. [74]

Wachstum der Christenheit durch Bekehrungen konzentriert sich auffallend in den südlichen Bereichen der Erde. So beträgt der jährliche Zuwachs durch Neubekehrung im afrikanischen Raum zwischen 1970 und 1985 1.466.149 Christen, in Südasien sind es 447.043 Konversionen. In Ostasien liegt der Anteil jährlich bei 359.622, in der Sowjetunion bei 164.182 Christen. Das Wachstum des Christentums in den anderen

der Gegenwart (Gütersloh 1952) 10–25; *H. Kimura-Andreas*, Mukyokai: Fortsetzung der Evangeliums-Geschichte (Erlangen 1984)

71 *M. Miyata*, aaO 53

72 AG 10

73 Vgl. dazu *F. Kollbrunner*, Kirchenwachstum — ein vernachlässigtes Ziel! In: *H. Waldenfels* (Hrsg.), " ... denn Ich bin bei Euch" 111–121

74 *D.B. Barrett* (Hrsg.), World Christian Encyclopedia: A Comparative Study of Churches and Religions in the Modern World AD 1900 — 2000 (Oxford — New York 1982) 6

Weltregionen weist eine negative Tendenz auf, d. h., es verlassen mehr Menschen die Kirchen als sich ihnen zuwenden. Für Europa liegt die Zahl der jährlichen Austritte bei 1.150.654, für Nordamerika bei 669.881. Die Verlustbilanz weist für Lateinamerika ein Minus von 291.821 Menschen auf und für den Ozeanischen Raum von 128.200. Rechnet man Verluste, Geburten und Bekehrungen gegeneinander auf, so ergibt sich letztlich in allen Erdteilen ein zahlenmäßiges Anwachsen der christlichen Kirchen. In Europa liegt die jährliche Wachstumsrate bei 0,63 %, in der Sowjetunion bei 1,17 %. Für Asien beträgt sie 3,35 %, für Afrika 3,55 % und für Ostasien 4,04 %.[75] Demgegenüber muß aber auch jene Kategorie betrachtet werden, die in der riesenhaften Übersicht von David Barrett als "Nicht-religiöse Menschen", "Ungläubige", "Agnostiker" bezeichnet wird. Es wird dieser Ausdruck und diese Umschreibung ohne jede theologische Qualifizierung und ohne jede Einschränkung verwendet, obgleich man sich doch darüber klar sein sollte, daß eine Zugehörigkeit zu einem politischen Block, einer parteipolitischen Gruppierung doch nichts über eine persönliche religiöse Haltung aussagt; zumal noch in der gleichen Zahlenaufstellung eine nicht unbedeutende Anzahl von sogenannten "Krypto-Christen" geführt wird.[76] Zu diesem Bereich konnte man 1900 nur 0,2 % der Weltbevölkerung rechnen, aber 1980 wurden zu dieser "religionslosen" Kategorie beinahe 716 Millionen Menschen gezählt, das sind 16,4 % der Weltbevölkerung. Die Berechnung für das Jahr 2000 kommt auf 1.071.88.370 Menschen, das wären 17,1 % der Weltbevölkerung.[77]

Innerhalb der Religionen bilden die Muslime die zweitgrößte Gruppe. Sie stellten 1900 12,4 % der Weltbevölkerung, 1980 waren es 16,5 % und für das Jahr 2000 werden es 19,2 % sein. Das Verbreitungsgebiet umfaßt 162 Staaten. Für die Hindus gelten, verglichen mit der Gesamtbevölkerung, folgende Zahlen: 1900 waren es 12,5 %, 1980 waren es 13,3 % und für das Jahr 2000 rechnet man mit 13,7 %.[78]

Für das Jahr 1980 gibt man einen vollamtlichen Personaleinsatz in allen Kirchen mit 3.199.000 Personen an. Die Anzahl derer, die als Missionare arbeiten, ist 249.000 Personen. Im Jahre 1900 waren es 62.000 Personen, 1975 waren es bereits 147.763 Missionare, die dann für das Jahr 1980 auf 249.000 anstiegen. Auffallend sind die Anteile der einzelnen Gebiete an diesen Missionarszahlen: Afrika 4.268, Ostasien 1.533, Europa 149.544, Lateinamerika 13.002, Nordamerika 67.387,

75 *D.B. Barrett*, aaO 6
76 AaO 823 bzw. 836
77 AaO 6
78 AaO 6

Ozeanien 5.505 und Südasien 6.399.[79]

Statistiken bieten scheinbar eine mathematische Sicherheit, führen aber auch leicht zur Täuschung über den eigentlichen Zustand der untersuchten Wirklichkeit. So bietet die Aufstellung über die Anzahl der Missionare noch keine vollgültige Sacherfassung. Erst der Vergleich mit anderen Komponenten wird zur Brücke in die Wirklichkeit. Die Erstellung der Altersstruktur der deutschen katholischen Missionare legt beispielsweise ihre krisenhafte Situation offen.[80]

Zu Beginn dieses Jahrhunderts stand die Mission im Zeichen eines ungebrochenen Optimismus, der Überzeugung, daß die Christen eine absolute Botschaft für die Menschen und die Welt haben. Zudem hatte sich das Christentum vielfach mit der westlichen Zivilisation identifiziert, und man zweifelte nicht daran, daß die weltweite Ausbreitung des Christentums Hand in Hand gehen werde mit der Ausbreitung und dem Anwachsen einer unmittelbar bevorstehenden Ausbreitung einer Weltzivilisation.[81] Auf evangelischer Seite ist dafür kennzeichnend die Weltmissionskonferenz 1910 in Edinburgh. Die Botschaft dieser Konferenz wurde packend und kurz von John Mott (1865–1955) in dem Satz zusammengefaßt: "Die Evangelisation der Welt in dieser Generation". Man stellte sich nicht die Frage nach der Berechtigung der Evangelisierung, nach der theologischen und menschlichen Legitimierung der christlichen Mission; es gab vielmehr nur die Frage des "Wie" der Evangelisierung.[82]

Das jähe Ende und das Erwachen aus diesem Traum durch den ersten Weltkrieg wurde in der Mission und in der missionstheologischen Reflexion schmerzlich erfahren. Eine Reaktion darauf und eine Zusammenfassung der theologischen Folgerungen erkennt man in dem großen Missionsrundschreiben von Benedikt XV, "Maximum Illud", aus dem Jahre 1919.[83]

In allen christlichen Kreisen versuchte man, sich auf die neue Lage einzustellen und sich positiv mit ihr auseinanderzusetzen. Eigentlich beherrschte nur ein Gedanke die ganze Diskussion: Was haben Mission

---

79 AaO 18; dabei ist zu bemerken, daß hier nur solche Personen als Missionare verstanden werden, die in andere Gebiete gesandt werden, nicht solche, die im Dienst der eigenen lokalen Kirche stehen

80 Vgl. dazu *H. Rzepkowski*, Deutsche Missionare. Verbum 20 (1979) 197–204

81 *H. Rzepkowski*, Menschenbild und Religionen. Quatuor Coronati: Jahrbuch 20 (1983) 265–269

82 *W. Freytag*, Die Frage nach der Kirche. In: *J. Hermelink/H.-J. Margull* (Hrsg.), Reden und Aufsätze (München 1961) 46

83 Vgl. dazu *H. Rzepkowski*, Erstverkündigung in den verschiedenen missionsmethodischen (missiologischen) Ansätzen. In: *P. Zepp* (Hrsg.), Erstverkündigung heute (Nettetal 1985) 112–114; dort weitere Literatur

und Christenheit zu all dem zu sagen, welches ist die Botschaft des Christentums zu den Problemen der Welt?[84] Nichts ist heute mehr von der Begeisterung und dem fast evolutionistischen Optimismus der ersten Weltmissionskonferenz zu spüren, die glaubte, "daß die nächsten zehn Jahre sehr wahrscheinlich einen Wendepunkt in der Menschheitsgeschichte darstellen und von größerer Wichtigkeit bei dem Ermessen der geistlichen Evolution der Menschheit sein werden als viele Jahrhunderte der Erfahrung".[85] Es ist sicher die Überzeugung geblieben, daß das nächste Jahrzehnt wichtiger sein wird als das voraufgegangene; es ist sicherlich die Überzeugung auch heute, daß der Mensch, sein Glaube und seine Überzeugungen an einer Wende stehen. So ist man auch davon überzeugt, daß die beiden Worte "Mission" und "Krise" "so unzertrennlich verbunden (sind) wie siamesische Zwillinge".[86] Man kann aber ganz sicher die Krise als eine Zeit der Klärung und Reinigung deuten.[87] Ebenso dürfte die Krise wohl auch eine Zeit des Umbruches und der Rückbesinnung auf das Wesentliche sein. Zudem ist sie Anzeichen eines Strukturwandels. Neubesinnung und das Suchen nach einer Bestimmung des Umfeldes der Mission treffen immer mit der Frage nach dem Wesentlichen des Christlichen und Menschlichen zusammen.

In der christlichen Literatur und der missionswissenschaftlichen Diskussion hat man das *Eindringen nichtchristlicher Religionen* in den europäischen Raum als "Gegenmission" bezeichnet.[88] Auffallend früh und auffallend heftig war die Reaktion der Christen und des Westens auf die beginnende Ausbreitungstendenz asiatischer Religionen im christlichen Bereich. Schon 1897 bringt eine missionswissenschaftliche Zeitschrift einen Beitrag über die Ausbreitung und Predigt des Hinduismus.[89] Keine zwanzig Jahre später wird in Basel die erste Studie über die Mission der asiatischen Religionen in Europa veröffentlicht.[90] In seiner Indischen Missionsgeschichte setzt sich Julius Richter (1862—1940) ausdrücklich mit der Mission Vivikanandas (1863—1902) auseinander.[91] Man spricht von dem Erwachen der asiatischen Religionen,

85 World Missionary Conference, 1910. IX (Edingburgh — London 1910) 108
86 *J.C. Hoekendijk*, Deelgenoten in verantwoordelijkheid: Nabeschouwing op het Algemeen Zendingscongres te Woudschoten 10.—13. Mei 1949 (Amsterdam 1949) 7
87 *H.-W. Gensichen*, Glaube für die Welt 35f.
88 *K. Hutten* im Vorwort zu *K. Hutten/S. v. Kortzfleisch* (Hrsg.), Asien missioniert im Abendland (Stuttgart 1962) 7 spricht bewußt von der "Mission" der Ausbreitung der anderen Religionen im Westen, um die Christen "aufzurütteln"
89 *J. Frohnmeyer*, Zwei neueste Apostel des Hinduismus. EMM 41 (1897) 369—387; 419—431
90 *H. Römer*, Die Propaganda für asiatische Religionen im Abendland (Basel 1910)
91 Indische Missionsgeschichte (Gütersloh 1906) 415f.; für eine umfassende Dar-

die sich in einer missionarischen Bewegung an den westlichen Menschen wenden. Wiederholt verweist Georg F. Vicedom (1903–1974) auf die Mission der anderen Religionen. [92] Es ist sicherlich ein echtes Bedürfnis und durchaus legitim, die mit der asiatischen religiösen Bewegung gegebene Herausforderung anzusprechen. Dennoch kann man eine Widersprüchlichkeit in der missionswissenschaftlichen Literatur nicht übersehen. Einmal beansprucht man den europäischen Bereich als das Gebiet des Christentums, übersieht dabei aber, daß dieser Bereich vielfach schon dem Christentum entfremdet ist. "Faktisch wird auf diese Weise aber die Illusion aufrechterhalten, das Abendland könne sich zumindest in der Abwehr nichtchristlicher Religionen als intaktes corpus christianum erweisen."[93] Die Einstellung und das Urteil von Ratschow versucht, zwischen beiden Haltungen eine Brücke zu schlagen, wenn er als wichtigste Ursache für die "Anfälligkeit der europäischen Menschheit für asiatische Religionen" darin sieht, daß "das Christentum unter uns in zunehmendem Maße nicht mehr religiös verstanden und gelebt wird".[94]

Die diesbezügliche Entwicklung der Religionskarte im europäischen Raum soll an einigen Zahlenbeispielen deutlich gemacht werden.

Für das Jahr 1900 gibt man für Europa 278.883.690 Christen an, das sind 96,6 % der Gesamtbevölkerung. Zur gleichen Zeit leben in diesem geographischen Raum 2.772.600 Muslime, was 1 % der Bevölkerung ausmacht. Diese Zahl wächst für das Jahr 1970 auf 6.847.690 (1,5 %) und auf 8.109.370 (1,7 %) für das Jahr 1975. Im Jahre 1980 ist die Zahl der Muslime auf 8.634.580 (1,8 %) und 1985 auf 9.159.790 (1,8 %) gestiegen. Für das Jahr 2000 liegen die Schätzungen bei 9.856.500 (1,8 %). Vergleicht man den Zeitraum von 1970 bis 1980 und rechnet man natürliches Wachstum, Bekehrungen und Abfall vom muslimischen Glauben gegeneinander auf, so ergibt sich eine jährliche Wachstumsrate von 2,2 %. Für den Hinduismus im europäischen Raum ergeben sich die folgenden Werte: 1900 weist man 50 Anhänger aus, 1970 sind es 223.370, 1975 sind es 372.630 (0,1 %). Im Jahr 1980 sind es 482.890 (0,1 %) und im Jahr 1985 593.150 (0,1 %). Die Hochrech-

stellung vgl. *R. Hummel*, Indische Mission und neue Frömmigkeit im Westen (Stuttgart – Berlin – Köln – Mainz 1980) 7–29; dort auch weitere Literatur

92 Das Abendland unter dem geistigen Einfluß Asiens. In: *K. Hutten/S. v. Kortzfleisch*, aaO 13–50; *ders.*, Europa als Spannungsfeld alter und neuer Religionen. In: *R. Italiaander* (Hrsg.), Die Gefährdung der Religionen (Kassel 1966) 34–58; *ders.*, Die Mission der Weltreligionen (München 1959); *ders.*, Die Weltreligionen im Angriff auf das Christentum (München 1958[3])

93 *R. Hummel*, aaO 15

94 Die Begegnung des Christentums mit den asiatischen Religionen in Europa. ThBeitr. 6 (1975) 58

nung für das Jahr 2000 ergibt 693.630 (0,1 %) Hindus für den europäischen Kulturraum. Der Vergleich der Wachstumszahlen für die Jahre 1970 bis 1985 ergibt eine jährliche Wachstumsrate von 6,97 %. Der Buddhismus hat für den gleichen Zeitraum ein Wachstum von 7,29 %. Die absoluten Zahlen lauten für 1970: 76.700, 1975: 128.640, 1980: 170.480; 1985: 212.320 und die Hochrechnung für das Jahr 2000 liegt bei 284.300 Mitgliedern. [95]

Greifbarer und konkret faßbar werden diese Zahlenwerte durch die Umsetzung auf Länderebene.

Für Frankreich weist die Statistik in der Projektierung für das Jahr 2000 die Muslime als zweitgrößte Religionsgruppe aus. Die römisch-katholischen Christen stellen dann 42.567.000 (68,5 %) der Bevölkerung, die Muslime 2.175.000 (3,5 %) und die evangelischen Christen 1.200.000 (1,9 %). Sicherlich sind für die Muslime in Frankreich einige Sonderverhältnisse zu beachten. Sie sind von 350.000 (0,7 % der Bevölkerung) im Jahre 1966 sehr schnell gewachsen, und zwar durch die Nationalisierung der Fremdarbeiter im Jahre 1966 und ab 1970 durch die Immigranten. Dazu kommt unter den Einwanderern die Re-Islamisierung von denen, die den Islam verlassen hatten. [96]

Für Großbritannien ergeben sich für die religiösen Gruppierungen die folgenden Verhältnisse. Im Jahre 1900 stellten die Christen 37.125.000 (97,4 %) der Bevölkerung, wovon 25.100.000 (65,9 %) Anglikaner, 9.475.000 (24,9 %) Protestanten und 2.530.000 (6,6 %) römisch-katholische Christen waren. Für das Jahr 1970 verschoben sich die Verhältnisse. Mit 57 % Anglikanern (31.624.000), 17 % Protestanten (9.432.000) und 13 % Katholiken (7.212.000) machten die Christen insgesamt nur noch 88,8 % der Bevölkerung aus. Dieser Anteil verringerte sich noch einmal für das Jahr 1975 auf 87,9 % und auf 86,9 % für 1980 und wird im Jahr 2000 nur noch 81,5 % betragen. Während des gleichen Zeitraumes wächst der Anteil der Muslime von 635.000 (1,1 %) auf 830.000 (1,4 %) und wird bis zum Jahr 2000 auf 1.130.000 (1,8 %) angewachsen sein. Für das Jahrzehnt 1970—1980 bedeutet das eine Wachstumsrate von 2,67 %.

Der Hindu-Anteil an der Bevölkerung weist zwischen 1970—1980 eine Wachstumsrate von 5,33 % aus, was dann real 300.000 Anhänger heißt, und 942.000 (1,5 %) für das Jahr 2000.

Die Wachstumsrate der buddhistischen Gruppe in dem Jahrzehnt von 1970 bis 1980 liegt bei 11,3 %. Für 1970 sind das 30.000 (0,1 % der Bevölkerung) und für 1980 121.000 (0,2 %) Buddhisten. Wenn auch

95 D.B. Barrett, aaO 783
96 AaO 295

ein Großteil der Buddhisten aus den überseeischen Gebieten eingewandert ist, so wird für die Zeitspanne von 1971—1977 die Zahl der Konvertiten, die Mönche wurden, auf 20.000 geschätzt.[97]

Die Berechnungen für die Bundesrepublik Deutschland sehen für das Jahr 2000 81,9 % Christen voraus (38,9 % evangelische und 40,1 % römisch-katholische Christen). Die dritte Stelle unter den Religionen nimmt der Islam ein mit 2,7 % der Bevölkerung (1.788.500 Anhänger). Die Wachstumsraten für die Jahre zwischen 1970 und 1980 liegen auch hier für den Islam (8,31 %) und Baha'i (2 %) verhältnismäßig hoch.[98]

Verfolgt man für die Zeit ab 1900 die Entwicklung des Christentums in Europa insgesamt, so fällt der Anteil an der Bevölkerung um 20 %, d. h. von 96,9 % auf 76 % bis zum Jahre 2000; im Jahr 1985 sind es 80,5 %. Die jährliche Wachstumsrate für den Zeitabschnitt von 1970 bis 1985 hat man auf 0,19 % berechnet. Die Kirchenaustritte werden durch das natürliche Wachstum nur zum Teil aufgefangen. 2.094.227 Geburten stehen 1.333.528 Kirchenaustritten gegenüber.[99]

Zu einer weiteren Anfrage an den christlichen Bereich, an die Evangelisierung in der gesamten Welt werden *die messianischen Religionen*, die einheimischen unabhängigen Kirchen, die als Gegenbewegung gegen die Missionskirche entstehen, die aber auch eine Reaktion auf die christliche Mission darstellen. Sie versuchen darüber hinaus, aus ihrem kulturellen Umfeld, der sozialen Eingebundenheit, eine christliche Antwort auf ihre Fragen und Nöte zu geben, die aber auch zugleich afrikanisch, asiatisch, einheimisch ist. So verweisen diese Kirchen auf Mängel der christlichen Verkündigung, zeigen aber auch Wege zu einem kontextuellen Christsein.[100]

Einige dieser Kirchen entstanden ohne einen äußeren Anstoß und sind durch einen Messias, eine Gründergestalt, getragen und bestimmt. Andere Kirchen sind Abspaltungen von den Großkirchen.[101]

In Afrika gab es im Jahr 1970 5.980 unterschiedliche Kirchen mit 15.971.400 Anhängern. Diese Anhängerschaft wuchs für 1980 auf

97   AaO 699f.
98   AaO 314
99   AaO 783
100 *H. Rzepkowski*, Teilkirche: Ein Christentum in den vielen Kulturen. In: *B. Große-Hölzing, K. Kniffki, W. Massa* (Hrsg.), Aus allen Völkern: Gedanken und Materialien zum Thema Mission — Dritte Welt (Stuttgart 1975) 179—188, hier 183—188; *P. Beyerhaus*, Was ist unsere Antwort auf die Sekten? EMZ 18 (1961) 65—89; *H.-J. Becken*, Afrikanische Unabhängige Kirchen: Gegenüber oder Partner der Mission? ZMiss 1 (1975) 88—95
101 Zur Terminologie und unterschiedlichen Begriffsbestimmung vgl. *H. Rzepkowski*, Taufe und Tauftheologie in den messianischen Kirchen. Verbum 18 (1977) 280—283; dort weitere Literatur

24.458.000 und für 1985 auf 29.148.600 Mitglieder an.[102] Für den asiatischen Raum rechnet man 1970 mit 14.556.400 Mitgliedern bei solchen Kirchenbildungen, die dann 1980 an die 23.536.300 Mitglieder aufweisen und die für das Jahr 1985 auf 28.210.100 Mitglieder ansteigen.[103] Zur Vervollständigung des Bildes sei auf die Zahlen aus dem lateinamerikanischen Raum verwiesen. Hier bewegt sich die Anzahl der Mitglieder von 8.240.200 (1970) auf 12.556.300 (1980) und 14.949.200 für das Jahr 1985 zu.[104] Die ungeheure Dynamik der Ausbreitung der unabhängigen Kirchen und ihr Wachstum zeigen diese Kirchen im einzelnen auch in ihrer Missionierung im europäischen Raum, wo sie sich nicht nur durch ausländische Zuwanderer zu Gemeinden finden.[105]

In der Bundesrepublik Deutschland zählte man für 1970 etwa 7000 Anhänger von unabhängigen afrikanischen Kirchen, die in dem Zeitraum von 1970 bis 1980 zum natürlichen Zuwachs und den Zuwanderungen noch 597 Konvertiten gewannen. Für das Jahr 2000 rechnet man mit 26.000 Anhängern bei den unabhängigen Kirchen.[106] Für Italien sind die Zahlen deshalb so hoch, weil Einwanderer aus Afrika und Asien ein starkes Anwachsen dieser religiösen Gruppen bewirken. Von 200 Anhängern im Jahr 1970 stieg ihre Zahl auf 4200 im Jahr 1980, und man erwartet für das Jahr 2000 eine Anhängerschaft von 20.000.[107] Für England bildeten diese Religionsgemeinschaften 1970 etwa 0,1 % der Bevölkerung; das bedeutet 74.470 Anhänger. Der jährliche Zuwachs in den Jahren 1970 bis 1980 liegt bei 0,74 %. In absoluten Zahlen ausgedrückt heißt das für jedes Jahr 262 neue Mitglieder durch Geburt und 311 durch Glaubensübertritt. Die errechnete Mitgliederzahl für das Jahr 2000 liegt bei 110.000 (0,2 %) Personen.[108]

Vielleicht sind solche Erscheinungen ein Anzeichen für die gleiche Tatsache, die man als *"neue Religiosität"* beschrieben hat. Es bilden sich Gruppen, "die in deutlicher Distanz, wenn nicht gar Kritik, zu den etablierten Kirchen einen religiösen oder sogar christlichen Anspruch

---

102 *D.B. Barrett*, aaO 815

103 AaO 817

104 AaO 831

105 *H.-J. Becken*, Die himmlische Kirche Christi: Eine Afrikanische Unabhängige Kirche in Mitteleuropa. ZMiss 8 (1982) 98—103; *E. Ratz*, Afrika als Ziel brasilianischer Kulte. ZMiss 3 (1977) 245f.; eine starke Anhängerschaft hat der Caodaismus in Frankreich, hauptsächlich seit 1972 unter den eingewanderten Vietnamesen; von den neuen Religionen hat die Soka Gakkai ihr Hauptmissionszentrum für Europa in Paris (seit 1971) mit über 8000 Anhängern in Europa, davon allein in Frankreich 5300; *D.B. Barrett*, aaO 403

106 AaO 314

107 AaO 403

108 AaO 699

anmelden".[109] Es entstehen religiöse Gruppen, die eine Herausforderung für die bestehenden Kirchen darstellen. Als erstes fallen in diesem Zusammenhang die unglücklicherweise als "Jugendreligionen" in den Sprachgebrauch eingegangenen Bewegungen auf. Der Begriff geht wohl auf F.-W. Haack zurück. Er wird dann von ihm selber in Frage gestellt. Haack schreibt, daß die Jugendreligionen ihre Anhänger hauptsächlich aus der Altersgruppe der 18- bis 26jährigen gewinnen; das Durchschnittsalter der Mitglieder dieser Gruppen wird wohl eher zwischen 25 und 40 Jahren liegen. [110] In den Vereinigten Staaten hat sich für diese Gruppen der Sammelbegriff "Kulte" (cults) eingebürgert. [111] Diese Jugendreligionen[112] sind in diesem Zusammenhang ein Merkmal für die "Neue Religiosität", für die die Erfahrung, das Erlebnis der Bekehrung, der Anschluß an eine messianische Gestalt und eine grundsätzliche Offenheit und Hinwendung zur religiösen Erfahrung anderer Religionen typisch ist. Wenn auch durch diese Gruppen nicht die Substanz der Kirchen bedroht wird, da ihre Zahl trotz allem klein bleiben wird, "sind (sie) aber gesellschaftlich insofern bedeutsam, als sie die herrschende Sicht von der menschlichen Person und vom Zusammenleben in der menschlichen Gesellschaft ablehnen oder mit ihren Alternativen doch in Frage stellen". [113]

Religionen, soziale Lage, Bevölkerungsstruktur und Entwicklungen sind das Umfeld der Beschreibung des Kontextes der christlichen Verwirklichung heute. In der missionstheologischen Diskussion hat man dafür den Begriff der Kontextualisierung eingeführt. Diese ergibt sich zwangsläufig aus dem Gedanken der Inkarnation und Menschwerdung Gottes. Sie ist aber nicht nur Anpassung, nicht nur ein Eingehen auf den kulturellen und soziologischen Rahmen, sondern stellt einen dynamischen Vorgang dar. Es geht darum, daß das Evangelium auf den gegenwärtigen sozialen Prozeß der wirtschaftlichen, politischen Entwicklung, der Technologie und auf den Kampf um Gerechtigkeit und Men-

109 F.-X. Kaufmann, Kirche begreifen: Analysen und Thesen zur gesellschaftlichen Verfassung des Christentums (Freiburg i. Br. 1979) 111
110 Die neuen Jugendreligionen (München 1976⁵) 5; zur Kritik an dem Begriff vgl. R. Hummel, Hinduistische Gurus und Gruppen im Westen. Reformatio 28 (1979) 166f.
111 Zur Literatur und Diskussion vgl. R. Hummel, Indische Mission 248f.
112 Zur Darstellung vgl. B. Mensen (Hrsg.), Jugendreligionen. Vortragsreihe 1979/80 (St. Augustin 1980); Der Minister für Arbeit, Gesundheit und Soziales des Landes Nordrhein-Westfalen, Jugendreligionen: 2. Sachstandsbericht der Landesregierung (Düsseldorf 1983) Manuskript
113 O. Bischofberger, Neue Religiöse Bewegungen und Gruppen außerhalb der Kirchen. In: Volkskirche — Gemeindekirche — Parakirche: Theologische Berichte X (Zürich — Einsiedeln — Köln 1981) 106

schenwürde eingeht. [114] Schon Anfang der fünfziger Jahre machte Hans-Werner Gensichen darauf aufmerksam, daß die deutsche Missionswissenschaft die soziologischen Analysen des sozialen Wandels in überseeischen Gesellschaften kaum zur Kenntnis genommen habe. Dieses habe zu Fehlbeschreibungen der sozialen Wirklichkeit und zu einem Nichtverstehen der Realität geführt. [115] Zahlen und Fakten sind nicht ohne weiteres eine Analyse, sind aber Bausteine, die zur Darstellung einer vielschichtigen Problemlage notwendig sind, die wiederum für eine verantwortliche christliche Haltung nicht nur den Hintergrund bilden, sondern in die theologische Fragestellung mit eingehen müssen.

Es geht darum, die " 'Welt' als Horizont der Sendung" zu begreifen: "Der Weltbezug meint nicht eine unvermittelte 'kosmische Dimension', auch nicht ein abstrakt definierbares, globales Gegenüber von Glaube und Kirche, sondern primär Welt als geschichtlich-gesellschaftliche, durch Freiheit und Verantwortung bestimmte Wirklichkeit. Dieser Bezug auf die Welt ... macht den Glauben und die Sendung in einem fundamentalen Sinne welthaft und umgreift alle Unterscheidungen, die gewiß möglich und notwendig sind, aber selbst als geschichtliche und wandelbare begriffen werden müssen." [116] Durch diese Hinwendung und Öffnung der Mission zur Wirklichkeit und zur Welt wird die Sendung dann als das Handeln Gottes in der Welt verstanden, "deren Ziel ein welthaft-geschichtliches Heil ist, das darum auch in der jeweiligen Gegenwart Kirche und Welt umschließt und die Kirche in die jeweilige konkrete geschichtliche Situation einweist". [117] Man könnte den Satz von Gustav Warneck (1834–1910), daß die Weltgeschichte auf die Mission hin veranlagt ist, umformulieren: "Die Sendung ist auf die Geschichte hin veranlagt, in deren primären Kontext sie gestellt ist." [118]

In einer neueren Untersuchung zur missionstheologischen Diskussion innerhalb der katholischen Kirche wird darauf aufmerksam gemacht, daß die Evangelisierung ein wesentlicher Bestandteil der christli-

---

114 A Working Policy for the Implementation of the Third Mandate Programme of the Theological Education Fund (1970–1977) (Bromley/Kent 1972) 19f.; *H.-W. Gensichen,* Evangelium und Kultur: Neue Variationen über ein altes Thema. ZMiss 4 (1978) 197–214

115 Grundzüge heutigen Missionsdenkens in Deutschland. Evangelische Theologie 11 (1951/52) 266

116 *L. Rütti,* Zur Theologie der Mission: Kritische Analysen und neue Orientierungen (München – Mainz 1972) 162

117 *L. Rütti,* aaO 188

118 *E. Kamphausen/W. Ustorf,* Deutsche Missionsgeschichtsschreibung: Anamnese einer Fehlentwicklung. Evangelische Theologie 22 (1977) 48 Beiheft: Verkündigung und Forschung

chen Identität sei, daß der Missionsauftrag aber eine nähere Bestimmung und eine Weiterentwicklung erfahre. Diese Eingrenzung und genauere Kennzeichnung werde in Verbindung mit der sozialen Problematik der Welt vollzogen. Die soziale Frage gewinnt so an theologischer
Bedeutung. Es wird nach einer näheren Bestimmung des Verhältnisses
von sozialem Handeln und Verkündigung gesucht: "Damit zeichnet sich
nun aber auch eine Veränderung und Vertiefung in der Bestimmung des
missionarischen Auftrages der Kirche ab. Mission bedeutet nicht nur
Verkündigung des Evangeliums bei Nichtchristen, sondern grundlegen-
der noch, Auftrag der Kirche, welcher 'Verkündigung' und 'soziales
Handeln' umfaßt." [119]

119 *G. Collet*, Das Missionsverständnis der Kirche in der gegenwärtigen Diskussion
    (Mainz 1984) 137

Achtes Kapitel

WEGWEISUNGEN ZU MISSIONSWISSEN-
SCHAFTLICHER LITERATUR

W.R. Hogg verglich die erste Weltmissionskonferenz mit einer opti-
schen Linse, die "die zerstreuten Lichtstrahlen der Versuche von 100
Jahren missionarischer Arbeit" aufgefangen, gesammelt und neu gefaßt
und in entscheidender Form in die Zukunft ausgestrahlt habe. [1] Dies ist
ein Bild, das unser Verhältnis zu den missionstheoretischen Werken, unseren Zugang zu ihnen und ihre Einordnung erleichtern kann. Vielleicht
werden in den Entwürfen Bündelungen sichtbar, die in vielen Ansätzen
in ihrer Zeit bereits vorhanden waren. Die Kräfte, die unser Leben bestimmen, sind nicht immer aufspürbar und unserer Einsicht zugänglich,
aber in der Geschichte und in der geschichtlichen Entwicklung werden
solche Fragen an die Oberfläche getrieben. Vielleicht ist der Weg über
die literarische Ausformung einer Wissenschaft und eines theologischen
Teilgebietes ein durchaus legitimer Weg in ihren innersten Bereich. Die
in einem Geschichtsabschnitt sich zeigenden Gestaltungen werden wesentlich durch Menschen bestimmt, die mit eigenen Ideen das Denken
der Zeit vorantreiben und denen es gelingt, die Gedanken ihrer Epoche
zusammenzufassen.

Als Begründer der modernen Missionswissenschaft wird Gustav Warneck (1834—1910) bezeichnet. Er hat auch als erster eine Missionstheorie in geschlossener Form vorgelegt. In der *Evangelischen Missionslehre*
wurde der erste ausführliche, systematische Versuch einer Abhandlung
der Missionswissenschaften unternommen. Die fünf Bände sind nicht
immer streng wissenschaftlich gearbeitet; sie sind vielmehr weitgehend
auf die Praxis hin orientiert und bringen einen reichen Erfahrungsbe-
reich der Geschichte und der evangelischen Mission der Jahrhundert-
wende ein. Dennoch sind sie ein "wirklich epochemachendes Werk mit
einer Fülle selbständiger und anregender Gedanken".[2]

Die Missionstheorie wird getragen und findet den Ansatz ihrer Glie-
derung in der biblischen Grundlegung. Test für ihre Tragfähigkeit sind
die Erfahrung und die Geschichte.[3]

1   *W.R. Hogg*, Mission und Ökumene (Stuttgart 1954) 121
2   *J. Schmidlin*, Katholische Missionslehre im Grundriß (Münster 1923[2]) 22
3   Vollständige Bibliographie in: AMZ 38 (1911) 231—236, 257—287; *G. War-
    neck*, Evangelische Missionslehre (Gotha 1882—1903) 5 Bde; zu Warneck vgl.
    H. Rzepkowski, Erstverkündigung in den verschiedenen missionsmethodischen
    (missiologischen) Entwürfen. In: *P. Zepp* (Hrsg.), Erstverkündigung heute 104—
    108, dort auch weitere Literatur

Wenn auch seit Warneck eine Unzahl missionstheoretischer Entwürfe und missionswissenschaftlicher Einführungswerke erschienen ist, so erreichte in ihm die Missionstheorie einen Höhepunkt und zugleich einen Abschluß. Alle weitere theologische Besinnung über die Mission trägt einen "Entwurf-Charakter".[4] Vielleicht kann man H.-W. Gensichens Urteil beistimmen, daß die Zeit der großen theologischen Systeme seit Gustav Warnecks Missionslehre vorbei ist. Er meinte: "Was heute möglich ist, kann nur ein Kompromiß sein: zwischen Forschungsbericht und Neuentwurf, zwischen kurzlebiger Problemanzeige und theologischer Grundlegung, zwischen gemeinverständlicher Orientierung und wissenschaftlich nachprüfbarer Darstellung".[5]

Auf katholischer Seite stellte Joseph Schmidlin (1875—1944) einige Zeit später seine Missionstheorie in Absetzung von und Annäherung an Gustav Warneck vor. In seiner *Katholischen Missionslehre* übernahm er in der Anlage und Methode das Werk Gustav Warnecks und setzt sich oft zustimmend, öfter noch polemisch mit ihm auseinander. Gerade seine Polemik läßt die unterschiedliche Position des katholischen Missionsdenkens schärfer und deutlicher hervortreten.[6]

Sieht man von Einzeldarstellungen und Spezialuntersuchungen zur Missionsgeschichte ab, so ist die siebenbändige Missionsgeschichte von Kenneth Scott Latourette (1884—1968) das Grundwerk. Ihr Titel lautet: *A History of the Expansion of Christianity*.[7] Hilfreich ist ganz

---

4   So z. B. *J.H. Bavinck*, An Introduction to the Science of Mission (Philadelphia 1960); *W. Bornemann*, Einführung in die evangelische Missionswissenschaft (Tübingen — Leipzig 1902); *H.R. Cook*, An Introduction to the Study of Missions (Chicago 1954); *F.E. Daubanton*, Prolegomena van Protestantsche Zendings-Wetenschap (Utrecht 1911); *K. Hartenstein*, Mission als theologisches Problem (Berlin 1933); *W. Holstein*, Das Kerygma und der Mensch: Einführung in die Religions- und Missionswissenschaft (München 1953); *H. Köster*, Vom Wesen und Aufbau katholischer Theologie (Kaldenkirchen 1954); *A. Mulders*, Inleiding tot de missiewetenschap (Bussum 1950[2]); *ders.*, Missiologisch Bestek: Inleiding tot de katholieke missiewetenschap (Hilversum — Antwerpen 1962); *L. Peters*, Katholische Missionskunde (Aachen 1952[2]); *A. Santos Hernandez*, Misionologia: Problemas introductorios y ciencias auxiliares (Santander 1961); *H.W. Schomerus*, Missionswissenschaft (Leipzig 1935); *M. Warren*, Theology, Theological Education and the Mission of the Church (London 1958)

5   Glaube für die Welt: Theologische Aspekte der Mission (Gütersloh 1971) 11

6   Vgl. dazu *H. Rzepkowski*, Erstverkündigung in den verschiedenen missionsmethodischen (missiologischen) Entwürfen 108—112; beide Autoren veröffentlichten auch eine Geschichte der Mission; *G. Warneck*, Abriß einer Geschichte der protestantischen Mission (Berlin 1913[10]); *J. Schmidlin*, Katholische Missionsgeschichte (Steyl 1925)

7   *K.S. Latourette*, A History of the Expansion of Christianity (New York — London 1937—1945) 2 Bde; vgl. dazu *J. Kraus*, Missionsgeschichte als Heilsge-

sicher die einbändige Darstellung von Alphons Mulders, die sich allerdings mehr auf die katholische Missionsgeschichte konzentriert.[8]

Einen Zugang zur Spezialliteratur und die Einordnung der Missionsgeschichte in die einzelnen Epochen der Kirchengeschichte findet man in dem gewaltigen Kirchengeschichtswerk *Handbuch der Kirchengeschichte*.[9].

Die gesamte Kirchengeschichte und die Verwirklichungen des Christlichen unter dem Aspekt des Missionarischen zu erfassen stellte sich das Sammelwerk *Kirchengeschichte als Missionsgeschichte*.[10]

Missionsgeschichte begreift sich heute neu, in einem anderen Zusammenhang. Sie wird als ein Teil der Kirchwerdung und der Findung einer eigenen Theologie gedeutet und verstanden.[11]

Schon gleich mit der Begründung der Missionswissenschaft wurde allen klar, daß eine intensive wissenschaftliche Arbeit nur möglich wäre, wenn man die Literatur durch Bibliographien erschließen könnte. Man begann das gewaltige Werk der *Bibliotheca Missionum*.[12] Zur Aktualisierung wurde diesem Mammutwerk dann später die jährlich erscheinende *Bibliografia Missionaria* an die Seite gegeben.[13]

Eine Aufbereitung der missionstheologischen Literatur bietet in einem ausführlichen und umfangreichen Anhang die südafrikanische missionswissenschaftliche Zeitschrift "Missionalia" (seit 1973). In einer kurzen Zusammenfassung wird der Hauptgedankengang der Artikel und Buchbeiträge vorgelegt, so daß eine Übersicht schnell erreichbar ist. Seit 1979 werden in einer bibliographischen Übersicht durch das Missionswissenschaftliche Institut Missio e. V. die theologischen Zeitschriften der Dritten Kirche erschlossen.[14] Daneben sind Sonderbibliographien

schichte: Zum Gedenken an Kenneth Scott Latourette. Verbum 12 (1971) 177—186

8 Missionsgeschichte: Die Ausbreitung des katholischen Glaubens (Regensburg 1960)

9 *H. Jedin*, Handbuch der Kirchengeschichte (Freiburg — Basel — Wien 1963—1979) 7 Bde

10 *H. Frohnes/H.-W. Gensichen/G. Kretschmar* (Hrsg.), Kirchengeschichte als Missionsgeschichte (München 1974) Bd 1ff.

11 Vgl. dazu den Bericht: Auf dem Weg zur Geschichte der ganzen Kirche — Neue Horizonte mit den Beiträgen von *E. Dussel*, Die Geschichte der Kirche in Lateinamerika; *J. Garrett*, Die Geschichte der Kirche im Pazifik; *H.S. Wilson*, Die indische Vereinigung für Kirchengeschichte: Ein ökumenisches Experiment; *O.U. Kalu*, Kirchengeschichte in Afrika heute; *F. Chiovaro*, Gelebte Geschichte des christlichen Volkes: Voraussetzungen eines neuen methodischen Zugangs zur christlichen Geschichte. Theologische Zeitschrift 38 (1982) 367—472

12 Bibliotheca Missionum (Freiburg i. Br. 1913—1974) I—XXX

13 Bibliografia Missionaria (Rom 1935) Bd 1ff.

14 Theologie im Kontext: Informationen über Theologische Beiträge aus Afrika,

erschienen, aber auch Literaturübersichten, die ins Studium der Missionswissenschaft einleiten wollen. [15]

Ein durchaus legitimer Weg zur Missionswissenschaft ist, ihren Weg und ihr Werden als eigene theologische Disziplin zu betrachten. Es sind darüber eine Reihe von Sonderstudien erschienen, die dann bei Einzelpersönlichkeiten und geschichtlichen Sonderfragen zu konsultieren sind. Eine Übersicht über das Wachsen der Missionswissenschaft bietet das zweibändige Werk von Olav Guttorm Myklebust: *The Study of Missions in Theological Education.*[16]

Die Fachzeitschriften führen an die aktuelle Problemlage heran, bieten Übersichten über die missionswissenschaftliche Diskussion und versuchen die theologische Verankerung der missionskundlichen Fragen. Neben rein informativen Zeitschriften wurden nicht wenige wissenschaftliche Organe für die Diskussion geschaffen:

Allgemeine Missionszeitschrift, Berlin 1874—1923

Blätter für Missionskatechese, Mödling bei Wien 1935—1939

España Misionera, Madrid seit 1944

Euntes docete, Commentaria urbaniana, Roma seit 1948 (passim)

Evangelisches Missionsmagazin, Basel seit 1816

Evangelische Missionszeitschrift, Stuttgart seit 1940

Het Missiewerk, Nijmegen 1919—1971 (seit 1946 ausschließlich missionswissenschaftlich)

The International Review of Missions (ab April 1969: *The International Review of Mission*), London, Genf seit 1912

Missiology, New Canaan seit 1973

Missionalia, Pretoria seit 1973

Missionalia Hispanica, Madrid seit 1944

Misiones extranjeras, Burgos seit 1948

Neue Allgemeine Missionszeitschrift, Berlin 1924—1939

Neue Zeitschrift für Missionswissenschaft, Schöneck-Beckenried,

---

Asien und Ozeanien. 1 (1979) und folgende, seit zwei Jahren wird auch die Literatur aus Lateinamerika beachtet.

15 *G.H. Anderson,* Bibliography of the Theology of Missions in the Twentieth Century (New York 1963[3]); *J. Masson,* Bibliographie missionnaire moderne: Choix classé de 1400 titres et notes d'histoire (Tournai — Louvain 1945); *A. Santos Hernandez,* Bibliografía misional. I Parte doctrinal, II Parte historica (Santander 1965); *R. Streit,* Die katholische deutsche Missionsliteratur (Aachen 1925); *L. Vriens,* Critical Bibliography of Missiology (Nijmegen 1960)

16 The Study of Missions in Theological Education: An Historical Inquiry into the Place of World Evangelisation in Western Protestant Ministerial Training with Particular Reference to Alexander Duff's Chair of Evangelistic Theology (Oslo 1954—1957) 2 Bde

Immensee (Schweiz) seit 1945

Parole et Mission, Paris seit 1958

Revue d'Histoire des missions, Paris 1924—1940

Rythmes du Monde, Paris—Bruges seit 1946

Spiritus, Paris seit 1959

Verbum svd, Roma seit 1959 (die ersten 10 Jahrgänge erschienen ordensintern als *Verbum*)

Wereld en Zending, Amsterdam seit 1972

Zeitschrift für Missionskunde und Religionswissenschaft, Stuttgart 1886—1939

Zeitschrift für Missionswissenschaft, Münster i. W. seit 1911; ab 1950: *Zeitschrift für Missionswissenschaft und Religionswissenschaft* (1938—1941 und 1947—1948 als *Missionswissenschaft und Religionswissenschaft*)

Es gibt auch eine ganze Reihe von missionstheologischen Entwürfen, die den gegenwärtigen Stand der Diskussion umreißen und einen theologisch verantwortbaren Weg aufweisen.[17] In die Lage der Weltkirche führt in einer überaus lebhaften Form das Buch von Walbert Bühlmann ein: *Wo der Glaube lebt*.[18]

Eine Rückbesinnung und die notwendige Verankerung der Mission in den biblischen Befund stellt der Sammelband *Mission im Neuen Testament* dar: Ein maßgebendes Buch für die Begründung der Mission heute; denn "Theorie und Praxis der christlichen Mission beziehen die Elemente ihrer Grundlegungslehren vor allem aus dem Ursprungszeugnis des Neuen Testamentes". Über das Gesamtwerk mag das Urteil des Herausgebers gelten: "Insgesamt mag sich aus diesen Beiträgen zwar keine entwickelte Begründung von Wesen und Notwendigkeit der christlichen Mission aus den Zeugnissen der Heiligen Schrift ergeben, wohl aber eine Besinnung auf die Sendung, die die Kirche von ihrem Herrn übernommen, reflektiert und bewahrt hat. Aus diesen urchristlichen Zeugnissen hat eine tragfähige und die Praxis inspirierende Theologie der Mission Maß zu nehmen, die heute unter veränderten Bedingungen neu zu gewinnen ist."[19]

Die Befragung des Evangeliums und der Frühepoche des Christentums ergibt klar, daß "missio externa" zum Wesen des Christentums und der Kirche gehört.

---

17 *G. Collet*, Das Missionsverständnis der Kirche in der gegenwärtigen Diskussion (Mainz 1984)

18 Wo der Glaube lebt: Einblicke in die Lage der Weltkirche (Freiburg 1974); einzelne Gedanken werden dann in weiteren Büchern entfaltet.

19 *K. Kertelge*, Einführung. In: *ders.*, Mission im Neuen Testament (Freiburg — Basel — Wien 1982) 7, 10

SACHREGISTER
von Johannes Fleckner

NAMENSREGISTER
von Johannes Fleckner

Josef Franz Thiel/Heinz Helf
CHRISTLICHE KUNST IN AFRIKA
360 Seiten, zweispaltig, mit 513 schwarz-weiß und 90 farbigen Abbildungen.
Format 24,5 x 33 cm.
Leinen DM 88,– / ISBN 3-496-00745-1

Anhand von über 600 Illustrationen wird das Kunstschaffen der Afrikaner in
Geschichte und Gegenwart dargestellt. Es werden vor allem Werke jener Künstler
berücksichtigt, die mit afrikanischen Formen und Symbolen christliche Glaubens-
wahrheiten auszudrücken versuchen und die Botschaft der Bibel von der afrikanischen Wirklichkeit her interpretieren.
Das Buch ist das Ergebnis mehrerer Ausstellungen über christliche Kunst in Afrika
und langfristiger Sammlertätigkeit der Verfasser. Eine umfangreiche Bibliographie
gibt dem Fachmann den jetzigen Stand der Forschung und dem interessierten Laien
die Möglichkeit des Weiterbildens.

Hermann Baumann
SCHÖPFUNG UND URZEIT DES MENSCHEN
im Mythos der afrikanischen Völker
XII und 435 Seiten mit 22 Karten und ausführlichem Namen- und Sachverzeichnis.
Leinen DM 85,– / ISBN 3-496-00005-8

Susana M. Cipolletti
**JENSEITSVORSTELLUNGEN BEI DEN INDIANERN
SÜDAMERIKAS**
Mit spanischem Summary
V und 370 Seiten mit 15 Kartenabb.
Brosch. DM 38,– / ISBN 3-496-00736-2

Werner Müller
GLAUBEN UND DENKEN DER SIOUX
Zur Gestalt archaischer Weltbilder
XII und 420 Seiten mit 65 Abb. und 5 Karten.
Brosch. DM 85,– / ISBN 3-496-00003-1

Werner Müller
**DIE RELIGIONEN DER WALDLANDINDIANER
NORDAMERIKAS**
Nachdruck der 1. Auflage von 1956.
392 Seiten mit 15 Tafeln und 31 Textabb.
Brosch. DM 85,– / ISBN 3-496-00002-3

DIETRICH REIMER VERLAG  BERLIN

Anton Quack
PRIESTERINNEN, HEILERINNEN, SCHAMANINNEN?
Die pofingao der Puyuma von Katipol (Taiwan).
Dargestellt und analysiert nach Aufzeichnungen aus dem Nachlaß von
Dominik Schröder
(Collectanea Instituti Anthropos, Band 32)
168 Seiten mit zahlreichen Abbildungen
Broschiert DM 42,– / ISBN 3-496-00783-4

Die Puyuma von Katipol bezeichnen als pofingao jene Frauen ihres Dorfes, die als wichtigste religiöse Funktionsträgerinnen der traditionellen Gesellschaft ihr Gepräge geben. Dominik Schröder sah in den pofingao die Hüterinnen der Tradition und der angestammten Religion. In einer Situation des Kulturwandels schienen sie das Element der Ruhe und der Ordnung darzustellen.

Es fällt schwer, die pofingao mit einem einzigen kennzeichnenden Stichwort zu belegen. Man könnte sie Priesterinnen nennen, denn die Riten, die sie vornehmen, zeichnen sich vor allem aus durch lange rezitierte und gesungene Texte und durch Opferhandlungen. Dominik Schröder bezeichnet sie als Schamaninnen, da sie ihr Amt durch Berufung, Berufungskrankheit oder Initiation erlangen und bei einigen wichtigen Riten in Trance Verbindung mit der Überwelt aufnehmen. Schließlich hat auch der Begriff Heilerin eine gewisse Berechtigung, da es zu den Hauptaufgaben der pofingao gehört, die Ursache von Krankheiten zu erforschen und Kranke zu heilen.

Josef Franz Thiel
RELIGIONSETHNOLOGIE
Grundbegriffe der Religionen schriftloser Völker
(Collectanea Instituti Anthropos, Band 33)
256 Seiten
Broschiert DM 28,– / ISBN 3-496-00784-2

In diesem Band beschreibt der Autor von »Grundbegriffe der Ethnologie« alle wichtigen religiösen Erscheinungen der sogenannten Naturreligionen und analysiert ihre Gebete, Riten, Opfer oder Ähnliches.
Der Glaube an ein Absolutes wird dabei in ganz besonderer Weise deutlich; vor allem auf den verschiedenen Wirtschaftsstufen der Wildbeuter, Pflanzer, Ackerbauern und Hirten.

Jon P. Kirby
GOD, SHRINES AND PROBLEM-SOLVING AMONG THE ANUFO OF NORTHERN GHANA
(Collectanea Instituti Anthropos, Band 34)

Dieses Buch befaßt sich mit religiösen Vorstellungen der Anufo in Nord-Ghana, mit ihren Geistern und Altären, mit den Orakeln, dem Wahrsagewesen, der Schicksalsmacht Nyeme und mit dem Gottesproblem. Damit greift der Autor ein Thema auf, das bereits Meyer Fortes bei den Tallensi untersucht hat: Schicksal und Persönlichkeit sowie die Rolle der Religion bei der Lösung von Problemen.

DIETRICH REIMER VERLAG  BERLIN